KB070035

주역절중

周易折中

7

이 책은 (재)한국연구재단의 지원으로 학고방출판사에서 출간, 유통합니다.

한국연구재단 학술명저번역총서 동양편 620

주역절중

周易折中

7

象傳(上)

편찬
이광지
李光地
책임역주
신창호
공동역주
김학목·심의용·윤원현

學古房

서문

『주역』은 '변화(變化)의 성경(聖經)'이라 불린다. 그만큼 자연 질서와 인간 사회 법칙을 변화의 원칙에 따라 변주하며, 성스럽게 우주적 삶의 기준을 구가한다. 그러나 '이현령비현령(耳懸鈴鼻懸鈴)'이라는 말이 붙을 정도로 다양하고 복합적인 해석의 차원이 개입하면서, 『주역』은 축적된 역사 이상으로 심오하고 의미심장한 세계를 형성한다. 그것이 『주역』의 특성이자 묘미일 수 있다.

본 번역 연구서 『어찬주역절중(御纂周易折中)』은 강희제(康熙帝)가 이광지(李光地, 1642~1718)에게 총괄책임의 칙명을 내려 1713~1715년에 걸쳐 완성한 『주역』 해설서이다. 전체 22권의 석판본(石版本)이 내부각본(內府刻本)으로 현존한다. 『주역절중』은 『주역』이 경전으로 성립된 이후 한대(漢代)에서 명대(明代)까지의 다양한 견해를 핵심적으로 정돈한 『주역』 학술의 결정판이다. 주희의 견해를 기본으로 하여 경(經)과 전(傳)이 분리된 『주역』 고본(古本)의 체제를 회복하였다. 또한 주희의 주역관을 근거로 의리학(義理學)과 상수학(象數學)을 망라하는 다양한 학설을 폭넓게 해석하고, 의리에 국한되었던 『주역전의대전(周易傳義大全)』의 결점을 보완하였다. 정주(程朱)의 뜻을 존숭하면서도 그와 다른 주장들을 절충하고 있는 저작이다.

『주역절중』의 편찬자인 이광지는 중국 청대(淸代) 사람으로 복건성(福建省) 천주(泉州) 출신이다. 자(字)는 진경(晋卿)이고 호(號)는 후암(厚庵)이다. 1670년 진사(進士)에 급제하고 삼번(三藩)의 난을 평정함으로써 강희제의 두터운 신임을 받았고, 관직이 문연각대학사겸이부상서(文淵閣大學士兼吏部尙書)에 이르렀다. 학문의 경지도 상당하여 경전에 두루 통달하였는데, 특히 『주역』에 정통하여 『주역통론(周易通論)』, 『주역관상(周易觀象)』, 『이문정역의(李文貞易義)』, 『역의전선(易義前選)』 등을 저술하였다. 당시 반주자학적(反朱子學的) 학풍을 대표하던 모기령(毛奇齡)과 달리 정주리학(程朱理學)의 학풍을 충실히 계승하였다.

『주역절중』의 체계와 내용을 보면, 경과 전을 분리하여 편찬하고, 64괘의 괘사와 효사, 「단전」, 「상전」, 「계사전」, 「문언전」, 「설괘전」, 「서괘전」, 「잡괘전」의 순서로 『주역』 전문을 서술하였다. 그리고 『역학계몽』, 「계몽부록(啓蒙附錄)」, 「서괘잡괘명의(序卦雜卦明義)」를 첨부하였다. 주희의 『주역본의(周易本義)』, 정이(程頤)의 『역정전(易程傳)』, 한대부터 명대까지 역학에 조예가 깊은 학자 218명의 「집설(集說)」, 편찬자의 「안(案)」, 이를 종합한 「총론(總論)」이 실려 있다. 그런 만큼 『주역절중』은 『주역』 관련 학술 연구에서 의미가 크다.

본 번역 연구는 내부각본을 저본으로 하고 문연각(文淵閣) 『사고전서(四庫全書)』본을 대교본으로 하였으며 무구비재(無求備齋) 『역경집성(易經集成)』본을 참고하였다. 1715년에 이광지가 『어찬주역절중』을 완성했으므로, 『주역절중』이 만들어진지 이제 막 300년이 지났다. 이 긴 세월의 무게만큼 『주역』 연구도 질적으로 깊이를 더하고 양적으로 방대해졌다. 그런 와중에 300년 만인 21세기 초반에 『주역절중』이 한글로 번역·출간되어 무척이나 기쁘다. 『주역』을 비롯한 역학 연구자, 나아가 동양학을 연구하는 관련 학인들에게 조금이나마 보탬이 된다면 번역 연구자로서 더욱 보람을 느낄 것 같다.

본 번역 연구는 먼저, 『주역절중』의 본문을 완역하고, 원문 및 번역문을 온전하게 이해하기 위해 자세한 설명이 필요한 부분은 각주로 해설하였다. 아울러 『주역절중』에 등장하는 학자들의 「인명사전」을 별도로 작성하여 첨부하였다. 이런 연구 성과가 『주역절중』의 한문을 옮기는 수준을 훨씬 넘어서 있기에, 단순하게 『주역절중』 '번역'이라 하지 않고 '번역 연구'라고 자부해 본다.

본 번역 연구 작업은 2015년 5월~2017년 4월까지 2년여 동안 이루어졌다. 연구책임자를 맡은 신창호 교수를 비롯하여, 공동연구자인 윤원현 박사·김학목 박사·심의용 박사 등 우리 번역 연구진은 번역 연구기간 동안 수시로 만나 초교를 윤독하고 다양한 연구 자료를 교환하면서 『주역』의 학술 마당을 열었다. 한대부터 명대에 걸쳐 있는 『주역절중』의 특성상, 역학(易學) 사상의 방대함으로 인해 내용을 정확하게 이해하고 정돈하는데 애로 사항도 많았다. 하지만 전문 학자들의 자문과 번역 연구자 상호 간의 소통을 통해 문제점을 극복하려고 노력했다. 그러나 번역과 연구의 두 측면에서 여전히 아쉬운 부분이 많다. 대부분의 번역 연구가 장·단점을 지니고 있듯이, 본 번역 연구도 미비한 점이 있을 것이다. 특히, 제대로 연구가 이루어지지 않아 오류가 난 부분이 있다면, 사계의 권위 있는 학자들의 애정 어린 질정을 부탁한다.

본 번역 연구진 이외에 감사해야 할 분들이 있다. 먼저, 교정과 윤문 등 원고를 정돈하는 과정에서 수고해 준 고려대학교 대학원의 철학 및 교육철학 전공의 여러 제자들(김지은, 우버들, 위민성, 이유정, 임용덕, 장우재, 정순희, 한지윤 등)에게 고마운 마음을 전한다. 젊은 제자들은 그들의 시각에서 번역 연구 내용의 가독성과 표현 등 여러 부분을 꼼꼼하게 살피며 의미 있는 충고를 해 주었다.

또한 교육부와 한국연구재단에 감사를 드린다. 본 번역 연구는 2015년 한국연구재단의 '명저번역지원' 사업으로 2년 동안 지원을 받아 수행한 결과이다. 방대한 분량이기 때문에 한국연구재단의 지원이 없었다면, 실행하기 어려운 작업이었다. 마지막으로 어려운 사정에도 불구하고 편집과 출판을 맡아 책을 깔끔하게 정돈해 준 하운근 대표님을 비롯한 도서출판 학고방 가족들에게 감사의 말씀을 전한다.

어떤 저술이건 혼자만의 노력과 작업에 의해 이루어지는 성과는 존재하지 않는다. 마찬가지로 이 『주역절중』의 번역 연구에도 많은 분들의 땀과 열정이 녹아들어 있다. 번역 연구에 직·간접으로 참여한 모든 분들과 이 책을 참고로 연구를 진행하는 여러 학인들도 『주역』의 사유가 더욱 풍성해지기를 소망한다. 나아가 미래에 또 다른 공동 노력의 결실로, 본 번역 연구보다 세련된 『주역절중』이 많이 저술되기를 기대해 본다.

2018. 6
번역 연구자를 대표하여
신창호 삼가 씀

일러두기

1. 본 역서는 문연각(文淵閣)판본 『어찬주역절중(御纂周易折中)』을 저본으로 한다.
2. 본 역서는 원문을 먼저 제시하고 번역문을 붙이는 대조본 형식으로 한다.
3. 번역은 직역을 원칙으로 하되, 가독성을 높이기 위해 필요에 따라 의역을 가미한다.
4. 『역』의 경문(經文) 번역은 편자 이광지(李光地)가 정이(程頤)의 『이천역전』보다 주희(朱熹)의 『주역본의』를 전면으로 내세운 의도에 따라, 주희의 주장을 기준으로 한다.
5. 원문에는 최소한의 현대식 표점을 표기한다.
6. 인용한 선행 학설에 대해서는 가능한 출전을 밝히고, 요약문일 경우 필요에 따라 설명을 첨가한다.
7. 인용한 학설은 전체적으로 큰 따옴표(" ")로 묶고, 인용문 속의 인용문은 작은 따옴표(' '), 작은 꺽쇠(「 」) 순으로 한다.
8. 각주에서, 원문에 대한 각주는 원문을 먼저 제시하고(예 : 潛龍勿用[잠긴 용은 쓰지 않는다]), 번역문에 대한 각주는 한글을 먼저 제시한다(예 : 잠긴 용은 쓰지 않는다[潛龍勿用]).
9. 괘명(卦名)은 '곤(坤)괘'와 같은 형식으로 통일하되, 필요할 경우 '곤(坤䷁)괘', '곤(坤☷)괘'와 같이 괘상(卦象)을 병기한다.
10. 국한문 병기는 매 장과 매 괘의 첫 부분에서 표기하고, 나머지는 국문을 중심으로 하되, 각주에는 한문으로 처리한 것도 있다.

11. 번역문이 10줄을 초과할 경우, 가독성을 높이기 위해 가능한 단락을 구분한다.
12. 『역』과 관련된 전문적인 개념어는 주석에서 풀이하고, 번역문에는 해석하지 않고 드러내어 용어 통일을 기한다.
13. 제1권의 뒷부분에 『주역절중』에서 인용된 학자들의 약력을 정돈한 별도의 「인명사전」을 작성하여 첨부하였다.
14. 『주역절중』의 맨 마지막 부분인 22권 「서괘·잡괘명의(序卦·雜卦明義)」는 편의상 「서괘·잡괘전(序卦·雜卦傳)」 다음에 배치하였다.

상전象傳

象傳

상전

제11권

상상전象上傳

1. 건乾☰괘

本義

象者, 卦之上下兩象, 及兩象之六爻. 周公所系之辭也.

상(象)은 괘(卦)의 위아래 두 상(象)과 두 상(象)의 여섯 효(爻)이다. 주공(周公)이 붙인 말이다.

天行健, 君子以自強不息.

하늘의 운행이 강건하니 군자가 이것을 보고 스스로 힘쓰고 쉬지 않는다.

本義

天, 乾卦之象也. 凡重卦皆取重義, 此獨不然者, 天一而已. 但言天行, 則見其一日一周, 而明日又一周, 若重複之象, 非至健不能也. 君子法之, 不以人欲害其天德之剛, 則自強而不息矣.

하늘은 건(乾)괘의 상(象)이다. 중첩된 괘(卦)는 모두 중복된다는 뜻을 취하였으나 이괘에서만 그렇지 않은 것은 하늘은 하나일 뿐이기 때문이다. 하늘의 운행이라고만 말하면 하루에 한번 돌고 다음날 또 한번 돌아 중복되는 상(象)이니, 지극히 강건함이 아니면 할 수 없다. 군자가 이를 본받아 인간의 욕심으로 하늘의 덕(德)이 강함을 해치지 않으면 스스로 힘쓰고 쉬지 않을 것이다.

程傳

卦下象, 解一卦之象. 爻下象, 解一爻之象. 諸卦皆取象以爲法, 乾道覆育之象至大, 非聖人莫能體, 欲人皆可取法也. 故取其行健而已, 至健固足以見天道也. 君子以自強不息, 法天行之健也.

괘(卦) 아래의 상(象)은 한 괘의 상을 해석한 것이다. 효(爻) 아래의 상은 한 효의 상을 해석한 것이다. 모든 괘가 상을 취하여 모범으로 삼는다.

건도(乾道)가 만물을 덮어주고 기르는 상은 지극히 커서 성인이 아니면 체득할 수 없으니, 사람이 모두 취하여 모범으로 삼게 하였다. 그러므로 그 운행이 강건함을 취했을 뿐이니, 지극히 강건함은 실로 천도(天道)를 보기에 충분하다. 군자가 이를 보고 스스로 힘써 쉬지 않으니, 하늘의 운행이 강건함을 본받았다.

集說

● 遊氏酢曰 : "至誠無息, 天行健也, 若文王之德之純是也. 未能無息而不息者, 君子之自強也, 若顏子三月不違仁是也."[1]

유초(遊酢)[2]가 말했다. "지극히 성실함은 쉼이 없으니 하늘의 운행

---

1) 유초(游酢), 『유치산집(游廌山集)』 권1.

2) 유초(游酢, 1053~1123) : 자는 정부(定夫)·자통(子通)이고, 호는 치산(廌山)·광평(廣平)이며, 시호는 문숙(文肅)이다. 건양(建陽 : 현 복건성 건영) 사람이다. 북송 때 경학가이다. 1083년에 진사가 되어 태학박사(太學博士), 감찰어사(監察御使) 등을 지냈다. 형 유순(游醇)과 함께 학문과 행실로 알려져서 당시 지부구현(知扶溝縣)으로 있던 정호(程顥)의 부름을 받아 학사(學事)를 맡게 되었고, 그때부터 정호 형제를 사사하였다. 사량좌(謝良佐), 양시(楊時), 여대림(呂大臨)과 함께 '정문사선생(程門四先生)'으로 일컬어졌다. 도를 천지 만물 속에 있는 보편적 존재로 인식하여 자연의 도가 바로 인륜의 이치라고 주장하였다. 또 『주역』을 중시하여 그 책 속에 우주 만물의 이치가 포함되어 있다고 보았다. 만년에 선(禪)에 몰입하여 유가가 불가를 배척할 것이 아니라 서로 보완적인

이 강건한 것으로 문왕의 덕이 순수함이 이에 해당한다. 쉼이 없을 수가 없는데도 쉬지 않는 일을 군자의 스스로 힘씀이라 하니, 안자가 3개월 간 인(仁을) 어기지 않은 사안 그것이다."

● 『朱子語類』云 : "乾重卦上下皆乾, 不可言兩天. 昨日行, 一天也, 今日又行, 亦一天也. 其實一天而行健不已. 有重天之象, 此所以爲天行健. 坤重卦上下皆坤, 不可言兩地. 地平則不見其順, 必其高下層層, 有重地之象, 此所以爲地勢坤."[3]

『주자어류』에서 말했다. "건(乾䷀)괘는 중첩된 괘로 위와 아래가 모두 건(乾☰)이지만 두 개의 하늘이라고 말할 수 없다. 어제 운행하는 것이 하나의 하늘이고 오늘 또 운행하는 것 또한 하나의 하늘이다. 실제는 동일한 하나이나 운행의 강건함이 그치지 않는다. 중복된 하늘의 상이 있으니 이것이 하늘의 운행이 강건한 까닭이다. 곤(坤䷁)괘는 중첩된 괘로 위와 아래가 모두 곤(坤☷)이지만 두 개의 땅이라고 말할 수 없다. 땅이 평평하면 그 순조로움을 보지 못하니 반드시 높고 낮음이 층층이 있어야 땅의 중첩된 상이 있으니 이것이 땅의 형세가 곤(坤)인 근거이다."

● 問 : "天運不息, 君子以自強不息." 曰 : "非是說天運不息, 自

관계가 되어야 한다고 주장하여, 후대 학자인 호굉(胡宏)으로부터 '정자 문하의 죄인'이라고 혹평을 받기도 하였다. 저술로 『역설(易說)』, 『중용의(中庸義)』, 『논어맹자잡해(論語孟子雜解)』, 『시이남의(詩二南義)』 등이 있었지만 모두 잃어버렸고, 남은 글을 모아 후세 사람이 엮은 『유치산집(游廌山集)』이 남아 있다.

3) 『주자어류』 68권, 91조목.

家去趕逐，也要學它如此不息．只是常存得此心，則天理常行，而周流不息矣.” 又曰：“天運不息，非特四時爲然．雖一日一時，頃刻之間，其運未嘗息也.”[4]

물었다. “하늘의 운행은 쉬지 않으니 군자가 이를 본받아 스스로 힘쓰고 쉬지 않는다”고 말했다. “하늘의 운행은 쉬지 않는다는 점을 말하려는 것이 아니라 스스로 쫓아가는 데도 하늘의 운행이 이렇듯이 쉬지 않는다는 점을 배워야한다는 말이다. 단지 이 마음을 항상 보존하면 천리(天理)가 항상 운행되어 두루 흘러서 쉬지 않는다.” 또 말했다. “하늘의 운행이 쉬지 않는 다는 말은 특히 사계절만 그러한 것이 아니다. 하루 한 시각의 아무리 짧은 시간일지라도 그 운행이 쉰 적이 없다.”

● 胡氏炳文曰：“上經四卦，乾曰天行，坤曰地勢，坎曰水洊至，離曰明兩作，先體而後用也．下經四卦，震曰洊雷，艮曰兼山，巽曰隨風，兌曰麗澤，先用而後體也．乾坤不言重，異於六子也．稱健不稱乾，異於坤也.”[5]

호병문(胡炳文)[6]이 말했다. “상경(上經)의 네 괘에서 건(乾☰)괘는

4) 『주자어류』 68권, 91조목.

5) 호병문(胡炳文), 『주역본의통석(周易本義通釋)』 권3.

6) 호병문(胡炳文, 1250~1333) : 원나라 휘주(徽州) 무원(婺源) 사람으로 자는 중호(仲虎)고, 호는 운봉(雲峰)이다. 주희(朱熹)의 종손(宗孫)에게 『주역』과 『서경』을 배워 주자학에 잠심했으며, 특히 『주역』에 뛰어났다. 신주(信州) 도일서원(道一書院) 산장(山長)을 지내고, 난계주학정(蘭溪州學正)이 되었는데, 나가지 않았다. 저서에 『주역본의통석(周易本義通釋)』과 『서집해(書集解)』, 『춘추집해(春秋集解)』, 『예서찬술(禮書纂述)』,

하늘의 운행을 말하고 곤(坤☷)괘는 땅의 형세를 말하고 감(坎☵)괘는 물이 거듭해서 이른다고 말했고 이(離☲)괘는 밝음이 이어져 둘이라고 했으니 먼저 체(體)를 말하고 나중에 용(用)을 말한 것이다. 하경(下經)의 네 괘에서 진(震☳)괘는 중첩된 우레를 말하고 간(艮☶)괘는 겹쳐진 산을 말하고 손(巽☴)괘는 잇달은 바람을 말하고 태(兌☱)괘는 연결된 연못을 말하니 먼저 용(用)을 말하고 나중에 체(體)를 말한 것이다. 건괘와 곤괘는 중첩되었다고 말하지 않았으니 여섯 자식[감·이·진·간·손·태]과는 다르다. 강건함이라고 칭하고 건(乾)이라고 칭하지 않았으니 곤(坤)과는 다르다."

● 蔡氏清曰:"孔子於釋卦名卦辭之後, 而復加之以大象者, 蓋卦名卦辭之說有限, 而聖人胸中義理無窮. 故自天行健至火在水上未濟, 自君子'自強不息'至'愼辨物居方', 皆聖人之蘊, 因卦以發者也."[7]

채청(蔡清)[8]이 말했다. "공자가 괘의 이름과 괘의 말을 해석한 뒤

『사서통(四書通)』, 『대학지장도(大學指掌圖)』, 『오경회의(五經會義)』, 『이아운어(爾雅韻語)』 등이 있다.

7) 채청(蔡清), 『역경몽인(易經蒙引)』 권1 중(中).

8) 채청(蔡清, 1453~1508) : 명(明)대 진강(晉江) 사람으로, 자는 개부(介夫)이고 별호는 허재(虛齋)이다. 31세에 진사에 급제하여 벼슬은 남경문선랑중(南京文選郎中)·강서제학부사(江西提學副使) 등을 역임하였다. 명대의 저명한 이학가(理學家)로서 주로 이정(二程)과 주희(朱熹)의 저술 연구를 통해 그들의 사상을 계승하였다. 특히 천주(泉州) 개원사(開元寺)에서 역학연구단체를 결성하여 90여 책을 출간하면서 청원학파(清源學派)를 이루었다. 이정기(李廷機)·장악(張嶽)·임희원(林希元)·진침(陳琛) 등의 학자들이 그 학파의 주요 구성원이었다. 저술로는 『사서

다시 「대상전」을 덧붙인 것은 괘의 이름과 말에 한계가 있고 성인의 마음 속 의리(義理)가 무궁하기 때문이다. 그러므로 건(乾)괘에서 말한 하늘의 운행은 강건하다는 것에서 불이 물 위에 있는 미제(未濟)괘, '군자가 스스로 힘쓴다'는 것에서 '신중하게 사물을 분별하여 제 위치에 자리하게 한다'는 말에 이르기까지 모두 성인의 깊은 뜻이 괘를 통해 드러난 것이다."

● 林氏希元曰:"夫子贊易, 旣釋卦名卦辭, 而有象傳文言諸作矣. 見得易理無窮, 又合二體之象, 作傳以發明之."

임희원(林希元)[9]이 말했다. "공자가 역을 편찬하여 괘의 이름과 괘의 말을 해석하여 「단전」과 「문언」 등을 지었다. 역의 이치가 무궁함을 보고 또 두 체(體)가 합해진 상으로 전을 지어 그것을 밝혔다."

몽인(四書蒙引)』·『역경몽인(易經蒙引)』·『허재문집(虛齋文集)』 등이 있다.

9) 임희원(林希元, 1481~1565) : 명(明)대 동안 신점(同安新店) 사람으로, 자는 무정(茂貞)이고 호는 차애(次崖)이다. 명(明) 정덕(正德)11년(1516)에 진사에 급제하여 남경대리사평사(南京大理寺評事), 광서사주판관(廣西泗州判官), 흠주지주(欽州知州) 등을 역임했다. 학문으로는 정주학과 채청(蔡淸)의 『역경몽인(易經蒙引)』을 중시했다. 특히 『주역』을 다른 경전에 비해 극히 높게 평가하여, 오경 가운데 『역경』을 뺀 나머지는 강물과 같고 『역경』은 바다와 같다고 했다. 저술로는 『역경존의(易經存疑)』, 『사서존의(四書存疑)』, 『임차애선생문집(林次崖先生文集)』 등이 있다.

● 何氏楷曰:"健而無息之謂乾, 中庸言至誠無息者, 通之於天也. 自強言不息, 不言無息, 學之爲法天事耳. 始於不息, 終於無息, 故中庸於無息之下文, 而推原之曰不息則久. 自強之法何如? 曰'主敬'. 君子莊敬日強."[10]

하해(何楷)[11]가 말했다. "'강건하여 쉼이 없는 것을 건이라 한다'[12]고 한 것과 『중용』에서 '지극히 성실하여 쉼이 없다'고 한 말은 하늘에 통한다는 뜻이다. 스스로 힘쓴다는 것은 쉬지 않는다는 뜻이지 쉼이 없다는 말은 아니니 배우는 데 하늘의 일을 본받는다. 시작에서 쉬지 않고 끝에서 쉼이 없으므로 『중용』의 쉼이 없다는 구절의 아래 문장에서 근원을 추론하여 '쉬지 않으면 오래간다'고 했다. 스스로 힘쓰는 법은 어떤 것인가? 말한다. '경(敬)에 집중한다.' 군자는 장엄하고 경(敬)하여 날로 힘쓴다."

案

「彖傳」釋名, 或擧卦象, 或擧卦德, 或擧卦體, 「大象傳」則專取兩象以立義, 而德體不與焉. 又「象」下之辭, 其於人事所以效動

10) 하해(何楷), 『고주역정고(古周易訂詁)』 권1.
11) 하해(何楷) : 자는 현자(玄子)이고 호는 황여(黃如)이다. 명말청초 때 장주 진해위(漳州鎮海衛 : 현 복건성 용해시〈龍海市〉) 사람이다. 천계(天啓) 5년(1625)에 진사에 급제하여 벼슬은 호부주사(戶部主事), 공과급사중(工科給事中), 호부상서(戶部尙書) 등을 역임했다. 직언과 직간으로 유명했는데, 말년에 정성공(鄭成功)의 부친인 정지룡(鄭芝龍)과 뜻이 어긋나서 사직하고 귀향했다. 저서에는 『고주역정고(古周易訂詁)』, 『시경세본고의(詩經世本古義)』 등이 있다.
12) 『역전(易傳)』「건(乾)괘」: "건은 강건함을 뜻하니, 강건하여 쉼이 없는 것을 건이라 한다.[乾, 健也, 健而无息之謂乾.]"라고 하였다.

趨時者, 旣各有所指矣. 「象傳」所謂先王大人后君子之事, 固多與「彖」義相發明者, 亦有自立一義, 而出於彖傳之外者, 其故何也? 曰彖辭爻辭之傳, 專釋文周之書, 大象之傳, 則所以示人讀伏羲之易之凡也. 蓋如卦體之定尊卑, 分比應, 條例詳密, 疑皆至文王而始備. 伏羲畫卦之初, 但如說卦所謂天地山澤雷風水火之象而已, 因而重之, 亦但如「說卦」所謂八卦相錯者而已. 其象則無所不像, 其義則無所不包, 故推以制器, 則有如繫傳之所陳. 施之卜筮, 亦無往不可以類物情而該事理也. 夫子見其如此, 是故象則本乎羲, 名則因乎周, 義則斷以已. 若曰先聖立象以盡意, 而意無窮也. 後聖繫辭以盡言, 而言難盡也. 存乎學者之神而明之而已矣. 此義旣立然後學者知有伏羲之書, 知有伏羲之書, 然後可以讀文王之書, 此夫子傳「大象」之意也.

「단전」에서 괘의 이름을 해석할 때 괘의 상을 거론하거나 괘의 덕을 거론하거나 괘의 체를 거론하는데, 「대상전」에서는 오로지 두 상만을 취해 뜻을 세우고 덕이나 체는 상관하지 않는다.
또 「단전」 아래의 말에 인간사의 일에서 움직임을 드러내어 때를 따르는 것은 각각 가리키는 바가 있다. 「상전」에서 말하는 선왕(先王), 대인(大人), 후(后), 군자(君子)의 일은 대부분 「단전」의 뜻과 함께 서로 밝히는 것이지만 또한 하나의 뜻을 세워 「단전」의 뜻에서 벗어난 것이 있는데 그 이유는 무엇인가? 말한다. 괘사와 효사의 전은 오로지 문왕와 주공의 글을 해석한 것이지만 대상전은 사람들이 복희의 역을 읽는 범례를 보여준 것이다.
예를 들어 괘의 체가 존비(尊卑)를 정하고 비응(比應)을 구분하여 범례가 상세하고 조밀하니 모두 문왕에 이르러 비로소 갖추어졌을 것이다. 복희가 괘를 그릴 초기에는 단지 「설괘전」에서 말하듯이 천지(天地), 산택(山澤), 뢰풍(雷風), 수화(水火)의 상이었을 뿐인데 중첩했으니 단지 「설괘전」에서 말하듯이 8괘가 서로 착종되었을 뿐이다. 그 상은 본받지 않는 것이 없고 그 뜻은 포함되지 않는 것이 없기 때문에 미루어서 기물을 제작하니 「계사전」에서 진술한 것이 있다. 베풀어 복서(卜筮)하면 또한 사물의 사정을 분류하여 사리(事理)에 해당시키지 못할 것이 없다.

공자가 이와 같은 것을 보고서 상(象)은 복희에 근본했고 이름은 주공에 바탕을 두었으며 뜻은 판단했을 뿐이다. 선성(先聖)이 상을 세워 뜻을 다했으니 뜻이 무궁하고 후성(後聖)이 말을 붙여서 말을 다했으나 말로 다하기 어려우니 배우는 사람이 신명나게 하여 밝히는 것에 달려 있다고 한 것과 같다. 이 뜻이 세워진 뒤에야 배우는 자들이 복희의 글이 있음을 알고 복희의 글이 있음을 안 뒤에야 문왕의 글을 읽을 수 있으니 이것이 공자가 「대상전」을 전한 뜻이다.

潛龍勿用, 陽在下也.

잠겨있는 용(龍)은 쓰지 말라는 것은 양(陽)이 아래에 있기 때문이다.

本義

陽, 謂九. 下, 謂潛.

양(陽)은 구(九)를 말하고 아래는 잠겼다는 말이다.

程傳

陽氣在下, 君子處微, 未可用也.

양기(陽氣)가 아래에 있고 군자가 미천한 자리에 있어 쓸 수가 없다.

集說

● 胡氏炳文曰 : "夫子於乾坤初爻, 揭陰陽二字以明易之大義. 乾初曰陽在下, 坤初曰陰始凝. 扶陽抑陰之意, 已見於言辭之表."13)

호병문(胡炳文)이 말했다. "공자가 건괘와 곤괘 초효에 음양 두 글자를 게시하여 역(易)의 큰 뜻을 밝혔다. 건괘의 초효에서는 양이

13) 호병문(胡炳文), 『주역본의통석(周易本義通釋)』 권1.

아래에 있다고 했고 곤괘의 초효에서는 음이 비로소 응결한다고 했다. 양을 높이고 음을 누르는 뜻이 말의 표면에 이미 드러났다."

見龍在田, 德施普也.

나타난 용이 밭에 있다는 말은 덕(德)을 널리 베푼다는 뜻이다.

程傳

見於地上, 德化及物, 其施已普也.

땅 위에 드러나니 덕의 교화가 만물에 미쳐 그 베풂이 이미 넓다.

集說

● 陸氏希聲曰: "陽氣見於田, 則生植利於民. 聖人見於世, 則教化漸於物. 故曰德施普也."

육희성(陸希聲)[14]이 말했다. "양기(陽氣)가 밭에 드러났으니 낳고 기르는 것이 백성에게 이롭다. 성인이 세상에 드러났으니 교화가 세상에 점차적으로 이루어진다. 그러므로 덕을 널리 베푼다고 했다."

● 梁氏寅曰: "德施普, 正孟子所謂正己而物正者也. 所謂德施,

14) 육희성(陸希聲): 자는 홍경(鴻磬)이고, 호는 군양둔수(君陽遁叟)(一稱君陽道人)이며, 당나라 소주(蘇州) 부인(府人) 사람이다. 박식하며 글을 잘 지었다. 저서에는 『도덕진경전(道德眞經傳)』이 있다.

豈必博施濟衆, 乃謂之施乎. 蓋聞其風而興起者, 無非其德之施也."[15]

양인(梁寅)[16]이 말했다. "덕을 널리 베푼다는 것은 바로 맹자가 '자신을 바르게 하여 남이 바르게 된다'[17]는 말이다. 덕을 베푼다는 것이 어찌 반드시 '백성에게 은혜를 널리 베풀어 많은 사람을 구제하는 일이어야'[18] 베푼다고 하겠는가! 그 풍격을 듣고 일어서게 하는

15) 양인(梁寅), 『주역참의(周易參義)』 권5.

16) 양인(梁寅, 1309~1390) : 원말명초 강서(江西) 신유(新喩) 사람으로 자는 맹경(孟敬)이고, 호는 양오경(梁五經) 또는 석문선생(石門先生)이다. 대대로 농사를 지어 가난했다. 스스로 배우기를 게을리 하지 않아 오경(五經)에 정통했고, 백가(百家)의 학설을 두루 익혔다. 여러 차례 과거에 응시했지만 떨어졌다. 원나라 말에 일찍이 집경로유학훈도(集慶路儒學訓導)로 부름을 받아 2년 동안 있다가 사직하고 은거하여 학생들을 가르쳤다. 명나라 초기에 명유(名儒)로 불려 예국(禮局)에서 각종 예제(禮制)에 대해 토론했는데, 논리가 정확하고 예리해 여러 학자들이 탄복했다. 예악서(禮樂書)를 찬수하고 벼슬을 내렸지만 사양하고 귀향하여 석문산(石門山)에서 학문을 강론했다. 저서에 『예서연의(禮書演義)』, 『주례고주(周禮考注)』, 『춘추고서(春秋考書)』 등이 있었지만 전해지지 않고, 『석문집』과 『주역참의(周易參義)』, 『시연의(詩演義)』만 남아 있다.

17) 『맹자』「진심상」: "인군(人君)을 섬기는 자가 있으니, 인군을 섬기면 용납되고 기뻐하게 하는 자이다. 사직(社稷)을 편안히 하려는 신하가 있으니, 사직을 편안히 함을 기쁨으로 삼는 자이다. 천민(天民)인 자가 있으니, 영달(榮達)하여 온 천하에 행할 수 있은 뒤에야 행하는 자이다. 대인(大人)인 자가 있으니, 자기 몸을 바르게 하여 남이 바르게 되는 자이다. [有事君人者, 事是君則爲容悅者也, 有安社稷臣者, 以安社稷爲悅者也, 有天民者, 達可行於天下而後行之者也, 有大人者, 正己而物正者也.]"라고 하였다.

자는 그 덕의 베풂이 아님이 없다."

---

18) 『논어』「옹야」: "자공이 말했다. '만일 백성에게 은혜를 널리 베풀어 많은 사람을 구제한다면 어떻겠습니까? 인(仁)하다고 할 만합니까?' 공자가 말했다. '어찌 인(仁)을 일삼는 데 그치겠는가. 반드시 성인일 것이다. 요순(堯舜)도 이에 있어서는 오히려 부족하게 여기셨을 것이다.'"[子貢曰, 如有博施於民而能濟衆? 何如? 可謂仁乎? 子曰, 何事於仁, 必也聖乎. 堯舜, 其猶病諸.]"라고 하였다.

終日乾乾, 反復道也.

하루 종일 힘쓴다는 말은 거듭하여 도를 실천하는 것이다.

本義

反復, 重複踐行之意.

반복(反復)은 거듭하여 실천한다는 뜻이다.

程傳

進退動息, 必以道也.

나아가고 물러나며 움직이고 멈춤을 반드시 도(道)로써 한다.

集說

● 項氏安世曰 : "三以自修, 故曰反復. 四以自試, 故曰進退."

항안세(項安世)가 말했다. "구삼효는 스스로 수양하기 때문에 반복이라고 했고, 구사효는 스스로 시도하기 때문에 나아가고 물러간다고 했다."

或躍在淵, 進無咎也.

간혹 뛰어오르거나 연못에 있다는 것은 나아감이 허물이 없다는 말이다.

本義

可以進而不必進也.

나아갈 수는 있으나 반드시 나아가는 것은 아니다.

程傳

量可而進, 適其時則無咎也.

가능함을 헤아려 나아가 때에 적합하면 허물이 없다.

集說

● 石氏介曰 : "進無咎也一句, 是承或躍在淵言, 非決其疑也. 蓋曰如此而進, 斯無咎耳."

석개(石介)[19]가 말했다. "나아감이 허물이 없다는 한 구절은 간혹

19) 석개(石介, 1005~1045) : 자는 수도(守道)이고 혹은 공조(公操)이다. 곤

뛰어오르거나 연못에 있다는 뜻을 이어서 말했으니 의심을 결정한 것은 아니다. 왜냐하면 이러하면 나아가니 이것이 허물이 없다는 뜻일 뿐이기 때문이다."

주(兗州) 봉부(奉符) 사람이다. 북송(北宋) 초기 학사이며 사상가이다. 송대 이학(理學)의 선구자이다. 태산서원(泰山書院)과 조래(徂徠書书院)을 창건하여 『역』과 『춘추(春秋)』를 가르쳐서 의리(義理)를 중시했다. 세상에서는 조래선생(徂徠先生)이라 부른다. 태산(泰山)학파의 창시자이다. 이정(二程)과 주희(朱熹)에게 영향을 미쳤다. 천성(天聖) 8년에 진사(進士)가 되었으며 국자감직강을 역임했다. 손복(孫復), 호원(胡瑗)과 함께 북송 삼선생(三先生)으로 불린다. 백성을 천하 국가의 근본으로 여겼다. 저작은 『조래집(徂徠集)』이 있다.

飛龍在天, 大人造也.

나는 용(龍)이 하늘에 있다는 것은 대인(大人)이 만든 일이다.

本義

造, 猶作也.

조(造)는 만든다는 뜻이다.

程傳

大人之爲, 聖人之事也.

대인이 한 사안이 성인의 일이다.

集說

● 徐氏幾曰 : "大人造者, 聖人作也. 龍以飛而在天, 猶大人以作而居位. 大人釋龍字, 造釋飛字."

서기(徐幾)[20]가 말했다. " 대인이 만든 것은 성인의 작위이다. 용이

20) 서기(徐幾) : 자는 자여(子與)이고, 호는 진재(進齋)이다. 송대 숭안(崇安 : 현 복건성 무이산시〈武夷山市〉) 사람이다. 송 리종(理宗) 경정(景

날아 하늘에 있는 것은 대인이 일을 하여 지위에 자리한 것과 같다. 대인을 용이라는 글자로 해석했고 만든다는 것을 난다는 글자로 해석했다."

定) 5년(1264)에 적공랑(迪功郎)에 천거되고, 건녕부교수(建寧府教授) 겸 건안서원산장(建安書院山長) 겸 숭정전설서(崇政殿說書)를 제수 받았다. 박학다재(博學多才)하였고 특히 역학에 정통하여 『역집(易輯)』, 『역의(易義)』 등을 저술하였다.

亢龍有悔, 盈不可久也.

지나치게 올라간 용이니 후회가 있다는 말은 가득 찬 것은 오래 지속될 수 없다는 뜻이다.

程傳

盈則變, 有悔也.

가득하면 변하니 후회가 있다.

集說

● 谷氏家杰曰："亢不徒以時勢言. 處之者與時勢俱亢, 方謂之盈, 不可二字. 聖人深爲處盈者致戒."

곡가걸(谷家杰)이 말했다. "지나치게 올라간 것은 단지 때와 형세를 가지고 말한 것이 아니다. 처한 자는 때·형세와 함께 지나침도 갖추어야 비로소 가득 차니 두 글자만 써서는 합당하지 않다. 성인이 가득함에 처한 자를 위해 깊이 경계했다."

用九, 天德不可爲首也.

용구는 하늘의 덕(德)이 우두머리가 되어서는 안 된다는 뜻이다.

本義

言陽剛不可爲物先. 故六陽皆變而吉. 天行以下, 先儒謂之大象, 潛龍以下, 先儒謂之小象. 後放此.

양의 굳셈은 사물에 앞서서는 안 된다는 것을 말했다. 그러므로 여섯 양(陽)이 모두 변하여 길하다. 천행(天行) 이하를 이전 유학자들은 대상(大象)이라 하고, 잠룡(潛龍) 이하를 이전 유학자들은 선유(先儒)들은 소상(小象)이라 했다. 뒤에 나오는 말도 이와 같다.

程傳

用九, 天德也. 天德陽剛, 復用剛而好先, 則過矣.

용구(用九)는 하늘의 (德)이다. 하늘의 덕은 양의 굳셈인데, 다시 굳셈[剛]을 쓰고 앞서기를 좋아하면 지나치다.

集說

● 谷氏家杰曰 : "一歲首春, 一月首朔, 似有首矣. 然春卽臘之底, 朔卽晦之極, 渾渾全全, 要之莫知所終, 引之烏有其始, 更無可爲首也. 用九者, 全體天德, 循環不已, 聖人之禦天者此也."

곡가걸(谷家杰)이 말했다. "1년의 시작은 봄이고 한 달의 시작은 초하루이니 우두머리가 있는 듯하다. 그러나 봄은 연말의 끝이고 초하루는 그믐의 끝이라 앞의 것과 섞여 온전하니 좇아가면 끝을 알 수 없고 거슬러 올라가면 어찌 그 시작이 있겠는가. 다시 우두머리가 될 수 없다. 용구는 하늘의 덕을 온전히 체득하고 순환하여 끝이 없으니 성인이 하늘을 제어함이 이것이다."

案

此"不可爲首", 與"不可爲典要"語勢相似, 非戒辭也. 若言恐用剛之太過, 不可爲先, 則天德兩字, 是至純至粹, 無以復加之稱. 非若剛柔仁義倚於一偏者之謂, 尙恐其用之太過而不可爲先, 則非所以爲天德矣. 程子嘗曰 : "動靜無端, 陰陽無始", 蓋卽"不可爲首"之義. 如所謂不可端倪, 不可方物, 亦此意也.

여기서 "우두머리가 되어서는 안 된다"는 말은 "전요(典要)로 삼을 수 없다"[21]는 말과 쓰이는 형세가 유사하여 경계하는 말이 아니다. 만약 굳셈을 지나치게 쓰는 것을 근심하여 앞서서는 안 된다고 말했다면 천덕(天德 : 하늘의 덕) 두 글자는 가장 순수하기 때문에 다

21) 『주역』「계사하」: "『역(易)』이라는 책은 멀리 할 수가 없고 도는 자주 옮겨진다. 변동하여 머물지 않아 여섯 빈자리에 두루 흐른다. 그리하여 오르내림이 무상하고 강유(剛柔)가 서로 교역하여 전요(典要)로 삼을 수 없고, 오직 변화하여 나아가는 것이다.[易之爲書也, 不可遠, 爲道也屢遷. 變動不居, 周流六虛, 上下无常, 剛柔相易, 不可爲典要, 唯變所適.]"라고 하였다.

시 덧붙여 칭할 것이 없다.
만약 강(剛)과 유(柔), 인(仁)과 의(義)가 한편에 치우쳐서는 안 된다는 것을 말하여 그 쓰임이 지나치게 앞서서는 안 된다는 점을 근심했다면 하늘의 덕이 되는 바가 아니다.
정자가 일찍이 "움직임과 고요함은 단서가 없고 음과 양은 시작이 없다"고 했으니 "우두머리가 될 수가 없다"는 뜻이다. 예를 들어 단서를 알 수 없고[22] 식별할 수가 없다[23]고 말하는 것이 또한 이런 뜻이다.

22) 단서를 알 수 없고: 불가단예(不可端倪)를 번역한 말이지만 『장자』에는 불지단예(不知端倪)로 되어 있다. 『장자(莊子)』「대종사(大宗師)」, "反覆終始, 不知端倪."

23) 식별할 수가 없다 : 불가방물(不可方物)을 번역한 말이다. 방물(方物)은 이름을 식별한다는 뜻이다. 『국어(國語)』「초어하(楚語下)」, "民神雜糅, 不可方物."에서 위소(韋昭)는 "방(方)은 식별한다는 것이고 물(物)은 이름이다.[方, 猶別也, 物, 名也.]"라고 주석하였다.

2. 곤坤䷁괘

地勢坤, 君子以厚德載物.

땅의 형세가 곤이니, 군자가 이를 보고 두터운 덕으로 사물을 싣는다.

本義

地, 坤之象, 亦一而已. 故不言重, 而言其勢之順, 則見其高下相因之無窮, 至順極厚, 而無所不載也.

땅은 곤(坤)의 상(象)이니 또한 하나일 뿐이다. 그러므로 거듭된다고 말하지 않고 그 형세가 순조롭다고 말했으니, 그 높고 낮음이 서로 연결되고 끝이 없어 지극히 순조롭고 지극히 두터워 싣지 않는 것이 없음을 드러내었다.

程傳

坤道之大猶乾也, 非聖人孰能體之? 地厚而其勢順傾, 故取

其順厚之象, 而云地勢坤也. 君子觀坤厚之象, 以深厚之德, 容載庶物.

곤도(坤道)의 위대함이 건(乾)괘와 같아 성인이 아니라면 누가 이를 체득했겠는가? 땅이 두텁고 그 형세는 순조롭거나 기울어져 있으므로 순조롭고 두터운 상을 취하여 땅의 형세가 곤(坤)이라고 말한 것이다. 군자(君子)가 곤(坤)의 두터운 상(象)을 관찰하여 깊고 두터운 덕(德)으로 만물을 용납하여 실어준다.

集說

● 『朱子語類』云 : "高下相因只是順. 然唯其厚, 所以高下只管相因去, 只見得它順. 若是薄底物, 高下只管相因, 則傾陷了, 不能如此之無窮矣. 君子體之, 唯至厚爲能載物."[1]

『주자어류』에서 말했다. "높고 낮은 것이 서로 연결된 것이 순조롭다. 오직 두텁기 때문에 높고 낮은 것이 서로 연결되고 그것이 순조로움을 알 수 있다. 얇은 데도 높고 낮은 것이 연결되어 있다면 기울어져서 이렇게 끝이 없을 수 없다. 군자는 이것을 체득하여 오직 지극히 두터워서 만물을 실을 수 있다."

● 林氏希元曰 : "地勢坤, 言地勢順也. 於此就見其厚, 故君子以厚德載物. 蓋坤之象爲地, 重之又得坤焉. 則是地之形勢, 高下相因, 頓伏相仍, 地勢之順, 亦唯其厚耳. 不厚, 則高下相因便

1) 『주자어류』 69권, 116조목.

傾陷了, 安得如此之順. 唯其厚, 故能無不持載. 故君子厚德以承載天下之物. 夫天下之物多矣, 君子以一身任天下之責. 群黎百姓, 倚我以爲安. 鳥獸昆蟲草木, 亦倚我以爲命. 使褊心涼德, 其何以濟? 而天下之望於我者亦孤矣."[2]

임희원(林希元)[3]이 말했다. "지세가 곤이라는 것은 땅의 형세가 순조롭다는 말이다. 여기서 그 두터움을 보기 때문에 군자는 두터운 덕으로 만물을 싣는다. 곤의 상이 땅이고 중첩하여 또 곤을 얻었다. 이 땅의 형세가 높고 낮음이 서로 연결되고 기울어짐이 서로 연속된 것이 지세의 순조로움이니 또한 그 두터움일 뿐이다. 두텁지 않으면 높고 낮음이 서로 연결된 것이 무너지니 어찌 이렇게 순조롭겠는가? 오직 두텁기 때문에 싣지 않음이 없을 수 있다. 그러므로 군자는 덕을 두텁게 하여 천하의 모든 것을 이어 싣는다. 천하의 사물은 많지만 군자가 일신으로 천하의 책무를 맞는다. 여러 백성들이 나에게 의지하여 편안하다. 새와 짐승, 곤충, 초목 또한 나에게 의지하여 생명을 지속해 간다. 좁아터진 마음과 냉랭한 덕이라면 어떻게 다스리겠는가? 천하가 나에게 바라는 것 또한 고독한 일이다."

2) 임희원(林希元), 『역경존의(易經存疑)』 권1.

3) 임희원(林希元, 1481~1565) : 명(明)대 동안 신점(同安新店) 사람으로, 자는 무정(茂貞)이고 호는 차애(次崖)이다. 명(明) 정덕(正德)11년(1516)에 진사에 급제하여 남경대리사평사(南京大理寺評事), 광서사주판관(廣西泗州判官), 흠주지주(欽州知州) 등을 역임했다. 학문으로는 정주학과 채청(蔡清)의 『역경몽인(易經蒙引)』을 중시했다. 특히 『주역』을 다른 경전에 비해 극히 높게 평가하여, 오경 가운데 『역경』을 뺀 나머지는 강물과 같고 『역경』은 바다와 같다고 했다. 저술로는 『역경존의(易經存疑)』, 『사서존의(四書存疑)』, 『임차애선생문집(林次崖先生文集)』 등이 있다.

履霜堅冰, 陰始凝也, 馴致其道, 至堅冰也.

서리를 밟으면 얼음이 단단해진다 말은 음이 처음 응결한 것이니, 그 도를 점차로 이르게 하여 단단한 얼음에 이른 것이다.

本義

按「魏志」作初六履霜, 今當從之. 馴, 順習也.

「위지(魏志)」에 따르면 '초육이상(初六履霜)'으로 되어 있으니, 지금 마땅히 이것을 따른다. 순(馴)은 순서에 따라 익힘이다.

程傳

陰始凝而爲霜, 漸盛則至於堅冰. 小人雖微, 長則漸至於盛. 故戒於初. "馴", 謂習. 習而至於盛. 習, 因循也.

음(陰)이 처음 응결하여 서리가 되니 점차 성대하게 되면 단단한 얼음에 이른다. 소인(小人)이 비록 미약하지만 자라나면 점차 성대함에 이른다. 그러므로 초기에 경계한 것이다. "순(馴)"은 익힘을 말한다. 익혀서 성대함에 이른다. 습(習)은 그대로 따르는 것이다.

集說

● 孔氏穎達曰 : "馴, 猶狎順也. 若鳥獸馴狎然, 言順其陰柔之道, 習而不已, 乃至堅冰也. 於履霜而逆以堅冰爲戒, 所以防漸慮微, 愼終於始."[4)]

공영달(孔穎達)[5)]이 말했다. "순은 익혀 순조롭다는 말이다. 새와 짐승이 익혀 익숙해지는 것과 같으니 그 음의 부드러운 도를 따라 익혀 그치지 않아 단단한 얼음에 이름을 말한다. 서리를 밟았는데 도리어 단단한 얼음이 이른다는 말로 경계한 것은 점차로 이르는 일을 방비하고 미약한 사안을 생각하여 끝을 시작단계부터 신중하게 여긴다는 뜻이다."

● 邱氏富國曰: "乾初九, 「小象」釋之以陽在下. 坤初六, 小象釋之以陰始凝. 聖人欲明九六之爲陰陽, 故於乾坤之初畫言之."

구부국(邱富國)[6)]이 말했다. "건괘의 초구효는 「소상전」에서 양이

4) 공영달(孔穎達), 『주역주소(周易注疏)』 권1.

5) 공영달(孔穎達) : 공영달(孔穎達, 574~648)은 자는 중달(仲達)이고 시호는 헌공(憲公)이며, 기주 형수(冀州衡水 : 현 하북성 형수〈衡水〉) 사람이다. 동란의 와중에서 학문을 닦았으며 남북 2학파의 유학은 물론 산학(産學)과 역법(曆法)에도 정통했다. 당 태종(唐太宗)에게 중용되어, 벼슬은 국자박사(國子博士)를 거쳐 국자감의 좨주(祭酒)·동궁시강(東宮侍講) 등을 역임하였다. 특히 문장·천문·수학에 능통하였으며, 위징(魏徵)과 함께 『수서(隋書)』를 편찬하였다. 당 태종의 명에 따라 고증학자 안사고(顔師古) 등과 더불어 오경(五經) 해석의 통일을 시도하여 『오경정의(五經正義)』 170권을 편찬하였다. 이는 위진 남북조 이래 경학의 집대성이라고 할 수 있다.

6) 구부국(丘富國) : 자는 행가(行加)이고, 남송 건안(建安 : 현 복건성 건구〈建甌〉) 사람이다. 주자의 문인으로 주자의 역학사상을 주로 계승 발전시켰다. 이종(理宗) 순우(淳祐) 7년(1247)에 진사에 급제하여 벼슬은 단

아래에 있다고 해석했다. 곤괘의 초육효는 「소상전」에서 음이 처음 응결한다고 해석했다. 성인은 구와 육이 음과 양이라는 것을 밝히려고 건괘와 곤괘의 초효에서 말했다."

● 胡氏炳文曰 : "上六曰其道窮也, 由初六順習其道, 以至於窮耳. 兩其道字具載始末, 經曰堅冰至, 要其終也. 傳曰至堅冰, 原其始也."[7]

호병문(胡炳文)이 말했다. "상육효에서 그 도가 궁색해진다고 말했으니 초육효로부터 그 도가 점차로 익숙해져 궁색함에 이른 것일 뿐이다. 두 '기도(其道 : 그 도)'라는 글자에는 시작과 종말이 구비되어 있으니 경(經)에서 단단한 얼음이 이른다고 한 것은 그 종말을 말했고, 전(傳)에서 단단한 얼음이 이른다고 한 것은 그 시작을 궁구하였다."

주첨판(端州僉判)을 역임했다. 남송이 망하자 은거하고 벼슬하지 않았다. 저서에는 『주역집해(周易輯解)』, 『역학설약(易學說約)』, 『경세보유(經世補遺)』가 있다.

7) 호병문(胡炳文), 『주역본의통석(周易本義通釋)』 권3.

六二之動, 直以方也, 不習無不利, 地道光也.

육이효의 움직임은 곧고 방정하니 익히지 않아도 이롭지 않음이 없다는 것은 땅의 도가 빛남이다.

程傳

承天而動, 直以方耳, 直方則大矣. 直方之義, 其大無窮. 地道光顯, 其功順成, 豈習而後利哉.

하늘을 받들어 움직임은 곧고 방정할 뿐이니, 곧고 방정하면 위대하다. 직(直)과 방(方)의 뜻은 그 큼이 무궁하다는 것이므로 땅의 도가 빛나서 그 공이 순조롭게 이루어지니 어찌 익힌 뒤에 이롭겠는가?

集說

● 王氏安石曰 : "六二之動者, 六二之德, 動而後可見也. 因物之性而生之, 是其直也. 成物之形而不易, 是其方也."

왕안석(王安石)[8]이 말했다. "육이효의 움직임은 육이효의 덕이 움

8) 왕안석(王安石, 1021~1086) : 북송(北宋)시대 사상가, 정치가, 문필가로서 임천(臨川 : 현 강서성 무주시 임천구〈撫州市臨川區〉) 사람이다. 자는 개보(介甫)이고 호는 반산(半山)이다. 1042년 진세에 급제하여 벼슬

직인 뒤에 드러날 수 있다. 사물의 성질에 따라 생겨나므로 곧다. 사물의 형체를 이루고 바뀌지 않으니 방정하다."

● 王氏宗傳曰 : "坤之六二, 以順德而處正位. 六爻所謂盡地之道者, 莫二若也. 故曰地道光也."[9]

왕종전(王宗傳)[10]이 말했다. "곤괘의 육이효는 덕에 따라 올바른 위치에 처했다. 육효가 땅의 도를 다했다는 말은 이효만한 것이 없다. 그러므로 땅의 도가 빛난다고 했다."

● 項氏安世曰 : "乾以九五爲主爻, 坤以六二爲主爻. 蓋二卦之中, 唯此二爻旣中且正. 又五在天爻, 二在地爻, 正合乾坤之本

은 양주첨판(揚州簽判), 은현지현(鄞縣知縣), 서주통판(舒州通判) 등을 역임하고, 1069년참지정시(參知政事)가 되이 변법(變法) 즉 신법(新法)을 주도하였으나. 구당파의 반대로 1074년 파직되었다. 1년 뒤 송 신종(神宗)이 재상에 재임용하여 신법(新法)을 시행하였으나, 또 파직되어 1086년 마침내 신법이 폐지되었다. 문학으로는 당송팔대가의 한 사람으로서, 특히 그의 시(詩)는 왕형공체(王荊公體)라는 하나의 문체를 이루었다. 경학(經學) 방면으로도 당시에 통유(通儒)라고 불릴 정도로 경전에 두루 해박하였으며, 특히 북송대의 의경변고학풍(疑經變古學風)을 촉진하는 데에 기여하였다. 저서로 『왕임천집(王臨川集)』, 『임천집습유(臨川集拾遺)』이 전해지고 있다.

9) 왕종전(王宗傳), 『동계역전(童溪易傳)』 권3.

10) 왕종전(王宗傳) : 자는 경맹(景孟)이고, 송대 영덕(寧德 : 현 복건성 영덕시) 사람이다. 1181년에 진사에 급제하여 소주교수(韶州教授)를 역임하였다. 왕필의 의리역학을 추종하여 상수역학을 배척하였다. 저서에는 『동계역전(童溪易傳)』이 있다.

義也. 乾主九五, 故於五言乾之大用, 而九二止言乾德之美. 坤主六二, 故於二言坤之大用, 而六五止言坤德之美. 六二之直, 卽至柔而動剛也. 六二之方, 卽至靜而德方也. 其大, 卽後得主而有常, 含萬物而化光也. 其不習無不利, 卽坤道其順乎, 承天而時行也. 六二蓋全具坤德者. 孔子懼人不曉六二何由兼有乾直, 故解之曰 : '六二之動, 直以方也.' 言坤動也剛, 所以能直也. 又懼人不曉六二何由無往不利, 故又解之曰 : '地道光也.' 言地道主六二, 猶乾之九五, 言乃位乎天德也."[11]

항안세(項安世)[12]가 말했다. "건(乾☰)괘는 구오효가 주효이고 곤(坤☷)괘는 육이효가 주효이다. 두 괘의 가운가 오직 이 두 효로 중(中)과 정(正)을 이루었기 때문이다. 또 오효는 하늘의 효에 있고 이효는 땅의 효에 있어 바로 건곤의 본래 뜻에 부합한다. 건괘의 주효가 구오효이므로 오효에서 건의 큰 쓰임을 말하고 구이효에서는 단지 건덕(乾德)의 아름다움을 말했다. 곤괘의 주효가 육이효이므로 이효에서 곤의 큰 쓰임을 말했고 육오효에서는 단지 곤덕(坤德)의 아름다움을 말했다. 육이효의 곧음은 지극히 부드럽지만 움직임이 굳센 것이다. 육이효의 방정함은 지극히 고요하여 덕이 방정한 것이다. 그 큼은 뒤에 주인을 얻어 상도(常道)가 있고 만물을

11) 항안세(項安世), 『주역완사(周易玩辭)』 권1.

12) 항안세(項安世, ?~1208) : 송나라 강릉(江陵) 사람으로 자는 평부(平父)고, 호는 평암(平庵)이다. 효종(孝宗) 순희(淳熙) 2년(1175) 진사(進士)가 되고, 교서랑(校書郎)과 지주통판(池州通判) 등을 지냈다. 영종(寧宗)이 즉위하자 양병(養兵)과 궁액(宮掖)에 드는 비용을 줄여야 한다고 건의했다. 경원(慶元) 연간에 글을 올려 주희(朱熹)를 유임하라고 했다가 탄핵을 받고 위당(僞黨)으로 몰려 파직되었다. 나중에 복직되어 여러 벼슬을 거쳤다. 저서에 『주역완사(周易玩辭)』와 『항씨가설(項氏家說)』, 『평암회고(平庵悔稿)』 등이 있다.

포함하여 빛을 변화시키는 것이다. 그것을 익히지 않아도 이롭지 않음이 없다는 곤도가 순조롭다는 뜻이고 하늘을 이어 때에 따라 행한다는 뜻이다. 육이효는 곤덕을 온전히 구비한 자이다. 공자는 사람들이 육이효가 어째서 건의 곧음을 함께 가지고 있는지를 깨닫지 못할까 근심하였으므로 그것을 풀어 '육이효의 움직임은 곧아서 방정하다'고 했으니 곤의 움직임이 굳세어 곧을 수 있는 것이다. 또 사람들이 육이효는 왜 가서 이롭지 않음이 없다는 점을 이해하지 못할까 근심하였으므로 또 풀어서 '땅의 도는 빛난다'고 했으니 땅의 도는 육이효가 주관하여 건괘의 구오효가 천덕(天德)에 위치한 것을 말함과 같다."

● 蔡氏清曰 : "地道是直方, 地道之光是直方而大處. 直方而大, 卽便不習無不利."[13]

채청(蔡清)[14]이 말했다. "땅의 도는 곧고 방정하니 땅의 도가 지닌 빛이 곧고 방정하여 크게 처하는 것이다. 곧고 방정하여 크게 처하

13) 채청(蔡清), 『역경몽인(易經蒙引)』 권1 상.

14) 채청(蔡清, 1453~1508) : 자는 개부(介夫)이고 별호는 허재(虛齋)이다. 명(明)대 진강(晉江) 사람으로, 31세에 진사에 급제하여 벼슬은 남경문선랑중(南京文選郎中), 강서제학부사(江西提學副使) 등을 역임하였다. 명대의 저명한 이학가(理學家)로서 주로 이정(二程)과 주희(朱熹)의 저술 연구를 통해 그들의 사상을 계승하였다. 특히 천주(泉州) 개원사(開元寺)에서 역학연구단체를 결성하여 90여 책을 출간하면서 청원학파(清源學派)를 이루었다. 이정기(李廷機), 장악(張嶽), 임희원(林希元), 진침(陳琛) 등의 학자들이 그 학파의 주요 구성원이었다. 저술로는 『사서몽인(四書蒙引)』, 『역경몽인(易經蒙引)』, 『허재문집(虛齋文集)』 등이 있다.

니 곧 익히지 않아도 이롭지 않음이 없다."

● 葉氏爾瞻曰:"直以方, 看一以字. 六二之動方矣, 然由其存乎內者直. 是以見乎外者方也."

섭이첨(葉爾瞻)이 말했다. "곧아서 방정하다는 한결 같은 뜻을 지닌 글자로 보아야 한다. 육이효의 움직임이 방정하지만 그것은 내면에 곧음이 있기 때문이다. 그래서 겉으로 드러난 것이 방정하다."

含章可貞, 以時發也, 或從王事, 知光大也.

아름다움을 머금어 곧을 수 있음은 때에 따라 발한 것이고 간혹 왕의 일에 종사함은 지혜가 밝고 큰 것이다.

程傳

夫子懼人之守文而不達義也, 又從而明之, 言爲臣處下之道, 不當有其功善, 必含晦其美, 乃正而可常. 然義所當爲者, 則以時而發, 不有其功耳. 不失其宜, 乃以時也. 非含藏終不爲也. 含而不爲, 不盡忠者也. "或從王事", 象只擧上句, 解義則並及下文, 它卦皆然. 或從王事而能無成有終者, 是其知之光大也. 唯其知之光大, 故能含晦. 淺暗之人, 有善惟恐人之不知, 豈能含章也.

공자(孔子)는 사람들이 문장을 고수하여 뜻을 통달하지 못할까 근심하고, 다시 그것을 따라서 밝혀 신하가 되어 아랫자리에 처하는 도리는 마땅히 그 공과 잘한 것을 차지하지 말고, 반드시 그 아름다움을 머금고 감추어야 올바르고 떳떳할 수 있다고 말했다.

그러나 의리상 마땅히 해야 할 것은 때에 따라 발할 것이고 그 공로를 소유하지 않을 뿐이다. 마땅함을 잃지 않는 것이 때를 따르는 것이지 머금고 감추어 끝내 하지 않는 것은 아니다. 머금고 하지 않는 것은 충(忠)을 다하지 않는 자이다.

"간혹 왕의 일을 따른다"는 것에서 「상전」은 위 구절만 들었으나 뜻을 해석한 것은 아래 글까지 미쳤으니 다른 괘도 모두 그러하다. 간혹 왕의 일에 종사하여 완성함은 없고 끝이 있는 것은 그 지혜가 밝고 크기 때문이다. 오직 지혜가 밝고 크기 때문에 머금고 품을 수 있다. 지혜가 얕고 우매한 사람은 잘한 일이 있으면 오직 남이 알아주지 않을까 두려워하니 어찌 아름다움을 머금을 수 있겠는가?

集說

● 呂氏祖謙曰 : "「傳」云唯其知之光大, 故能含晦. 此極有意味. 尋常人欲含晦者, 多只去鋤治驕矜. 深匿名迹, 然逾鋤逾生, 逾匿逾露者. 蓋不曾去根本上理會, 自已知未光大, 胷中淺狹, 纔有一功一善, 便無安著處, 雖强欲抑遏, 終制不住. 譬如瓶小水多, 雖抑遏固閉, 終必泛溢. 若瓶大則自不泛溢, 都不須閑費力."

여조겸(呂祖謙)[15]이 말했다. "「상전」에서 오직 그 지혜가 빛나고 크다고 했으므로 머금어 감출 수 있다. 이것은 지극한 의미가 있다. 보통사람들이 머금어 감출 수 있는 것은 대부분 교만함을 길러

15) 여조겸(呂祖謙, 1137~1181) : 자는 백공(伯恭)이고, 호는 동래선생(東萊先生)이다. 남송(南宋)대 무주(婺州 : 현 절강성 금화〈金華〉시) 사람이다. 주희(朱熹), 장식(張栻)과 더불어 동남삼현(東南三賢)으로 일컬어진다. 저명한 이학(理學)의 대가로 무학(婺學)을 창립했는데, 당시에 가장 영향력이었던 학파(學派)였다. 융흥(隆興) 1년(1163)에 진사에 급제하여 벼슬은 장사랑(將仕郎), 적공랑(迪功郎), 감담주남악묘(監潭州南嶽廟), 우적공랑(右迪功郎), 태학박사(太學博士), 국사원편수관(國史院編修官), 실록원검토관(實錄院檢討官), 비서성비서랑(秘書省秘書郎) 등을 역임했다. 저서에는 『좌전설(左傳說)』, 『동래좌씨박의(東萊左氏博議)』, 『역대제도상설(歷代制度詳說)』, 『송문감(宋文鑑)』 등이 있고, 주희(朱熹)와 더불어 『근사록(近思錄)』을 편집했다.

낼 뿐이다. 이름과 흔적을 깊이 감추지만 없애면 없앨수록 생겨나고 감추면 감출수록 드러난다. 근본 상에서 이해하지 못하여 스스로 밝고 크지 못하다는 점을 알고 가슴속이 얕고 좁아 하나의 공과 하나의 선함이 있으면 편안한 곳이 없이 억지로 내리 누르려고 하지만 결국에는 제어할 수가 없다. 비유하면 항아리는 작은데 물이 많아 내리 눌러서 닫으려고 하지만 결국에는 반드시 넘쳐흐른다. 항아리가 크다면 스스로 넘쳐흐르지 않아 모두 힘을 쓸 필요가 없다."

● 王氏申子曰 : "含非含藏終不發也, 待時而後發也. 或從王事而能無成有終者, 必其知之光大也. 淺暗者有善唯恐人不知, 豈能含晦哉!"[16]

왕신자(王申子)[17]가 말했다. "머금는 것은 머금어 감춰 결국 발하지 않는 것이 아니라 때를 기다린 뒤에 발한다. 간혹 왕의 일을 하여 이룸이 없이 끝을 맺는 것은 반드시 그 지혜가 밝고 크다. 얕고 우매한 자는 선이 있으면 오직 사람들이 알아주지 않는 것을 근심하니 어찌 머금어 감출 수 있겠는가?"

16) 왕신자(王申子), 『대역집설(大易緝說)』 권3.

17) 왕신자(王申子) : 자는 손경(巽卿)이다. 원나라 공주(邛州, 사천성 공래〈邛崍〉) 사람이다. 인종(仁宗) 황경(皇慶) 연간(1311~1320)에 무창로(武昌路) 남양서원(南陽書院)의 산장(山長)을 지냈다. 나중에 30여 년 동안 자리주(慈利州) 천문산(天門山)에 은거했다. 저서에 『춘추류전(春秋類傳)』, 『대역집설(大易集說)』, 『주례정의(周禮正義)』 등이 있다.

> 括囊無咎, 愼不害也.
>
> 주머니를 묶듯이 하면 허물이 없다는 말은 신중하면 해롭지 않은 것이다."

程傳

能愼如此, 則無害也.

이렇게 할 수 있으면 해로움이 없다.

黃裳元吉, 文在中也.

황색 치마라면 크게 좋고 길하다는 것은 문이 가운데 있기 때문이다.

本義

文在中而見於外也.

문이 가운데 있고 겉으로 드러난다.

程傳

黃中之文, 在中不過也. 內積至美而居下, 故爲元吉.

황(黃)은 중앙의 색이고, 가운데 있다는 것은 지나치지 않음이다. 안으로 지극한 아름다움을 쌓고 아래에 자리하였으므로 크게 길하다고 했다.

集說

● 谷氏家杰曰 : "黃裳, 是中德之發爲文治也. 象又推本於在中, 謂文豈由外襲者哉! 文德實具於中故也. 中具於內曰黃中, 中見於外曰黃裳. 文在中乃暗然之章, 不顯之文也, 卽美在其中意."

곡가걸(谷家杰)이 말했다. "황색 치마는 중덕(中德)이 발현되어 문치(文治)를 이룬 것이다. 상(象) 또한 가운데 있다는 점에서 추론할 수 있으니 문(文)이 어찌 밖에서 들어온 것이라고 하겠는가! 문덕(文德)이 가운데 실제로 구비되어 있기 때문이다. 중이 안에 구비되어 있어 황중(黃中)이라 말하고 중이 밖으로 드러나서 황상(黃裳)이라고 말했다. 문이 가운데 있으니 흐릿한 문장이고 드러나지 않은 문(文)이니 아름다움이 가운데 있다는 뜻이다."

龍戰於野, 其道窮也.

용이 들에서 싸우는 것은 그 도가 궁극에 이르렀다는 말이다.

程傳

陰盛至於窮極, 則必爭而傷也.

음(陰)이 성대하여 궁극에 이르면 반드시 다투어 상한다.

集說

● 趙氏汝楳曰 : "乾曰亢龍有悔, 窮之災也. 坤曰龍戰於野, 其道窮也. 乾至上而窮則災, 坤至上而窮則戰, 戰則不止於悔."[18]

조여매(趙汝楳)[19]가 말했다. "건(乾)괘에서 지나치게 올라간 용은

18) 조여매(趙汝楳), 『주역집문(周易輯聞)』 권1.

19) 조여매(趙汝楳) : 조여매(趙汝楳)는 남송(南宋) 시대 학자로서 상왕원분(商王元份) 7세손이고 자정전대학사(資政殿大學士) 선상(善湘)의 아들이다. 이종(理宗) 대에는 호부시랑(戶部侍郎)까지 올랐다. 『주역집문(周易輯聞)』 6권이 있다. 『송사(宋史)』「조선상전(趙善湘傳)」에 따르면 조선상이 『역』에 대해 말한 책에는 『약설(約說)』 8권, 『혹문(或問)』 4권, 『지요(指要)』 4권, 『속문(續問)』 8권 등이 있는데 이 『역』을 연구한 것이 가장 오래되었다고 하니, 조여매는 가학(家學)을 이어서 이 『주역집문』을 지었을 것이다.

후회가 있다는 말은 궁극의 재앙이다. 곤(坤)괘에서 용이 들에서 싸운다는 말은 그 도가 궁색해지는 것이다. 건이 위에 이르러 궁극이되면 재앙이고, 곤이 위에 이르러 궁극이되면 전쟁을 하는데, 전쟁을 하면 후회에 그치지 않는다."

用六永貞, 以大終也.

육을 씀이 영구하고 곧음이 이롭다는 것은 성대함으로 끝맺는다는 말이다.

本義

初陰後陽, 故曰大終.

처음에는 음이고 나중에는 양이므로 성대함으로 끝맺는다고 했다.

程傳

陰旣貞固不足, 則不能永終. 故用六之道, 利在盛大於終. 能大於終, 乃永貞也.

음(陰)은 굳센 곧음이 부족하면 영구히 끝맺지 못한다. 그러므로 육을 쓰는 도는 이로움이 끝을 성대하게 하는 데 있다. 끝을 성대하게 할 수 있어야 영구하고 곧을 수 있다.

集說

- 荀氏爽曰 : "陽欲無首, 陰以大終."[20]

순상(荀爽)[21]이 말했다. "양은 우두머리가 되지 않으려 하고 음은 끝을 성대하게 한다."

● 程氏迥曰 : "乾以元爲本, 所以資始. 坤以貞爲主, 所以大終."[22]

정형(程迥)[23]이 말했다. "건(乾)은 원(元)을 근본으로 하여 시작에

20) 이정조(李鼎祚), 『주역집해(周易集解)』 권3.

21) 순상(荀爽, 128~190) : 후한의 역학자로 영천(潁川) 영음(潁陰, 하남성 許昌) 사람이며, 자는 자명(慈明)이고, 이름은 서(諝)이며, 순숙(荀淑)의 여섯째 아들이다. 12살 때 『춘추』와 『논어』에 통하여 경서를 깊이 연구하고 관직에 나오려는 부름을 받았으나, 응하지 않았다. 환제(桓帝) 166년에 지극한 효성으로 천거되어 낭중(郎中)에 임명되어 대책을 올려 시폐(時弊)에 대해 통렬하게 지적했지만, 곧 벼슬을 버리고 떠났다. 당고(黨錮)의 화(禍)가 일어나자 바닷가에 숨어 10여 년을 지냈다. 헌제(獻帝) 때 다시 등용되어 사공(司空)을 지냈으며, 사도(司徒) 왕윤(王允)과 동탁(董卓)을 제거하려 하다가 뜻을 이루지 못하고 죽었다. 저서로는 『역전(易傳)』과 『시전(詩傳)』, 『예전(禮傳)』, 『상서정경(尙書正經)』, 『춘추조례(春秋條例)』, 『공양문(公羊問)』 등이 있었지만 모두 없어졌고, 비직(費直)의 고문역학(古文易學)을 연구한 『주역순씨주(周易荀氏注)』의 일부가 『옥함산방집일서』 및 『한위이십일가역주(漢魏二十一家易注)』에 전할 뿐이다

22) 풍의(馮椅), 『후재역학(厚齊易學)』 권5; 「역집전 제일(易輯傳 第一)」에 정형의 말로 실려 있다.

23) 정형(程迥) : 남송 응천부(應天府) 영릉(寧陵) 사람으로 자는 가구(可久)이고, 호는 사수(沙隨)이다. 효종(孝宗) 융흥(隆興) 원년(1163)에 진사(進士)에 급제하여, 진현(進賢)과 상요(上饒)의 지현(知縣), 양주(揚州) 태흥위(泰興尉), 요주덕흥지현(饒州德興知縣) 등을 역임하였다. 일찍이 왕보(王葆)와 가흥(嘉興)의 학자 무덕(茂德), 엄릉(嚴陵), 유저(喩樗)에게 경전을 배웠고, 주희는 그의 박학다식함과 실천정신을 칭찬했다. 경서는 물론 불교와 도가, 음운에 이르기까지 두루 연구했다. 저서에

서 바탕으로 삼는다. 곤(坤)은 정(貞)을 위주로 하여 끝맺음을 성대하게 한다."

● 『朱子語類』云 : "陽爲大, 陰爲小. 陰皆變爲陽, 所謂以大終也, 言始小而終大也."

『주자어류』에서 말했다. "양은 크고 음은 작다. 음은 모두 변하여 양이 되니 끝맺음을 성대하게 한다는 것으로 시작은 작았으나 끝은 크다."

● 俞氏琰曰 : "坤體本小, 變爲乾則其用大, 故曰以大終也."[24]

유염(俞琰)[25]이 말했다. "곤체(坤體)는 본래 작으나 변하여 건(乾)

『고역고(古易考)』, 『고역장구(古易章句)』, 『역전외편(易傳外編)』, 『춘추전현미예목(春秋傳顯微例目)』, 『논어전(論語傳)』, 『맹자장구(孟子章句)』, 『경사설제논변(經史說諸論辨)』, 『사성운(四聲韻)』, 『고운통식(古韻通式)』, 『의경정본서(醫經正本書)』, 『삼기도의(三器圖義)』, 『남재소집(南齋小集)』 등이 있는데, 세상에 전해진 것으로는 『주역고점법(周易古占法)』과 『주역장구외편(周易章句外編)』 등이 있다.

24) 유염(俞琰), 『주역집설(周易集說)』 권20.

25) 유염(俞琰) : 자는 옥오(玉吾)이고, 호는 전양자(全陽子), 임옥산인(林屋山人), 석간도인(石澗道人) 등이다. 남송 말 원대 초기에 활동한 학자로 송대 오군(吳郡 : 현 강소성 소주〈蘇州〉) 사람이다. 어려서 가학을 익히고 젊어서는 기서(奇書)를 즐겨 연구하다가, 뒤늦게 과거시험 준비를 했다. 남송이 멸망하고 원대 조정이 들어서자 과거응시를 포기하고 은거하여 역학 연구에 전념하였다. 역학 관련 저술이 특히 많았는데, 대표적인 것으로 『주역집설(周易集說)』, 『독역거요(讀易擧要)』, 『역외별전(易外

이 되면 그 작용이 크므로 성대하게 끝맺는다고 했다."

● 陸氏振奇曰:"元亨利貞, 雖乾坤有同德, 然乾重元, 以元爲統, 坤重貞, 以貞爲安."

육진기(陸振奇)[26]가 말했다. "원형이정(元亨利貞)은 건괘와 곤괘가 같은 덕을 가지고 있지만, 건괘는 원(元)을 중시하여 원을 통괄로 삼고 곤은 정(貞)을 중시하여 정을 편안함으로 삼는다."

● 程氏敬承曰:"陽之極不爲首, 是無首也. 陰之極以大終, 是無終也. 終始循環, 變化無端, 造化之妙固如此."

정경승(程敬承)이 말했다. "양의 극단은 우두머리가 되지 않으니 이는 우두머리가 아니다. 음의 극한은 성대함으로 끝을 맺으니 이것이 끝이 없다는 뜻이다. 끝과 시작이 순환하여 변화에 단서가 없으니 조화의 묘함은 분명 이러하다."

別傳)』 등이 있다.

26) 육진기(陸振奇): 자는 용성(庸成)이고 명(明)대 전당(錢塘: 현 절강성 항주〈杭州〉) 사람이다. 만력(萬曆) 34년(1606)에 거인(擧人)이 되었다. 저서에 『역개(易芥)』가 있다.

3. 준屯䷂괘

雲雷屯, 君子以經綸.

구름과 우레가 준괘의 모습이니, 군자는 이것을 본받아 천하를 경영한다.

本義

坎不言水而言雲者, 未通之意. "經綸", 治絲之事, 經引之, 綸理之也. 屯難之世, 君子有爲之時也.

감(坎)을 물이라 말하지 않고 구름이라고 말한 것은 아직 통하지 않았다는 뜻이다. "경륜(經綸)"은 실을 다스리는 일이니 경(經)은 이끄는 것이고 윤(綸)은 다스리는 것이다. 험난한 세상은 군자가 큰 일을 할 수 있는 때이다.

程傳

坎不云雨而云雲者, 雲爲雨而未成者也. 未能成雨, 所以爲

屯. 君子觀屯之象, 經綸天下之事, 以濟於屯難. 經·緯·綸·緝, 謂營爲也.

감(坎☵)괘를 비라고 말하지 않고 구름이라고 말한 것은 구름은 비가 되지만 아직 비가 되지 않았기 때문이다. 아직 비를 이룰 수가 없기 때문에 혼돈이다. 군자는 이 혼돈의 모습을 관찰하고 천하의 일을 경륜하여 혼돈과 험난함을 해결한다. 경·위·윤·집(經·緯·綸·緝)은 모두 일을 경영한다는 말이다.

集說

● 李氏舜臣曰 : "坎在震上爲屯, 以雲方上升, 畜而未散也. 坎在震下爲解, 以雨澤既沛, 無所不被也. 故雷雨作者, 乃所以散屯. 而雲雷方興, 則屯難之始也."

이순신(李舜臣)[1]이 말했다. "감(坎☵)괘가 진(震☳)괘 위에 있으니 준(屯䷂)괘가 되니 구름이 막 위로 올라가 축적되었지만 흩어지지 못한 것이다. 감괘가 진괘 아래에 있는 것이 해(解䷧)괘가 되니 비가 성대하게 오니 은택을 받지 않음이 없다. 그러므로 우레와 비가 일어나는 것이 곧 혼돈이 해결되는 일이고 구름과 우레가 막 일어나는 것이 험난함의 시작이다."

1) 이순신(李舜臣) : 송(宋)대 선정(仙井) 사람으로 자는 자사(子思)이고 호는 융산(隆山)이다. 건도(乾道) 2년(1166)에 진사에 급제하여 벼슬은 성도부교수(成都府教授)를 역임하였다. 『역』 연구에 전념하였는데, 특히 주자에게 수학한 적이 있는 풍의(馮椅)와 친밀히 교류하였다고 한다. 저술로는 『역본전(易本傳)』 32권이 있었다고 하는데 전해지지 않고, 풍의(馮椅)의 『후재역학(厚齊易學)』에 그의 글이 소개되고 있다.

● 項氏安世曰 : “經者立其規模, 綸者糾合而成之, 亦有艱難之象焉. 經以象雷之震, 綸以象雲之合.”[2]

항안세(項安世)[3]가 말했다. “경(經)은 규모를 세우는 일이고 륜(綸)은 규합하여 이루는 것이니 또한 험난함의 모습이 있다. 경은 우레로 상징한 움직임이고 륜은 구름으로 상징한 화합이다.”

● 馮氏椅曰 : “雲雷方作而未有雨, 有屯結之象. 君子觀象以治世之屯, 猶治絲者, 旣經之又綸之, 所以解其結而使就條理也.”[4]

풍의(馮椅)[5]가 말했다. “구름과 우레가 막 일어났으나 비가 오지

2) 항안세(項安世), 『주역완사(周易玩辭)』 권2.
3) 항안세(項安世, 1129~1208) : 자는 평부(平父)이고, 호는 평암(平庵)이며, 송대 강릉(江陵 : 현 호북성 소속) 사람이다. 효종(孝宗) 순희(淳熙) 2년(1175) 진사에 급제하여 소흥부교수(紹興府敎授)가 되었는데, 당시 절동제거(浙東提擧)를 맡고 있던 주희(朱熹)를 만나 서로 강론하였다. 주희가 간관(諫官)으로 조정에 추천한 적이 있으며, 비서성정자(秘書省正字), 교서랑(校書郎), 지주통판(池州通判) 등을 역임했다. 경원(慶元) 연간에 상소를 올려 주희(朱熹)를 유임하라고 했다가 탄핵을 받고 위당(僞黨)으로 몰려 파직되었다. 나중에 복직되어 여러 벼슬을 거쳤다. 저서에는 『주역완사(周易玩辭)』, 『항씨가설(項氏家說)』, 『평암회고(平庵悔稿)』 등이 있다.
4) 풍의(馮椅), 『후재역학(厚齋易學)』
5) 풍의(馮椅) : 자는 기지(奇之) 또는 의지(儀之)이고, 호는 후재(厚齋)이다. 송(宋)대 남강 도창(南康都昌 : 현 강서성 도창현) 사람이다. 광종(光宗) 소희(紹熙) 4년(1193)에 진사에 급제하여, 강서운사간판공사(江西運司幹辦公事), 상고현령(上高縣令) 등을 역임했다. 주희(朱熹)가 지남강군(知南康軍)으로 있을 때 제자가 되었는데, 주희는 그의 성실함에

않은 것이 혼돈스럽게 응결한 모습이다. 군자는 이 모습을 보고 세상의 혼돈을 다스리는데, 마치 꼬인 실을 다스리는 것과 같아 다스리고 또 다스려 그 응결된 것을 풀어 조리를 갖게 한다."

● 吳氏澄曰:"君子治世猶治絲, 欲解其紛亂. 屯之時, 必欲解其鬱結也."

오징(吳澄)이 말했다. "군자가 세상을 다스리는 일은 얽힐 실을 다스리는 것과 같아 그 분란을 해결하려고 한다. 혼돈의 때는 반드시 그 응결된 것을 풀려고 한다."

감동하여 벗의 예로 대우했다고 한다. 역학(易學)에 정밀했다. 저서에 『후재역학(厚齋易學)』, 『주역집설명해(周易輯說明解)』, 『경설(經說)』, 『서명집설(西銘輯說)』, 『효경장구(孝經章句)』, 『상례소학(喪禮小學)』, 『공자제자전(孔子弟子傳)』, 『속사기(續史記)』, 『시문지록(詩文志錄)』 등이 있다.

雖磐桓, 志行正也, 以貴下賤, 大得民也.

주저하고 머뭇거리고 있지만 뜻은 올바름을 행하려 한다. 귀한 몸으로 낮은 사람들에게 몸을 낮춰 가니, 크게 민심을 얻는다.

程傳

賢人在下, 時苟未利, "雖磐桓"未能遂往濟時之屯. 然有濟屯之志, 與濟屯之用, 志在行其正也. 九當屯難之時, 以陽而來居陰下, 爲"以貴下賤"之象. 方屯之時, 陰柔不能自存, 有一剛陽之才, 衆所歸從也. 更能自處卑下, 所以"大得民也", 或疑方屯於下, 何有貴乎? 夫以剛明之才, 而下於陰柔, 以能濟屯之才, 而下於不能, 乃"以貴下賤"也, 況陽之於陰, 自爲貴乎!

현인이 낮은 위치에 자리하고 때가 이롭지 못하여 "주저하고 머뭇거리며" 지금 당장 성급하게 가서 세상의 혼돈을 해결할 수는 없다. 그러나 혼돈을 해결하려는 뜻과 혼돈을 해결할 수 있는 능력은 있으니 뜻은 올바름을 행하려는 데 있다.

초구효는 혼돈과 고난의 때를 당하여, 양(陽)으로 와서 음(陰)의 아래에 자리했으니 "귀한 몸으로 낮은 사람들에게 몸을 낮추어 가는" 모습이다. 혼돈이 시작했을 때 음의 부드러움으로 스스로 보존할 수 없는데 굳센 양의 재능을 가진 한 사람이 있으니 사람들이 그를 따르고 복종한다. 게다가 그가 스스로 겸손하게 처신할 수 있기 때문에 "크게 민심을 얻는" 것이다.

어떤 사람은 의심하여 이렇게 묻는다. 혼돈의 때에 낮은 자리에 처했는데 무슨 귀한 몸인가? 이렇게 대답하겠다. 굳세고 밝은 재능으로 음의 부드러운 사람들에게 자신을 낮추고 혼돈을 해결할 수 있는 재능을 가지고 능력이 없는 사람에게 자신을 낮추니, "귀한 몸으로 낮은 사람들에게 몸을 낮추는" 것이다. 하물며 양이 음에 비해 본래 귀한 것인데 어찌할 것인가?

集說

● 王氏弼曰: "不可以進, 故磐桓也. 非爲宴安棄成務也, 故雖磐桓, 志行正也."

왕필이 말했다. "나아갈 수가 없으므로 주저한다. 그러나 편안히 즐기면서 직무를 포기하는 것이 아니므로 주저하더라도 뜻은 정도를 행한다."

● 楊氏萬里曰: "磐桓不進, 豈眞不爲哉! 居正有待, 而其志未嘗不欲行其正也. 故周公言居貞, 而孔子言行正."[6]

양만리(楊萬里)[7]가 말했다. "주저하며 나아가지 않는 것이 어찌 진

6) 양만리(楊萬里), 『성재역전(誠齋易傳)』 권2.

7) 양만리(楊萬里, 1127~1206): 양만리는 송나라 길수(吉水) 출신이다. 이름은 만리(萬里)이다. 자는 정수(廷秀). 시호는 문절(文節). 학자로서 성재선생(誠齋先生)이라고 불린다. 소흥(紹興) 때 진사가 되었다. 영릉승(零陵丞)이 되었다. 때마침 영주(永州)에서 귀양살이하는 장준(張浚)에게 정심성의의 학을 공부했다. 양만리는 그의 가르침에 감복하여 책 읽

정으로 하지 않으려는 것이겠는가! 올바른 위치에 자리하여 기다림이 있으나 그 뜻은 그 정도를 행하려고 하지 않았던 적이 없다. 그러므로 주공은 올바름에 자리했다고 말했고 공자는 정도를 행한다고 말했다."

● 王氏申子曰:"初磐桓有待者, 其志終欲行其正也. 況當屯之時, 陰柔者不能自存, 有一陽剛之才, 衆必從之以爲主. 而初又能以貴下賤, 大得民心. 在上者果能建之以爲侯, 則屯可濟矣, 故利."[8]

왕신자(王申子)[9]가 말했다. "초효는 주저하며 기다림이 있는 자이지만 그 뜻은 결국에는 정도를 행하려는 것이다. 혼돈의 때에 당하여 음의 부드러움을 지닌 자는 스스로 보존할 수도 없는데 하나의 양의 굳센 재능이 있어 사람들이 반드시 그를 좇아 주인으로 삼는다. 초효는 또 귀한 자가 낮은 자에게 낮추니 크게 민심을 얻는다.

는 방을 성재라고 불렀다. 효종 때 국자감박사가 되었고, 보문각대제(寶文閣待制)에서 벼슬을 사양하고 물러났다. 개희(開禧) 2년 보모각(寶謨閣) 학사에 나아갔다. 한탁주(韓胄)의 전참(專僭)에 분개하다 병이 나서 죽었다. 광종(光宗)이 성재라는 두 글자를 써서 내렸다. 시문에 뛰어났다. 저서에 『성재역전(誠齋易傳)』, 『당언(唐言)』, 『성재집(誠齋集)』, 『천려책(千慮策)』, 『성재시화(誠齋詩話)』가 있다.

8) 왕신자(王申子), 『대역집설(大易緝說)』 권3.
9) 왕신자(王申子) : 자는 손경(巽卿)이다. 원나라 공주(邛州, 사천성 공래〈邛崍〉) 사람이다. 인종(仁宗) 황경(皇慶) 연간(1311~1320)에 무창로(武昌路) 남양서원(南陽書院)의 산장(山長)을 지냈다. 나중에 30여 년 동안 자리주(慈利州) 천문산(天門山)에 은거했다. 저서에 『춘추류전(春秋類傳)』, 『대역집설(大易集說)』, 『주례정의(周禮正義)』 등이 있다.

위에 있는 자가 과감히 그를 세워 제후로 삼는다면 혼돈을 구할 수 있으므로 이롭다."

● 胡氏炳文曰:"乾坤初爻, 提出陰陽二字. 此則以陽爲貴, 陰爲賤, 陽爲君, 陰爲民. 陰陽之義益嚴矣."[10]

호병문(胡炳文)이 말했다. "건곤의 초효는 음양(陰陽) 두 글자에서 나왔다. 는 양을 귀하게 여기고 음을 천하게 여기며 양이 군주이고 음이 백성이다. 음양의 뜻이 더욱 엄격하다."

10) 호병문(胡炳文), 『주역본의통석(周易本義通釋)』 권3.

六二之難, 乘剛也. 十年乃字, 反常也.

육이효의 어려움은 강함을 타고 있기 때문이다. 십 년 만에 자라고 부르는 것은 상도로 돌아갔다는 말이다.

程傳

六二居屯之時, 而又"乘剛", 爲剛陽所逼, 是其患難也. 至於十年, 則難久必通矣, 乃得反其常, 與正應合也. 十, 數之終也.

육이효가 혼돈의 때에 처했고 또 "강함을 타고" 있어 굳센 양의 자질을 지닌 자에게 핍박을 당하니 이것이 근심과 고난이다. 10년에 이르면 어려움이 오래되어 반드시 통하게 되니, 그 상도(常道)로 돌아가 올바르게 호응하여 상대와 결합하게 된다. 10이란 수의 끝이다.

卽鹿無虞, 以從禽也, 君子舍之, 往吝, 窮也.

사슴을 쫓되 안내자가 없는 것은 날짐승을 쫓았기 때문이고 군자가 그만둔 것은 가면 인색하고 궁색해지기 때문이다.

程傳

事不可而妄動, 以從欲也. 無虞而卽鹿, 以貪禽也. 當屯之時, 不可動而動, 猶無虞而卽鹿, 以有從禽之心也. 君子則見幾而舍之不從. 若往則可吝而困窮也.

가능하지 않은 상황인데도 망령되게 행하는 것은 욕심을 따르기 때문이다. 안내자 없이 사슴을 쫓는 것은 날짐승을 탐하기 때문이다. 혼돈의 때를 당하여 움직여서 안 되는 데도 움직이는 것은 안내자 없이 사슴을 쫓는 것과 같으니, 날짐승을 잡으려는 욕심이 있기 때문이다. 군자는 기미를 파악하고 그만두어 쫓지 않는다. 만약 쫓아가면 인색하고 곤궁해질 수 있다.

集說

● 楊氏簡曰 : "夫無虞而卽鹿者, 心在乎禽, 爲禽所蔽. 雖無虞猶漫往, 不省其不可也. 動於利祿, 不由道而漫往求者, 如之君子則舍之, 往則吝則窮也."[11]

양간(楊簡)[12]이 말했다. "안내자 없이 사슴을 쫓는 것은 마음이 금수에 있어 금수에 의해서 가려진 것이다. 안내자가 없더라도 오히려 방자하게 가는 것은 그것이 불가능함을 살피지 않는 것이다. 이익과 녹봉에 마음이 움직여 올바른 도리를 하지 않고 방자하게 가서 구하는 것을 군자라면 버리고 가면 인색하게 되어 곤궁하게 된다.

● 蔡氏清曰 : "從字重, 是心貪乎禽也. 故著'以'字, 所謂禽荒者也. 是以身徇物也."[13]

채청(蔡清)[14]이 말했다. "따른다는 말이 중요하니 마음이 금수를

---

11) 양간(楊簡), 『양씨역전(楊氏易傳)』 권3.

12) 양간(楊簡, 1141~1226) : 남송 명주(明州) 자계(慈溪) 사람으로 자는 경중(敬仲)이고, 호는 자호선생(慈湖先生)이며, 시호는 문원(文元)이다. 양정현(楊庭顯)의 아들이다. 효종(孝宗) 건도(乾道) 5년(1169) 진사(進士)가 되고, 부양주부(富陽主簿)에 올랐다. 이때 육구연(陸九淵)을 스승으로 섬겨 육씨심학파(陸氏心學派)의 대표적 인물이 되었다. 원섭(袁燮), 서린(舒璘), 심환(沈煥) 등과 함께 녹상사선생(甬上四先生), 사명사선생(四明四先生)으로 일컬어졌다. 육구연의 심학을 우주의 만물(萬物), 만상(萬象), 만변(萬變)이 모두 자신에게 속해 있다는 유아론(唯我論)으로 발전시켰다. 저서에 『자호시전(慈湖詩傳)』과 『양씨역전(楊氏易傳)』, 『계폐(啓蔽)』, 『선성대훈(先聖大訓)』, 『오고해(五誥解)』, 『자호유서(慈湖遺書)』 등이 있다.

13) 채청(蔡清), 『역경몽인(易經蒙引)』 권2상.

14) 채청(蔡清, 1453~1508) : 명(明)대 진강(晉江) 사람으로, 자는 개부(介夫)이고 별호는 허재(虛齋)이다. 31세에 진사에 급제하여 벼슬은 남경문선랑중(南京文選郎中)·강서제학부사(江西提學副使) 등을 역임하였다. 명대의 저명한 이학가(理學家)로서 주로 이정(二程)과 주희(朱熹)의 저술 연구를 통해 그들의 사상을 계승하였다. 특히 천주(泉州) 개원사(開

탐한 것이다. 그러므로 '이(以)'자를 썼으니 사냥에 탐닉하는 것[15]을 말한다. 몸이 외물을 따르는 것이다."

案

「象傳」有單字成文者, 如此爻'窮'也, 下爻'明'也, 是卽起例處. 餘卦放此.

「상전」에서 한 글자로 문장을 만든 것이 있는데 이 효처럼 '궁(窮)'이라 하고 아래 효에서는 '명(明)'이라 했으니, 사례가 되는 곳이다. 다른 괘에서도 이와 같다.

元寺)에서 역학연구단체를 결성하여 90여 책을 출간하면서 청원학파(淸源學派)를 이루었다. 이정기(李廷機)·장악(張嶽)·임희원(林希元)·진침(陳琛) 등의 학자들이 그 학파의 주요 구성원이었다. 저술로는 『사서몽인(四書蒙引)』·『역경몽인(易經蒙引)』·『허재문집(虛齋文集)』 등이 있다.

15) 사냥에 탐닉하는 것 : 『서경』「오자서가(·五子之歌)」, "안으로는 여색에 탐닉하고 밖으로는 사냥에 탐닉하였다.[內作色荒, 外作禽荒.]"라고 했는데 채침(蔡沈)의 『집전(集傳)』에서 "금황은 사냥에 탐닉하는 것이고 황은 미혹된 것을 말한다.[禽荒, 耽游畋也, 荒者, 迷亂之謂.]"라고 했다.

求而往, 明也.

현자를 구하여 나아가는 것이 현명하다.

程傳

知己不足, 求賢自輔而後往, 可謂明矣. 居得致之地, 己不能而遂已, 至暗者也.

자신의 부족함을 알고 현자를 구하여 자신을 돕게 한 후에 나아가면 현명하다고 할 수 있다. 현자를 데려올 수 있는 지위에 자리하면서 자신이 할 수 없다고 포기한다면 매우 어리석은 사람이다.

集說

● 胡氏瑗曰 : "必待人求於己, 然後往而應之. 非君子性修智明, 其能與於斯乎!"

호원(胡瑗)이 말했다. "반드시 사람이 자기를 구하기를 기다린 뒤에 가서 호응한다. 군자가 본성을 닦고 지혜를 밝히지 않는다면 이렇게 할 수 있겠는가!"

● 俞氏琰曰 : "彼求而我往, 則其往也, 可以爲明矣. 如不待其招而往, 則是不知去就之義, 謂之明可乎!"[16]

유염(兪琰)[17]이 말했다. "저쪽이 구하고 내가 가는 것이 가는 것이니 현명하다고 할 수 있다. 초대하기를 기다리지 않고 가면 거취(去就)의 마땅함을 알지 못하는 것이니 현명하다고 말할 수 있겠는가!"

● 蔣氏悌生曰: "指從九五, 凡退下爲來, 進上爲往."

장제생(蔣悌生)[18]이 말했다. "구오효를 따르는 것을 가리키니 물러나 아래로 가는 것이 옴이 되고 나아가 올라가는 것이 감이된다."

案

『傳』『義』皆謂己求人也, 胡氏兪氏蔣氏, 皆作人求己, 而己往從之. 於求而往三字語氣亦葉, 又『易』例六四應初九, 從九五, 皆有吉義, 故作從初從五俱可通.

16) 유염(兪琰), 『주역집설(周易集說)』 권20.

17) 유염(兪琰) : 자는 옥오(玉吾)이고, 호는 전양자(全陽子), 임옥산인(林屋山人), 석간도인(石澗道人) 등이다. 남송 말 원대 초기에 활동한 학자로 송대 오군(吳郡 : 현 강소성 소주〈蘇州〉) 사람이다. 어려서 가학을 익히고 젊어서는 기서(奇書)를 즐겨 연구하다가, 뒤늦게 과거시험 준비를 했다. 남송이 멸망하고 원대 조정이 들어서자 과거응시를 포기하고 은거하여 역학 연구에 전념하였다. 역학 관련 저술이 특히 많았는데, 대표적인 것으로 『주역집설(周易集說)』, 『독역거요(讀易擧要)』, 『역외별전(易外別傳)』 등이 있다.

18) 장제생(蔣悌生) : 명나라 복건(福建) 복녕(福寧) 사람으로 자는 인숙(仁叔)이다. 홍무(洪武) 연간에 명경(明經)으로 천거되어 복주훈도(福州訓導)를 지냈다. 저서에 『오경려측(五經蠡測)』이 있다.

『정전』과 『주역본의』는 자신이 사람을 구하는 것을 말하고 호씨[호원]와 유씨[유염]와 장씨[장제생]는 모두 사람이 자기를 구하면 자신이 가서 따르는 것으로 했다. 구이왕(求而往 : 가서 구한다)는 세 글자의 말 기운 또한 가지와 같고 또 『역』의 예에서 육사효가 초구효를 따르거나 구오효를 따르면 모두 길한 뜻이 있으므로 초구효를 따르거나 구오효를 따르거나 모두 통할 수 있다.

屯其膏, 施未光也.

은택이 베풀어지기 어렵다는 것은 베풂이 빛나지 않는다는 말이다.

程傳

膏澤不下及. 是以德施未能光大也. 人君之屯也.

은택이 백성들에게 널리 미치지 못했다. 그래서 덕을 베푸는 데 빛나고 클 수가 없으니, 군주의 혼돈이다.

集說

● 谷氏家杰曰 : "'施'字當'澤'字, 澤屯而不施, 卽未光, 非謂得施而但未光也."

곡가걸(谷家杰)이 말했다. "베푼다는 '시(施)'자는 마땅히 은택을 베푼다는 '택(澤)'자여야 한다. 은택이 막혀 시행되지 못하니 빛나지 못한 것이지, 베풀어졌는데 단지 빛나지 못함을 말한 것이 아니다."

泣血漣如, 何可長也.

피눈물을 줄줄 흘리니 어찌 오래 갈 수 있겠는가!

程傳

屯難窮極, 莫知所爲, 故至泣血. 顚沛如此, 其能長久乎? 夫卦者事也, 爻者事之時也. 分三而又兩之, 足以包括衆理: "引而伸之, 觸類而長之, 天下之能事畢矣."

혼돈과 어려움의 극한에 이르러 어찌할 바를 모르므로 피눈물을 흘린다. 이렇게 엎어지고 나자빠지니 어떻게 오랫동안 지속할 수 있겠는가? 괘(卦)란 전체의 상황이고 효(爻)는 그 상황에서 여러 가지 다양한 때이다. 삼재(三才)로 나누고 또 두 가지로 나누어서 6획을 만들면[19] 온갖 이치를 포괄할 수 있고, 8괘로 이끌고 펴서, 온갖 종

19) 삼재(三才)로 나누고 또 두 가지로 나누어서 6획을 만들면 : 『역』「계사 하」, "『역』이란 책은 광대하여 모두 갖추어서 천도(天道)가 있고 인도(人道)가 있고 지도(地道)가 있으니, 삼재(三才)를 겸하고 두 가지로 나누었다. 그러므로 육(六)효이니, 육(六)은 다름이 아니라 삼재(三才)의 도(道)이다.[『易』之爲書也, 廣大悉備, 有天道焉, 有人道焉, 有地道焉, 兼三才而兩之. 故六, 六者, 非他也, 三才之道也.]"라고 하였다. 또 『역』「설괘전」, "옛날에 성인이 역을 지은 것은 성명(性命)의 이치를 따르려고 했기 때문이다. 그래서 하늘의 도를 세웠으니 음(陰)과 양(陽)이고, 땅의 도를 세웠으니 유(柔)와 강(剛)이고, 사람의 도를 세웠으니 인(仁)과 의(義)이니, 삼재(三才)를 겸하여 두 가지로 나누었기 때문에, 역이 여섯

류의 상황에 적용하여 확대하면, 세상의 모든 일을 다 마칠 수 있을 것이다.[20]

集說

● 楊氏簡曰 : "何可長者, 言何可長如此也. 非唯深憫之, 亦覬其變也, 變則庶乎通矣."[21]

양간(楊簡)이 말했다. "어떻게 오래 갈 것인가라는 말은 어떻게 이렇게 오래 갈 것인가를 말한 것이다. 오직 깊게 연민한 것이 아니라 또한 그 변화를 바란 것이니 변하면 거의 통한다."

案

「象傳」凡言何可長者, 皆言宜速反之, 不可遲緩之意, 如楊氏之說.

번 그어 괘(卦)가 이루어졌고, 음으로 나뉘고 양으로 나뉘며, 유와 강을 차례로 쓰기 때문에 역이 여섯 자리에 문장(文章)을 이룬 것이다.[昔者聖人之作易也, 將以順性命之理. 是以立天之道曰陰與陽, 立地之道曰柔與剛, 立人之道曰仁與義, 兼三才而兩之, 故易六而成卦, 分陰分陽, 迭用柔剛, 故易六位而成章.]"라고 하였다.

20) 8괘로 …… 세상의 모든 일을 마칠 수 있을 것이다. : 『역』「계사상」, "8괘를 조금 이루어 이끌어 펴서 온갖 종류의 상황에 적용하여 확대하면, 세상의 모든 일이 다할 것이다.[八卦而小成, 引而伸之, 觸類而長之, 天下之能事畢矣.]"라고 하였다.

21) 양간(楊簡), 『양씨역전(楊氏易傳)』 권3.

「상전」에서 어찌 오래 갈 수 있겠느냐고 한 것은 모두 마땅히 속히 되돌아와야지 지체 되어서는 안 된다는 말이니 양씨[양간]의 설과 같다.

4. 몽蒙䷃괘

山下出泉, 蒙, 君子以果行育德.

산(山) 아래에서 샘물이 나오는 모습이 몽이니, 군자가 이를 본받아 과감하게 행하여 덕을 기른다.

本義

"泉", 水之始出者, 必行而有漸也.

"천(泉)"은 물이 처음 나온 것이니, 반드시 흘러가지만 점진적 과정이 있다.

程傳

"山下出泉", 出而遇險, 未有所之, 蒙之象也. 若人蒙穉, 未知所適也. 君子觀蒙之象, 以果行育德, 觀其出而未能通行, 則以果決其所行, 觀其始出而未有所向, 則以養育其明德也.

"산 아래에서 샘물이 나온다"는 말은 나와서 위험을 만나 나갈 길이 없는 것이니, 어리석은 모습이다. 사람이 어리석고 어려서 적절한 길을 알지 못하는 것과 같다. 군자는 어리석은 아이의 모습을 관찰하여 과감하고 행하여 자신의 덕을 기르니, 샘물이 나와 통하여 나아갈 수 없음을 관찰하면 그 행하는 바를 과감하게 결단하고, 샘물이 비로소 나왔는데 갈 방향을 알지 못함을 관찰하면 이로써 밝은 덕을 수양한다.

集說

● 周子曰:"童蒙求我, 我正果行, 如筮焉. 筮, 叩神也, 再三則瀆矣, 瀆則不告也. 山下出泉, 靜而淸也. 汨則亂, 亂不決也. 愼哉其唯時中乎!"[1]

주자(周子 : 周敦頤)[2]가 말했다. "몽매한 어린이가 나를 찾아오면 나는 바르게 하고 과감하게 행하는데 점을 치는 것과 같다. 점을 치는 것은 신에게 묻는 일이다. 두 세 번 하면 어지럽히게 되니,

1) 주돈이, 『통서(通書)』「몽간(蒙艮)」 제40.
2) 주돈이(周惇頤, 1017~1073) : 자는 무숙(茂叔)이고, 호는 염계(濂溪)이며, 원래 이름은 돈실(惇實)이었는데, 북송 제5대 황제인 영종(英宗 : 1063~1067)의 옛 이름(조종실〈趙宗實〉)을 피하여 돈이(惇頤)로 이름을 고쳤다. 송대 도주 영도(道州營道 : 현 호남성 도현〈道縣〉) 사람으로 송대 신유학의 개조이다. 분녕주부(分寧主簿), 지남창(知南昌), 지침주(知郴州), 지남강군(知南康軍) 등을 역임하였다. 이정(二程)의 스승이며, 주희의 형이상학체계에 큰 영향을 끼쳤다. 저서는 『태극도설(太極圖說)』, 『통서(通書)』, 「애련설(愛蓮說)」 등이 있다.

어지럽히면 알려주지 않는다. '산 아래에서 샘물이 나온다"고 하니, 고요하고 맑다. 휘저으면 혼탁해지고 혼탁해지면 결단하지 못한다.

● 王氏宗傳曰 : "不曰山下有水, 而曰山下出泉云者, 泉者水之源, 所謂純一而不雜者矣."[3)]

왕종전(王宗傳)이 말했다. "산 아래 물이 있다고 하지 않고 산 아래에서 샘물이 나온다고 한 것은 샘물은 물의 원천이라 순일하여 잡스럽지 않은 것이기 때문이다."

● 眞氏德秀曰 : "泉之始出也, 涓涓之微壅於沙石, 豈能遽達哉? 唯其果決必行, 雖險不避, 故終能流而成川. 然使其源之不深, 則其行雖果, 而易以竭. 艮之象山也, 其德止也. 山惟其靜止, 故泉源之出者無窮. 有止而後有行也. 君子觀蒙之象, 果其行如水之必行, 育其德如水之有本."[4)]

진덕수(眞德秀)[5)]가 말했다. "샘물이 처음 나올 때 모래에서 졸졸

3) 왕종전(王宗傳), 『동계역전(童溪易傳)』 권4.

4) 진덕수(眞德秀), 『서산독서기(西山讀書記)』 권15.

5) 진덕수(眞德秀 : 1178~1235) : 자는 희원(希元)·경원(景元)·경희(景希)이고, 호는 서산(西山)이다. 송대 포성(浦城 : 복건성 포성〈蒲城〉)사람으로 1199년에 진사시에 급제하여 태학정(太學正)·참지정사(參知政事)에 이르렀다. 어려서는 주희의 문인인 첨체인(詹體仁)에게 배우고, 스스로 '주희를 사숙하여 얻은 것이 있다'라고 하였다. 특히 『대학』을 중시하여 궁리(窮理)와 지경(持敬)을 강조하였다. 저서는 『대학연의(大學衍義)』·『사서집편(四書集編)』·『서산문집(西山文集)』 등이 있다.

흐르니 어찌 급하게 도달할 수 있겠는가? 오직 과감하게 결단하고 반드시 행하여 험난한 것일지라도 피하지 않으므로 결국에는 흘러 강을 이룬다. 그러나 원천이 깊지 않다면 그 흐름이 과감할지라도 쉽게 마른다. 간(艮☶)의 상은 산이고 그 덕은 멈춤이다. 산은 오직 고요하게 멈추어 있으므로 샘물의 원천이 나오는 것이 끝이 없다. 멈춘 뒤에 흐름이 있다. 군자는 몽괘의 상을 관찰하여 물이 반드시 흐르는 것처럼 그 행함이 과감하고 물에 근본이 있듯이 그 덕을 기른다."

● 徐氏幾曰 : "蒙而未知所適也, 必體坎之剛中, 以決果其行而達之. 蒙而未有所害也, 必體艮之靜止, 以養育其德而成之."[6)]

서기(徐幾)[7)]가 말했다. "어리석어 갈 곳을 알지 못하니 반드시 감(坎☵)괘의 강중(剛中)을 체득하여 과감하게 행함을 결단하고 도달해야 한다. 어리석어 해로움이 아직 없으니 반드시 간(艮☶)괘의 고요히 멈춤을 체득하여 그 덕을 길러 완성해야 한다."

● 蔡氏清曰 : "果行育德, 是內外動靜交相養之道. 養蒙之道, 不外乎此."[8)]

6) 호광등(胡廣等), 『주역전의대전(周易傳義大全)』 권3.

7) 서기(徐幾) : 자는 자여(子與)이고, 호는 진재(進齋)이다. 송대 숭안(崇安 : 현 복건성 무이산시〈武夷山市〉) 사람이다. 송 리종(理宗) 경정(景定) 5년(1264)에 적공랑(迪功郎)에 천거되고, 건녕부교수(建寧府教授) 겸 건안서원산장(建安書院山長) 겸 숭정전설서(崇政殿說書)를 제수 받았다. 박학다재(博學多才)하였고 특히 역학에 정통하여 『역집(易輯)』, 『역의(易義)』 등을 저술하였다.

채청(蔡淸)[9]이 말했다. "과감하게 행하여 덕(德)을 기른다는 것은 안과 밖, 움직임과 고요함이 교류하여 서로 배양하는 도이다. 어리석음을 기르는 도가 이것에서 벗어나지 않는다."

8) 채청(蔡淸), 『역경몽인(易經蒙引)』 권2상.

9) 채청(蔡淸, 1453~1508) : 명(明)대 진강(晉江) 사람으로, 자는 개부(介夫)이고 별호는 허재(虛齋)이다. 31세에 진사에 급제하여 벼슬은 남경문선랑중(南京文選郎中)·강서제학부사(江西提學副使) 등을 역임하였다. 명대의 저명한 이학가(理學家)로서 주로 이정(二程)과 주희(朱熹)의 저술 연구를 통해 그들의 사상을 계승하였다. 특히 천주(泉州) 개원사(開元寺)에서 역학연구단체를 결성하여 90여 책을 출간하면서 청원학파(淸源學派)를 이루었다. 이정기(李廷機), 장악(張嶽), 임희원(林希元), 진침(陳琛) 등의 학자들이 그 학파의 주요 구성원이었다. 저술로는 『사서몽인(四書蒙引)』, 『역경몽인(易經蒙引)』, 『허재문집(虛齋文集)』 등이 있다.

利用刑人, 以正法也.

사람을 형벌로 다스림이 이로운 것은 법(法)을 바로잡는다는 말이다.

本義

發蒙之初, 法不可不正, 懲戒所以正法也.

어리석음을 계발하는 초기에 법을 바로잡지 않을 수 없으니, 징계함은 법을 바로잡는 것이다.

程傳

治蒙之始, 立其防限, 明其罪罰, 正其法也. 使之由之, 漸至於化也. 或疑發蒙之初, 遽用刑人, 無乃不教而誅乎! 不知立法制刑, 乃所以教也. 蓋後之論刑者, 不復知教化在其中矣.

어리석음을 다스리는 초기에 금지와 한계를 세워 죄와 벌을 밝히는 일이 법을 바르게 하는 것이다. 이를 통하여 이것을 따르게 해서 점차로 교화에 이른다. 어떤 사람이 어리석음을 다스리는 초기에 갑작스럽게 형벌을 사용하는 일은 가르치지 않고 벌만 주는 것이 아닌가라고 의심한다. 이는 법을 세우고 형벌을 제도화하는 일이 곧 교화라는 점을 모르는 것이다. 나중에 형벌을 논하는 사람들은 교화가 그 가운데 있음을 다시 알지 못했다.

集說

● 項氏安世曰："刑之於小，所以脫之於大，此聖人用刑之本心也. 所以正法, 非所以致刑也. 至其極也, 用師擊之, 猶爲禦而不寇. 蓋聖人之於蒙, 哀矜之意常多. 此九二之包蒙, 所以爲一卦之主也與."[10]

항안세(項安世)[11]가 말했다. "작은 일에서 형벌을 주는 것은 큰 일에서 벗어나는 것이니, 이렇게 하는 뜻이 성인이 형벌을 사용하는 본래 마음이다. 법을 바로 잡는 일은 형벌에 이르려는 것이 아니다. 극한에 이르면 군사를 사용하여 치니 제어하여 원수가 되지 않는다. 성인이 어리석음에 대해 슬퍼하는 뜻이 항상 많기 때문이다. 이 구이효의 어리석음을 포용하는 것은 한 괘의 주효가 되기 때문이다."

10) 항안세(項安世), 『주역완사(周易玩辭)』 권2.

11) 항안세(項安世, ?~1208) : 송나라 강릉(江陵) 사람으로 자는 평부(平父)고, 호는 평암(平庵)이다. 효종(孝宗) 순희(淳熙) 2년(1175) 진사(進士)가 되고, 교서랑(校書郞)과 지주통판(池州通判) 등을 지냈다. 영종(寧宗)이 즉위하자 양병(養兵)과 궁액(宮掖)에 드는 비용을 줄여야 한다고 건의했다. 경원(慶元) 연간에 글을 올려 주희(朱熹)를 유임하라고 했다가 탄핵을 받고 위당(僞黨)으로 몰려 파직되었다. 나중에 복직되어 여러 벼슬을 거쳤다. 저서에 『주역완사(周易玩辭)』와 『항씨가설(項氏家說)』, 『평암회고(平庵悔稿)』 등이 있다.

子克家, 剛柔接也.

자식이 집안을 다스리는 것은 굳셈과 부드러움이 만났기 때문이다.

本義

指二五之應.

이효와 오효의 호응을 가리킨다.

程傳

子而克治其家者, 父之信任專也. 二能主蒙之功者, 五之信任專也. 二與五剛柔之情相接, 故得行其剛中之道, 成發蒙之功. 苟非上下之情相接, 則二雖剛中, 安能屍其事乎!

자식이 그 집안을 다스릴 수 있는 것은 부모의 신임이 전폭적이기 때문이다. 육이효가 어리석음을 깨우치는 공을 주도할 수 있는 것은 육오효의 신임이 전폭적이기 때문이다. 구이효는 육오효와 함께 굳셈과 부드러움의 정이 서로 이어졌기 때문에 굳세며 알맞은 도를 행하여 어리석음을 깨우치는 공을 이룬다. 위와 아래의 정이 서로 이어지지 않았다면, 구이효가 굳세며 알맞은 덕을 가지고 있더라도, 어떻게 그 일을 주관할 수 있었겠는가?

勿用取女, 行不順也.

여자를 취해 쓰지 말라고 한 것은 그 행실이 신중하지 않기 때문이다.

本義

順, 當作愼, 蓋順愼古字通用, 『荀子』順墨作愼墨, 且行不愼, 於經意尤親切.

순(順)은 마땅히 신(愼)이 되어야 하니, 순(順)과 신(愼)은 옛 글자에 통용되었다. 『순자(荀子)』「유효(儒效)」에 '순묵(順墨)'을 '신묵(愼墨)'으로 썼으며, 또 행실이 신중하지 않는다는 뜻이 경전의 뜻에 더욱 가깝다.

程傳

女之如此, 其行邪僻不順, 不可取也.

여자가 이와 같으면 그 행실이 사특하여 따르지 않으니 취해서는 안 된다.

集說

● 熊氏良輔曰 : "蒙「小象」凡三順字, 只是一般, 不必以不順爲不愼. 蓋六三所行不順, 故勿用取之."

웅량보(熊良輔)[12]가 말했다. "몽(蒙)괘 「소상전」에 세 번 나오는 순(順)도 마찬가지여서 따르지 않는 것을 신중하지 않는 것으로 여길 필요가 없다. 육삼효에서 행함이 자연스럽지지 않으므로 취하지 말라고 했다."

12) 웅량보(熊良輔, 1310~1380) : 자는 임중(任重)이고, 호는 매변(梅邊)이다. 원(元)대 남창(南昌) 사람이다. 웅개(熊凱)에게 학문을 배웠는데, 특히 『역』에 정통했다. 저서에 주희(朱熹)의 학설을 주로 하고 자기의 논의를 가미한 『주역본의집성(周易本義集成)』과 『풍아유음(風雅遺音)』, 『소학입문(小學入門)』 등이 있다.

困蒙之吝, 獨遠實也.

어리석음에 곤란을 겪는 부끄러움은 홀로 알찬 사람과 멀리 떨어져 있기 때문이다.

本義

實, 叶韻去聲.

실(實)은 협운(叶韻)에 거성(去聲)이다.

程傳

蒙之時, 陽剛爲發蒙者. 四陰柔而最遠於剛, 乃愚蒙之人, 而不比近賢者, 無由得明矣. 故困於蒙可羞吝者, 以其獨遠於賢明之人也. 不能親賢以致困, 可吝之甚也. 實, 謂陽剛也.

어리석은 때는 양의 굳센 사람이 그 어리석음을 깨우쳐주는 사람이다. 육사효는 음의 부드러우면서 굳센 사람으로부터 가장 멀리 떨어져 있으니, 어리석고 어두운 사람인데 지혜로운 자와 친밀하지도 못한 자라 밝은 지혜를 얻을 수 없으므로 어리석음으로 곤란을 겪어 부끄러울 수 있는 자이니 홀로 현명한 사람으로부터 멀리 떨어져 있기 때문이다. 지혜로운 사람과 친할 수 없어 곤란에 이르게 되어 부끄러움이 심한 것이다. 실(實)이란 양의 굳셈을 말한다.

集說

● 孔氏穎達曰:“陽主生息, 故稱實. 陰主消損, 故不得言實.”[13]

공영달(孔穎達)이 말했다. “양은 낳고 기르는 것을 주도하므로 실(實 : 알참)이라고 칭한다. 음은 소멸시키고 덜어내는 것을 주도하므로 알참이라 할 수 없다.”

● 項氏安世曰:“初三近九二, 五近上九, 三五皆與陽應, 唯六四所比所應皆陰, 故曰獨遠實也.”[14]

항안세(項安世)가 말했다. “초효와 삼효는 구이효와 가깝고 오효는 상구효와 가까우니 삼효와 오효는 모두 양과 호응하는데 오직 육사효가 가까이하고 호응하는 것이 음이므로 홀로 알참에서 멀다고 했다.”

● 王氏申子曰:“陽實陰虛, 獨遠實者, 謂於一卦之中, 獨不能近陽實之賢, 故困於蒙而無由達也.”

왕신자(王申子)가 말했다. “양은 알차고 음은 비어 있으니 홀로 알참에서 먼 것은 한 괘의 가운데를 말한다. 홀로 양의 알찬 현자와 가까이 할 수 없으므로 어리석음에 곤란하여 깨달을 근거가 없다.”

13) 공영달(孔穎達), 『주역주소(周易注疏)』 권2.
14) 항안세(項安世), 『주역완사(周易玩辭)』 권2.

童蒙之吉, 順以巽也.

어린아이의 어리석음이 길한 것은 순종하여 겸손하기 때문이다.

程傳

舍己從人, 順從也. 降志下求, 卑巽也. 能如是, 優於天下矣.

자신을 버리고 사람들을 따르는 것[15]이 이치에 순종하는 일이다. 뜻을 낮추어 아랫사람에게서 구하는 것이 자신을 낮추는 겸손함이다. 이와 같이 할 수 있다면 세상에서 가장 뛰어날 것이다.

集說

● 胡氏一桂曰: "順, 以爻柔言. 巽, 以志應言."

호일계(胡一桂)[16]가 말했다. "순종은 효의 부드러움으로 말했다.

15) 자신을 버리고 타인을 따르는 것: 사기종인(舍己從人)을 번역한 말이다. 『서경』「대우모(大禹謨)」, "여러 사람에게 의논하여, 자신을 버리고 남을 좇는다.[稽于衆, 舍己從人.]"라고 하였고, 『맹자』「공손추상」, "위대한 순임금은 더 위대했으니, 좋은 일이 있으면 사람들과 함께 하고, 자신을 버리고 타인의 좋은 점을 따라서, 남의 좋은 점을 취하여 자신의 좋은 점으로 만드는 것을 즐거워하셨다.[大舜有大焉, 善與人同, 舍己從人, 樂取於人以爲善.]"라고 하였다.

16) 호일계(胡一桂, 1247~?): 자는 정방(庭芳)이고 호는 쌍호(雙湖)이다.

겸손은 뜻의 호응으로 말했다."

원대 휘주무원(徽州婺源 : 현 강서성 무원〈婺源〉) 사람이다. 가학으로 부친인 호방평(胡方平)에게 경학과 역사에 널리 통하고, 특히 역에 뛰어났다. 주희의 역학을 전승했다. 저술은 『역본의부록찬소(易本義附錄纂疏)』, 『역학계몽익전(易學啓蒙翼傳)』, 『주자시전부록(朱子詩傳附錄纂疏)』, 『십칠사찬고금통요(十七史纂古今通要)』 등이 있다.

利用禦寇, 上下順也.

도적을 막는 것이 이로움은 위와 아래가 순종하기 때문이다.”

本義

禦寇以剛, 上下皆得其道.

도적을 막을 때 굳셈으로 하면 위와 아래가 모두 그 도리를 얻는다.

程傳

利用禦寇, 上下皆得其順也. 上不爲過暴, 下得擊去其蒙, 禦寇之義也.

도적을 막는 것이 이로우니 위와 아래가 모두 순종을 얻었기 때문이다. 윗사람은 과도하게 포악하지 않고 아랫사람은 어리석음을 쳐서 없애니, 이는 도적을 막는 마땅한 의리이다.

5. 수需䷄괘

雲上於天, 需, 君子以飮食宴樂.

구름이 하늘로 올라가는 것이 수괘의 모습이니, 군자는 이것을 본받아 음식을 먹으며 기뻐하고 즐거워한다.

本義

雲上於天, 無所復爲, 待其陰陽之和而自雨爾. 事之當需者, 亦不容更有所爲. 但飮食宴樂, 俟其自至而已. 一有所爲, 則非需也.

구름이 하늘로 올라가니 다시 하는 바가 없고 음양(陰陽)이 조화하여 스스로 비가 되기를 기다릴 뿐이다. 일에 마땅히 기다려야 할 것은 또한 다시 작위하는 바를 허용하지 않는다. 음식을 먹고 잔치를 열어 즐거워하며 스스로 이르기를 기다릴 뿐이다. 한 가지라도 작위하는 바가 있으면 기다림이 아니다.

程傳

雲氣蒸而上升於天, 必待陰陽和洽, 然後成雨. 雲方上於天, 未成雨也, 故爲須待之義. 陰陽之氣, 交感而未成雨澤, 猶君子畜其才德, 而未施於用也. 君子觀雲上於天, 需而爲雨之象, 懷其道德, 安以待時, 飮食以養其氣體, 宴樂以和其心志, 所謂居易以俟命也.

구름의 기운이 끓어올라 위로 하늘로 올라가 반드시 음양이 서로 조화하고 섞인 뒤에 비가 온다. 구름이 막 하늘로 올라갔는데, 비가 아직 내리지 않았으므로 기다린다는 의미이다. 음과 양의 기운이 서로 교감 했지만 아직 비를 이루지 못하니, 군자가 자신의 재능과 덕을 길렀지만 사용되지 못한 것과 같다. 군자는 구름이 하늘로 올라가 기다린 뒤에 비가 되는 모습을 보고 자신의 도와 덕을 가슴에 품고 편안하게 때를 기다리고 음식으로 자신의 몸을 기르면서 기뻐하고 즐거워여 마음과 뜻을 조화롭게 하니, 이것이 『중용』에서 말하는 "편안한 곳에 거하여 천명을 기다린다"[17]는 말이다.

17) 『중용』 14장 : "군자는 그 자리에 처하여 그 자리에 마땅한 행동을 할 뿐, 그 자리에서 벗어난 것을 원하지 않는다. 부귀에 처해서는 부귀에 마땅한 대로 행하며, 빈천에 처해서는 빈천에 마땅한 대로 행하며, 오랑캐에 처해서는 오랑캐에 마땅한 대로 행하며, 환난에 처해서는 환난에 마땅한 대로 행한다. 군자는 들어가는 곳마다 스스로 얻지 못함이 없다. 윗자리에 있을 때는 아랫사람을 능멸하지 않고, 아랫자리에 있을 때는 윗사람을 끌어내리지 않는다. 오직 자신을 바르게 할 뿐, 타인에게 나의 삶의 원인을 구하지 않으니 원망이 있을 수 없다. 위로는 하늘을 원망하지 않고, 아래로는 사람을 허물하지 않는다. 그러므로 군자는 편안한 곳에 자리하여 천명을 기다리고, 소인은 위험한 일을 하면서 요행을 바란다. [君子素其位而行, 不願乎其外. 素富貴, 行乎富貴; 素貧賤, 行乎貧賤;

集說

● 孔氏穎達曰 : "不言天上有雲, 而言雲上於天者, 若是天上有雲, 無以見欲雨之義, 故云雲上於天. 是天之欲雨, 待時而落, 所以明需."[18]

공영달(孔穎達)이 말했다. "하늘 위에 구름이 있다고 말하지 않고 구름이 하늘 위로 올라갔다고 말했으니, 하늘 위에 구름이 있다고 하면 비를 바라는 뜻을 드러낼 수 없으므로 구름이 하늘 위로 올라갔다고 말했다. 하늘에서 비가 내리기를 원하여 때를 기다려 내리니 기다림의 뜻을 밝혔다."

● 胡氏瑗曰 : "飮食者所以養身也, 宴樂者所以寧神也, 是亦樂天知命, 居易俟時耳."[19]

호원(胡瑗)[20]이 말했다. "음식은 몸을 기르는 것이고 잔치하고 즐

素夷狄, 行乎夷狄; 素患難, 行乎患難; 君子無入而不自得焉. 在上位不陵下, 在下位不援上, 正己而不求於人則無怨. 上不怨天, 下不尤人. 故君子居易以俟命, 小人行險以徼幸.]"라고 하였다.

18) 공영달(孔穎達), 『주역주소(周易注疏)』 권2.

19) 호원(胡瑗), 『주역구의(周易口義)』 권2.

20) 호원(胡瑗, 993~1059) : 자는 익지(翼之)이고 시호는 문소(文昭)로서, 북송시대 태주 해릉(泰州海陵 : 현 강소성 태주시) 사람이다. 13살에 오경(五經)을 통독하고, 20세에 손복(孫復)과 석개(石介)를 산동성 태산(泰山) 서진관(棲眞觀)에서 배알하고 10년 동안 사사하였다. 30세에 귀향하여 7번 과거에 응시했으나 낙방하여, 안정서원(安定書院)을 짓고 후학배양에 힘썼다. 이에 세칭 안정선생으로 불렸다. 42세에 범중엄(范仲淹)의 천거로 교서랑(校書郎)이 되고, 태자중사(太子中舍), 광록시승(光

거워하는 것은 신을 편안하게 하는 일이니 또한 낙천지명(樂天知命)이고 '편안한 곳에 거하여 천명을 기다린다'[21]는 말일 뿐이다."

● 『朱子語類』云 : "需, 待也. 以飮食宴樂, 謂更無所爲, 待之而已. 待之須有至時, 學道者亦猶是也."[22]

『주자어류』에서 말했다. "수(需)는 기다린다는 말이다. 음식으로 잔치하고 기다리니 다시 작위하는 바가 없고 기다릴 뿐이라는 말이다. 기다리는 데 반드시 때가 이르니 도를 배우는 일 또한 이와 같다."

● 吳氏澄曰 : "宴者, 身安而它無所營作. 樂者, 心愉而它無所謀慮也. 飮食則素其位, 而宴樂則不願乎外也."[23]

오징(吳澄)[24]이 말했다. "잔치는 몸을 편안히 하여 달리 경영하고

祿寺丞), 천장각시강(天章閣侍講), 태상박사(太常博士) 등을 역임하였다. 특히 관직 생활 중에도 강학에 힘을 쏟아 손복(孫復)·석개(石介)와 함께 송초삼선생(宋初三先生)으로 추숭되어 송대 리학의 선구가 되었다. 저서에 『주역구의(周易口義)』, 『홍범구의(洪範口義)』, 『춘추구의(春秋口義)』, 『논어설(論語說)』 등이 있다.

21) 『중용』 14장.

22) 『주자어류』 70권, 34조목.

23) 오징(吳澄), 『역찬언(易纂言)』 권5.

24) 오징(吳澄, 1249~1333) : 자는 유청(幼清)이고, 세칭 초려선생(草廬先生)이라 한다. 송원(宋元)교체기 숭인(崇仁 : 현 강서성 소속) 사람으로 국자감사업(國子監司業)·한림학사(翰林學士)를 역임하였다. 시호는 문정(文正)이다. 그의 학문은 주로 주희와 육구연의 사상을 절충하는 경향이 있으며, 특히 주희 이래의 도통(道統)을 은연중에 자임하고 있다. 저서는

작위하는 일이 없는 것이다. 즐거움은 마음이 유쾌하여 달리 도모하고 사려함이 없는 일이다. 마시고 먹는 일은 '그 자리에 마땅한 행동을 하는' 것이고 잔치를 열어 기뻐함은 '그 자리에서 벗어남을 원하지 않는'[25] 것이다."

● 谷氏家杰曰 : "雲上於天, 而後可以待雨. 君子有爲於前, 而後可以待治. 不然, 不幾於坐廢乎."

곡가걸(谷家杰)이 말했다. "구름이 하늘 위로 올라간 뒤 비를 기다릴 수가 있다. 군자는 사전에 일을 한 뒤에야 다스림을 기다릴 수 있다. 그렇지 않으면 거의 앉아서 포기하는 것에 가깝지 않은가!"

『학기(學基)』, 『학통(學統)』, 『서·역·춘추·예기찬언(書·易·春秋·禮記纂言)』, 『오문정공집(吳文正公集)』, 『효경장구(孝經章句)』 등이 있고, 『황극경세서(皇極經世書)』, 『노자(老子)』, 『장자(莊子)』, 『태현경(太玄經)』, 『팔진도(八陣圖)』, 『곽박장서(郭璞葬書)』를 교정했다.

25) 『중용』 14장 : "군자는 그 자리에 처하여 그 자리에 마땅한 행동을 할 뿐, 그 자리에서 벗어난 것을 원하지 않는다.[君子素其位而行, 不願乎其外.]"라고 하였다.

需於郊, 不犯難行也, 利用恒無咎, 未失常也.

교외에서 기다리는 것은 어려움을 범하여 행하지 않는 일이고, 항심을 유지함이 이로우니 허물이 없는 것은 상도를 잃지 않았기 때문이다.

程傳

處曠遠者, 不犯冒險難而行也, 陽之爲物, 剛健上進者也. 初能需待於曠遠之地, 不犯險難而進, 復宜安處不失其常, 則可以無咎矣. 雖不進而志動者, 不能安其常也. 君子之需時也, 安靜自守, 志雖有須, 而恬然若將終身焉, 乃能用常也.

넓고 먼 곳에 자리한 자는 함부로 위험하고 어려운 일을 범하여 행하지 않는다. 양의 성질은 강건하여 위로 나아가려는 것이다. 초구효는 넓고 먼 곳에서 기다리면서 위험하고 어려운 일을 범하여 나아가지 않고, 다시 자리한 곳에 마음을 편안히 처하면서 상도(常道)를 잃지 않는다면 허물이 없을 수 있다. 겉으로는 나아가지 않더라도 뜻이 요동하면 상도에 편안할 수 없다. 군자가 때를 기다리는 데 편안하고 고요하여 스스로의 뜻을 지켜 뜻은 기다리는 데 있지만 태연하게 그대로 죽을 때까지 이대로 살아도 좋다는 마음을 가지니, 이것이 바로 상도를 쓸 수 있는 것이다.

集說

● 孫氏質卿曰 : "不犯難而行, 便是常. 不失常, 便是恒德. 人唯中無常主, 或爲才能所使, 或爲意氣所動, 或爲事勢所激, 雖犯難而不顧耳. 所以不失常最難. 飮食宴樂不失常也. 若能不失常, 更有何事?"

손질경(孫質卿)이 말했다. "어려움을 범하지 않고 행하는 것이 상도이다. 상도를 잃지 않으면 항상된 덕이다. 사람은 오직 마음속에 항상된 주체가 없으면 재능(才能)에 의해 부림을 당하거나 의기(意氣)에 의해 요동하거나 일의 형세에 의해 흘러 어려움을 범하고도 살피지 못할 뿐이다. 그래서 상도를 잃지 않는 것이 가장 어렵다. 음식을 먹고 잔치를 벌려 즐거움은 상도를 잃지 않는 것이다. 상도를 잃지 않을 수 있다면 다시 무슨 일이 있겠는가?"

需於沙, 衍在中也, 雖小有言, 以吉終也.

모래사장에서 기다림은 너그러움으로 가운데 있는 것이니 다소 구설수가 있으나 길함으로 끝난다.

本義

衍, 寬意. 以寬居中, 不急進也.

연(衍)은 너그럽다는 뜻이다. 너그러움으로 가운데 자리하여 성급히 나아가지 않는 것이다.

程傳

衍, 寬綽也. 二雖近險, 而以寬裕居中, 故雖小有言語及之, 終得其吉, 善處者也.

연(衍)은 너그럽다는 것이다. 구이효는 위험에 가깝지만 관대하고 여유로워 가운데 자리했으므로 다소 구설수가 미치지만, 결국에는 길함을 얻으니 잘 처신하는 자이다.

集說

● 楊氏簡曰 : "衍在中者, 言胸中寬衍平夷. 初不以進動其心,亦不以小言動其心, 夫如是終吉, 以九二得其道故也."[26]

양간(楊簡)[27]이 말했다. "너그러움이 중(中)에 있는 것은 가슴속에 관대하고 평온하다는 말이다. 초효는 나아감으로 그 마음이 요동하지 않고 또 작은 말들로 그 마음이 요동하지 않으니 이렇게 하여 결국에는 길하다. 구이효가 그 도를 얻었기 때문이다."

26) 양간(楊簡), 『양씨역전(楊氏易傳)』 권4.

27) 양간(楊簡, 1141~1226) : 남송 명주(明州) 자계(慈溪) 사람으로 자는 경중(敬仲)이고, 호는 자호선생(慈湖先生)이며, 시호는 문원(文元)이다. 양정현(楊庭顯)의 아들이다. 효종(孝宗) 건도(乾道) 5년(1169) 진사(進士)가 되고, 부양주부(富陽主簿)에 올랐다. 이때 육구연(陸九淵)을 스승으로 섬겨 육씨심학파(陸氏心學派)의 대표적 인물이 되었다. 원섭(袁燮), 서린(舒璘), 심환(沈煥) 등과 함께 녹상사선생(甬上四先生), 사명사선생(四明四先生)으로 일컬어졌다. 육구연의 심학을 우주의 만물(萬物), 만상(萬象), 만변(萬變)이 모두 자신에게 속해 있다는 유아론(唯我論)으로 발전시켰다. 저서에 『자호시전(慈湖詩傳)』과 『양씨역전(楊氏易傳)』, 『계폐(啓蔽)』, 『선성대훈(先聖大訓)』, 『오고해(五誥解)』, 『자호유서(慈湖遺書)』 등이 있다.

需於泥, 災在外也. 自我致寇, 敬慎不敗也.

진흙에서 기다리는 것은 재앙이 밖에 있다는 말이다. 스스로 도적을 불렀으니 공경하고 삼가면 패하지 않는다.

本義

外, 謂外卦. 敬慎不敗, 發明占外之占, 聖人示人之意切矣.

외(外)는 외괘(外卦)를 말한다. 공경하고 삼가면 실패하지 않는다는 점(占) 밖의 점(占)을 밝힌 것이니 성인이 사람에게 보여준 뜻이 간절하다.

程傳

三切逼上體之險難, 故云災在外也. 災, 患難之通稱, 對眚而言則分也. 三之致寇, 由己進而迫之, 故云自我. 寇自己致, 若能敬慎, 量宜而進, 則無喪敗也. 需之時, 須而後進也. 其義在相時而動, 非戒其不得進也, 直使敬慎毋失其宜耳.

구삼효는 상체(上體)의 위험과 어려움[28]에 가장 가깝기 때문에 재앙이 밖에 있다고 했다. 재앙이란 근심과 어려움의 통칭으로 생(眚)

28) 상체(上體)의 위험과 어려움 : 상체는 감(坎☵)괘를 말한다. 감괘는 물이니 위험을 상징한다.

과 대조해서 말하면 구분이 있다. 구삼효가 도적을 자초한 것은 자신이 앞으로 나아가 위험에 접근하였으므로 스스로 자초했다고 했다. 도적을 스스로 자초했으니 공경과 신중함을 가지고 마땅함을 헤아려 나아갈 수 있다면 실패하지 않을 것이다. 기다림의 때는 기다린 뒤에 나아가는 것이다. 그 의리는 때를 살펴 움직이라는 데 있지 나아가지 못함을 경계한 것은 아니니, 공경과 신중함으로 그 마땅함을 잃지 않도록 해야 할 뿐이다.

集說

● 『朱子語類』問敬愼, 曰 : "敬字大, 愼字細小. 如人行路一直恁地去, 便是敬, 前面險處防有喫跌, 便是愼. 愼是唯恐有失之之意, 如思慮兩字. 思是恁地思去, 慮是怕不恁地底意思."[29]

『주자어류』에서 공경과 신중함을 물었을 때 말했다. "공경(敬)이라는 글자는 크고, 신중함(愼)이라는 글자는 세밀하다. 예를 들어 사람이 길을 곧바로 가는 것은 공경이고 앞의 위험 때문에 넘어질 것을 예방하는 것이 신중함이다. 신중함은 실수가 있을 것을 근심하는 뜻이 있으니 예를 들어 사려(思慮) 두 글자와 같다. 사(思)는 그대로 생각하는 것이고 려(慮)는 그대로 되지 않는 것을 근심하는 뜻이다."

● 項氏安世曰 : "寇雖在外, 然亦不自至, 我有以致之則至. 我敬愼而無失, 則雖與之逼, 亦無敗理."[30]

29) 『주자어류』 70권, 37조목.

항안세(項安世)가 말했다. "도적이 비록 밖에 있어 또한 스스로 이르지는 않지만 내가 이르게 하면 이른다. 내가 공경하고 신중하여 과실이 없으면 또한 실패할 이치는 없다."

● 邱氏富國曰 : "坎險在外, 未嘗逼人. 由人急於求進, 自逼於險, 以致禍敗. 象以自我釋之, 明致災之由, 不在它人也."

구부국(邱富國)[31]이 말했다. "감(坎☵)괘의 위험이 밖에 있어 사람을 핍박하지 않는다. 사람이 급하게 나아감을 구하기 때문에 스스로 위험에 빠져 재앙과 낭패를 자초한다. 상에서 나를 가지고 해석하여 재앙을 자초한 연유가 타인에게 있지 않음을 밝혔다."

30) 항안세(項安世), 『주역완사(周易玩辭)』 권2.

31) 구부국(丘富國) : 자는 행가(行加)이고, 남송 건안(建安 : 현 복건성 건구〈建甌〉) 사람이다. 주자의 문인으로 주자의 역학사상을 주로 계승 발전시켰다. 이종(理宗) 순우(淳祐) 7년(1247)에 진사에 급제하여 벼슬은 단주첨판(端州僉判)을 역임했다. 남송이 망하자 은거하고 벼슬하지 않았다. 저서에는 『주역집해(周易輯解)』, 『역학설약(易學說約)』, 『경세보유(經世補遺)』가 있다.

需於血, 順以聽也.

피에서 기다리는 것은 순종하여 따르는 일이다.

程傳

四以陰柔居於險難之中, 不能固處, 故退出自穴. 蓋陰柔不能與時競, 不能處則退. 是順從以聽於時, 所以不至於凶也.

육사효는 음의 부드러움으로 위험과 어려움 가운데 자리하여 처할 수 없으므로 물러나 그 동굴에서 나오게 된다. 음의 부드러움은 때와 함께 다투어 경쟁할 수 없어 그 곳에 처할 수가 없으니 물러난다. 이것이 순종하여 그 때를 따르는 것이니, 그래서 흉함에 이르지 않는다.

集說

● 楊氏簡曰 : "六四入險而傷, 然不言吉凶何也? 能需而退聽故也. 易之爲道, 無所不通. 雖如四之入險而傷, 其處之亦有道, 六與四皆柔, 故有順聽之象."[32)]

양간(楊簡)이 말했다. "육사효는 위험에 빠져 상해를 입지만 길흉을 말하지 않은 것은 어째서인가? 길러서 물러나 따를 수 있기 때

32) 양간(楊簡), 『양씨역전(楊氏易傳)』 권4.

문이다. 역(易)의 도는 통하지 않는 것이 없다. 육사효가 위험에 빠져 상해를 입었더라도 그것을 대처하는 데 방도가 있으니 육과 사 모두 부드러우므로 순종하여 따르는 모습이 있다."

● 吳氏澄曰 : "謂六四柔順以聽從於九五也."[33]

오징(吳澄)이 말했다. "육사효는 유순하여 구오효를 따른다는 말이다."

● 胡氏炳文曰 : "三能敬, 則雖迫坎之險而不敗, 四能順, 則雖陷坎之險而可出, 敬與順, 固處險之道也."[34]

호병문(胡炳文)이 말했다. "삼효는 공경할 수 있다면 감(坎☵)의 위험에 가깝더라도 실패하지 않고 사효는 순종할 수 있으면 감의 위험에 빠지더라도 나올 수 있으니 공경과 순종이 위험에 대처하는 도이다."

33) 오징(吳澄), 『역찬언(易纂言)』 권5.
34) 호병문(胡炳文), 『주역본의통석(周易本義通釋)』 권3.

酒食貞吉, 以中正也.

술과 음식으로 기다리는 모습이니 올바름을 굳게 지키고 길한 것은 중정(中正)을 얻었기 때문이다.

程傳

需於酒食而貞且吉者, 以五得中正而盡其道也.

술과 음식으로 기다리며 올바름을 굳게 지키고 또 길하다는 것은 구오효가 중정(中正)을 얻어 그 도를 다했기 때문이다.

集說

● 梁氏寅曰 : "言以中正, 見其飮宴者非耽樂也."[35]

양인(梁寅)[36]이 말했다. "중정으로 음식과 잔치가 즐거움을 탐닉하

35) 양인(梁寅), 『주역참의(周易參義)』 권5.

36) 양인(梁寅, 1309~1390) : 원말명초 강서(江西) 신유(新喩) 사람으로 자는 맹경(孟敬)이고, 호는 양오경(梁五經) 또는 석문선생(石門先生)이다. 대대로 농사를 지어 가난했다. 스스로 배우기를 게을리 하지 않아 오경(五經)에 정통했고, 백가(百家)의 학설을 두루 익혔다. 여러 차례 과거에 응시했지만 떨어졌다. 원나라 말에 일찍이 집경로유학훈도(集慶路儒學訓導)로 부름을 받아 2년 동안 있다가 사직하고 은거하여 학생들을 가르쳤다. 명나라 초기에 명유(名儒)로 불려 예국(禮局)에서 각종 예

는 것이 아니라는 점을 드러냈다."

● 張氏振淵曰:"內多欲則有求治太急之患, 德唯中正, 所以需合於貞而得吉. 中正, 卽孚貞意, 是推原所以能需處."

장진연(張振淵)이 말했다. "안으로 욕심이 많으면 다스림을 구하는데 매우 조급한 근심이 있어 덕이 오직 중정(中正)이어야 기다림이 올바름에 부합하고 길함을 얻는다. 중정은 믿음과 곧음의 뜻이니 기다릴 수 있는 곳을 추론한 것이다."

제(禮制)에 대해 토론했는데, 논리가 정확하고 예리해 여러 학자들이 탄복했다. 예악서(禮樂書)를 찬수하고 벼슬을 내렸지만 사양하고 귀향하여 석문산(石門山)에서 학문을 강론했다. 저서에 『예서연의(禮書演義)』, 『주례고주(周禮考注)』, 『춘추고서(春秋考書)』 등이 있었지만 전해지지 않고, 『석문집』과 『주역참의(周易參義)』, 『시연의(詩演義)』만 남아 있다.

不速之客來敬之終吉, 雖不當位, 未大失也.

부르지 않은 손님 세 사람이 오는 데 공경하게 맞이하면 끝내 길한 것은 지위가 합당하지는 않지만 큰 실수는 없기 때문이다.

本義

以陰居上, 是爲當位, 言不當位未詳.

음(陰)이 위에 있는 것은 합당한 지위인데, 지위가 합당하지 않다고 말한 것은 알지 못하겠다.

程傳

不當位, 謂以陰而在上也. 爻以六居陰爲所安, 「象」復盡其義, 明陰宜在下, 而後上爲不當位也. 然能敬愼以自處, 則陽不能陵, 終得其吉, 雖不當位, 而未至於大失也.

지위가 합당하지 않다는 것은 음(陰)으로 윗자리에 있는 것을 말한다. 효사에서 육(六)으로 음에 자리하여 편안한 곳이 되었다고 했는데, 「상전」에서 다시 그 뜻을 다하여 음은 마땅히 아랫자리에 있어야 하는데 위에 자리했으므로, 지위가 합당하지 않다는 점을 밝혔다. 그러나 공경하고 신중함으로 처신할 수 있다면, 양이 능멸하지 못해 마침내 길함을 얻으니, 지위가 합당하지는 않지만 큰 실수를 하는 데까지 이르지는 않는다.

集說

● 呂氏祖謙曰 : "需初九九五二爻之吉, 固不待言. 至於餘四爻, 如二則小有言終吉, 如三之象則曰敬愼不敗, 四之象則曰順以聽也, 上則曰有不速之客三人來, 敬之終吉. 大抵天下之事, 若能款曲停待, 終是少錯."[37]

여조겸(呂祖謙)이 말했다. "수(需)괘의 초구효와 구오효 두 효의 길함은 분명 말할 필요가 없다. 나머지 네 효에 이르러서 이효와 같은 경우는 작은 구설수가 있지만 종국에는 길하고, 삼효의 상과 같은 경우는 공경과 신중함으로 실패하지 않고 사효의 모습은 순종하여 따른다고 말했으며, 상효의 경우는 부르지 않은 손님 세 사람이 오는 데 공경하면 결국에는 길하다고 했다. 대체로 천하의 일들은 정성스럽게 처리하면 결국에는 착오가 적다."

● 蔡氏清曰 : "雖不當位, 謂其陰居險極, 正與困上六困於葛藟, 未當也一般."[38]

채청(蔡清)이 말했다. "지위가 합당하지 않더라도 그 음이 위험의 극한에 자리하여 곤(困)괘 상육효가 칡덩굴에서 곤란한 것[39]이 합당하지 않는 것과도 마찬가지다.

37) 여조겸(呂祖謙), 『동래집(東萊集)』 권12.
38) 채청(蔡清), 『역경몽인(易經蒙引)』 권2상.
39) 『주역』「곤(困)괘」: "상육(上六)은 칡덩굴과 위태로운 곳에 곤란하여 움직일 때마다 뉘우침이 있을 것이라 하여 뉘우치는 마음을 두면 가는 데 길하다.[上六, 困于葛藟, 于臲卼, 曰動悔, 有悔, 征吉.]"라고 하였다.

6. 송訟䷅괘

天與水違行, 訟. 君子以作事謀始.

하늘과 물이 어긋나게 가는 것이 송(訟)괘의 모습이니, 군자는 이것을 본받아 일을 시작하되 처음을 신중하게 도모한다.

本義

天上水下, 其行相違, 作事謀始, 訟端絕矣.

하늘은 위로 올라가고 물은 아래로 흘러가서 가는 것이 서로 어긋나니, 일을 할 때 처음을 신중하게 도모하면 쟁송의 발단이 없어질 것이다.

程傳

天上水下, 相違而行, 二體違戾, 訟之由也. 若上下相順, 訟何由興? 君子觀象, 知人情有爭訟之道, 故凡所作事, 必謀其始, 絕訟端於事之始, 則訟無由生矣. 謀始之義廣矣, 若愼交結明契券之類是也.

하늘은 위로 올라가고 물은 아래로 흘러가서 서로 어긋나게 가니, 이 두 괘의 형체가 서로 어긋나는 것이 쟁송이 일어나게 된 원인이다. 만약 위와 아래가 서로 따른다면 쟁송이 어디로부터 일어나겠는가? 군자는 이 모습을 관찰하여 인간의 감정 속에는 쟁송이 일어날 수 있는 도가 있음을 알기 때문에 일을 할 때 반드시 그 처음을 신중하게 도모하여 일의 시작에서 쟁송이 일어날 수 있는 단서를 끊어버리면, 쟁송이 일어날 이유가 없게 된다. 그 시작을 신중하게 도모한다는 뜻이 넓으니 교제를 신중하게 하고 계약 문서를 명확하게 하는 종류가 바로 이것이다.

集說

● 吳氏澄曰 : "水行而下, 天行而上, 其行兩相背戾, 是違行也."

오징(吳澄)이 말했다. "물은 흘러 아래로 가고 하늘은 운행하여 위로 가서 그 운행이 서로 어긋나니 이것이 어긋나게 간다는 뜻이다."

● 胡氏炳文曰 : "凡事有始有中有終訟中吉終凶. 然能謀於其始, 則訟端旣絕, 中與終不必言矣."[1]

호병문(胡炳文)이 말했다. "모든 일에는 시작이 있고 중간이 있고 끝이 있는데 쟁송은 중간은 길하고 끝은 흉하다. 그러나 그 시작에

1) 호병문(胡炳文), 『주역본의통석(周易本義通釋)』 권3.

서 신중하게 도모할 수 있다면 쟁송의 단서가 끊어져 중간과 끝은 말할 필요가 없다."

● 林氏希元曰:"訟不興於訟之日, 而興於作事之始. 作事不豫謀, 此訟端之所由起也. 故君子於其始而謀之, 看事理有無違礙, 人情有無違拂, 終久有無禍患, 凡其事之不善而可以致訟者, 皆杜絕之而不爲, 則訟端無自起矣."[2]

임희원(林希元)[3]이 말했다. "쟁송은 쟁송의 날에 일어나지 않고 일을 하는 시작에 일어난다. 일을 할 때 예비하고 도모하지 않으면 이것이 쟁송의 단서가 일어나는 이유이다. 그러므로 군자는 그 시작에서 신중하게 도모하여 사리에 어긋나거나 장애가 없고 인정에 어긋남이 없으며 끝에 재앙과 근심이 없음을 보고 그 일이 착하지 않아 쟁송에 이를 수 있음을 모두 막아 하지 않으면 쟁송의 단서가 일어날 수 없다."

2) 임희원(林希元), 『역경존의(易經存疑)』 권2.

3) 임희원(林希元, 1481~1565) : 명(明)대 동안 신점(同安新店) 사람으로, 자는 무정(茂貞)이고 호는 차애(次崖)이다. 명(明) 정덕(正德)11년(1516)에 진사에 급제하여 남경대리사평사(南京大理寺評事), 광서사주판관(廣西泗州判官), 흠주지주(欽州知州) 등을 역임했다. 학문으로는 정주학과 채청(蔡清)의 『역경몽인(易經蒙引)』을 중시했다. 특히 『주역』을 다른 경전에 비해 극히 높게 평가하여, 오경 가운데 『역경』을 뺀 나머지는 강물과 같고 『역경』은 바다와 같다고 했다. 저술로는 『역경존의(易經存疑)』, 『사서존의(四書存疑)』, 『임차애선생문집(林次崖先生文集)』 등이 있다.

不永所事, 訟不可長也. 雖小有言, 其辯明也.

다투는 일을 영원히 하지 않는 것은 쟁송을 오래 해서는 안 되기 때문이다. 비록 다소 말다툼은 있으나 분별함이 명확하다.

程傳

六以柔弱而訟於下, 其義固不可長永也. 永其訟, 則不勝而禍難及矣. 又於訟之初, 卽戒訟非可長之事也. 柔弱居下, 才不能訟, 雖不永所事, 旣訟矣, 必有小災, 故小有言也. 旣不永其事, 又上有剛陽之正應, 辯理之明, 故終得其吉也, 不然, 其能免乎? 在訟之義, 同位而相應相與者也, 故初於四爲獲其辯明, 同位而不相得相訟者也, 故二與五爲對敵也.

초육효는 유약(柔弱)함으로 아래에서 다투니 그 의리(義理) 상 오래 오래 해서는 안 된다. 그 다툼을 오래 하면 이기지 못하고 재난과 어려움이 이른다. 또 다툼의 시작에서 다툼은 오래 해서는 안 되는 일이라고 경계했다. 유약함이 아래에 자리하여 그러한 자질로는 다툴 수가 없으니 다툼을 오래 하지 않았더라도 다투었다면 반드시 작은 재난은 있으므로, 다소 말다툼은 있다. 다툼을 끝까지 하지 않았고, 또 위로 양의 굳셈을 가진 올바른 호응 상대가 있어 이치의 밝음을 분별해주기 때문에 결국에는 길함을 얻는다. 그렇지 않았다면 그 상황을 면할 수 있었겠는가? 다툼의 의리(義理)에서는 위치가 같고 서로 호응하여 서로 돕는 자이므로, 초육효는 구사효로부터 그것을 명확하게 분별해 주는 도움을 얻고, 위치는 같은데 서로 맞지 않으면 서로 다투게 되므로, 구이효와 구오효는 서로 대적한다.

集說

● 王氏申子曰 : "止訟於初者上也, 故於訟之初, 卽以訟不可長爲戒."[4)]

왕신자(王申子)가 말했다. "쟁송을 시작 단계에서 그치는 것이 최고이므로, 쟁송의 시작에서 쟁송을 오래 해서는 안 된다고 경계했다."

● 俞氏琰曰 : "「彖傳」云訟不可成, 蓋言訟之通義, 而不欲其成. 爻傳云訟不可長, 蓋言初爲訟端, 而不欲其長."[5)]

유염(俞琰)[6)]이 말했다. "「단전」에서 쟁송은 끝까지 갈 수 없다고 했으니 쟁송의 통상적인 뜻에서 끝까지 가려고 하지 않는다고 말했다. 『효사』에서 쟁송은 오래 할 수 없다고 했으니 처음의 쟁송의 단서를 말하여 오래하지 않으려 한다고 말했다."

4) 왕신자(王申子), 『대역집설(大易緝說)』 권3.

5) 유염(俞琰), 『주역집설(周易集說)』 권20.

6) 유염(俞琰) : 자는 옥오(玉吾)이고, 호는 전양자(全陽子), 임옥산인(林屋山人), 석간도인(石澗道人) 등이다. 남송 말 원대 초기에 활동한 학자로 송대 오군(吳郡 : 현 강소성 소주〈蘇州〉) 사람이다. 어려서 가학을 익히고 젊어서는 기서(奇書)를 즐겨 연구하다가, 뒤늦게 과거시험 준비를 했다. 남송이 멸망하고 원대 조정이 들어서자 과거응시를 포기하고 은거하여 역학 연구에 전념하였다. 역학 관련 저술이 특히 많았는데, 대표적인 것으로 『주역집설(周易集說)』, 『독역거요(讀易擧要)』, 『역외별전(易外別傳)』 등이 있다.

不克訟, 歸逋竄也. 自下訟上, 患至掇也.

쟁송하지 못하여 돌아가 도망하여 아랫사람으로서 윗사람과 다투니, 근심이 마치 주어 담듯이 온다.

本義

掇, 自取也.

철(掇)은 스스로 취하는 것이다.

程傳

義旣不敵, 故不能訟, 歸而逋竄, 避去其所也. 自下而訟其上, 義乖勢屈, 禍患之至, 猶拾掇而取之, 言易得也.

의리 상 대적이 되지 않으므로, 다툴 수가 없어 돌아가 숨어 그 자리를 피해 떠난다. 아랫사람으로서 윗사람과 다투면 의리에 어긋나고 권세에 굴복하여 재앙과 근심이 이르는데 마치 쓸어 담듯이 자초한 것이니, 재앙과 근심을 쉽게 얻는다는 말이다.

集說

● 項氏安世曰 : "上兩句, 皆是爻辭, 下兩句方是「象傳」, 如需之上六, 「象傳」句法."[7]

항안세(項安世)가 말했다. "위 두 구절은 모두 효사이고 아래 두 구절이 「상전」이니 수(需)괘 상육효의 「상전」에 나오는 어구의 법과 같다."[7]

● 王氏申子曰 : "知義不克歸而逋竄, 猶可免禍. 若不知自反, 則禍患之至, 如掇拾而取之矣. 「彖」稱二剛來而得中, 而爻義乃如此. 蓋「彖」總言一卦之體, 爻則據其時之用以言之也."[8]

왕신자(王申子)가 말했다. "의리상 쟁송하지 못할 것이라는 점을 알고 돌아가 도망하는 것이 오히려 재앙을 면할 수 있다. 스스로 돌이킬 줄 모르면 재앙과 근심이 이르는 것이 마치 주워 담듯이 자초한다. 「단전」에서 두 굳셈이 와서 중을 얻는 것을 일컬으니 효의 뜻이 곧 이와 같다. 「단전」에서는 한 괘의 본체를 총체적으로 말했고 효는 그 때의 작용에 근거하여 말했다."

7) 항안세(項安世), 『주역완사(周易玩辭)』 권10.
8) 왕신자(王申子), 『대역집설(大易緝說)』 권3.

食舊德, 從上吉也.

옛 은덕을 먹었으니, 윗사람을 따르더라도 길하다.

本義

從上吉, 謂隨人則吉, 明自主事則無成功也.

윗사람을 따르더라도 길함은 다른 사람을 따르면 길함을 말하니 스스로 일을 주도하면 공을 이루지 못함을 밝힌 것이다.

程傳

守其素分, 雖從上之所爲非由己也, 故無成而終得其吉也.

그 자리에 마땅한 본분을 지켜 윗사람이 하는 바를 따르더라도 자기로부터 말미암은 것이 아니므로, 공을 이루지는 못하지만 결국에는 길하다.

集說

● 喬氏中和曰 : "三食舊德, 其卒也, 斯謀斯猷, 皆我后之德. 從王事而無成, 何以訟爲? 故從上吉."

교중화(喬中和)[9]가 말했다. "육삼효가 옛 은덕을 먹은 것은 신하이니, '이 꾀와 이 계책은 우리 임금님의 덕이다'[10]라고 하는 것이다. 왕의 일을 따르되 이룸이 없으니 어찌 쟁송이 있겠는가? 그러므로 윗사람을 따르더라도 길하다."

9) 교중화(喬中和) : 자는 환일(還一)이다. 명(明)대 순덕부(順德府) 내구(內丘) 사람으로, 숭정(崇禎) 연간에 등용되어 벼슬은 태원부(太原府) 통판(通判)에 이르렀다. 저서에 『설역(說易)』, 『설주(說疇)』, 『도서연(圖書衍)』, 『대역변통(大易通變)』, 『원운보(元韻譜)』 등이 있다.

10) 『서경』「주서·군진」: "너는 아름다운 꾀와 아름다운 계책이 있거든 들어와 안에서 네 임금에게 고(告)하고, 너는 마침내 밖에 가르쳐 말하기를 '이 꾀와 이 계책은 우리 임금님의 덕이다'라고 하라. 아! 신하가 모두 이와 같이 하여야 어질고 드러날 것이다.[爾有嘉謀嘉猷, 則入告爾后于內, 爾乃順之于外, 曰斯謀斯猷, 惟我后之德. 嗚呼, 臣人, 咸若時, 惟良顯哉.]"라고 하였다.

復卽命渝安貞, 不失也.

돌아와 명령에 나아가고 마음을 바꾸어 안정을 이루며 올바름을 굳게 지킴은 과실이 없는 것이다.

程傳

能如是則爲無失矣, 所以吉也.

이와 같이 할 수 있다면 과실이 없으니, 그래서 길하다.

集說

● 邱氏富國曰 : "二沮於勢, 四屈於理, 此二之美所以止於無眚, 而四之貞所以爲不失也."

구부국(邱富國)[11]이 말했다. "이효는 형세에 막히고 사효는 이치를 따르니 이 두 효의 아름다움은 재앙이 없는 것에 그치지만 사효의 올바름은 과실이 없다."

11) 구부국(丘富國) : 자는 행가(行加)이고, 남송 건안(建安 : 현 복건성 건구〈建甌〉) 사람이다. 주자의 문인으로 주자의 역학사상을 주로 계승 발전시켰다. 이종(理宗) 순우(淳祐) 7년(1247)에 진사에 급제하여 벼슬은 단주첨판(端州僉判)을 역임했다. 남송이 망하자 은거하고 벼슬하지 않았다. 저서에는 『주역집해(周易輯解)』, 『역학설약(易學說約)』, 『경세보유(經世補遺)』가 있다.

訟元吉, 以中正也.

쟁송이 크게 잘하고 길하다는 것은 중정(中正)하기 때문이다.

本義

中則聽不偏, 正則斷合理.

중도(中道)에 맞으면 다스림이 편벽되지 않고, 바르면 결단함이 이치에 합한다.

程傳

中正之道, 何施而不元吉?

중정의 도인데 무엇을 시행한들 크게 길하지 않겠는가?

集說

● 楊氏啟新曰 : "中正, 則虛心盡下而聽不偏, 因事求情而斷合理, 此之謂大人也."

양계신(楊啟新)이 말했다. "중정(中正)하면 마음을 비워 아랫사람에게 진심으로 대하고 다스림이 편벽되지 않으며 일에 따라 정황을 구하여 결단함이 이치에 합하니 이것이 대인(大人)이다."

以訟受服, 亦不足敬也.

쟁송으로 관복을 얻을지라도 또한 공경할 만한 사람이 아니다.

程傳

窮極訟事, 設使受服命之寵, 亦且不足敬而可賤惡, 況又禍患隨至乎?

다툼을 끝까지 밀고 나가 벼슬을 받는 총애를 얻었을지라도 또한 공경하기에 부족하고 천시하고 미워할 만한데, 하물며 재난과 근심이 따라서 온다면 어찌하겠는가?

集說

● 蔡氏清曰 : "亦不足敬, 且據其以訟得服言也, 況終必見褫乎. 猶益上九曰莫益之, 偏辭也."

채청(蔡清)[12]이 말했다. "또한 공경할 만한 사람이 아니라는 것은

12) 채청(蔡清, 1453~1508) : 명(明)대 진강(晉江) 사람으로, 자는 개부(介夫)이고 별호는 허재(虛齋)이다. 31세에 진사에 급제하여 벼슬은 남경문선랑중(南京文選郎中)·강서제학부사(江西提學副使) 등을 역임하였다. 명대의 저명한 이학가(理學家)로서 주로 이정(二程)과 주희(朱熹)의 저술 연구를 통해 그들의 사상을 계승하였다. 특히 천주(泉州) 개원사(開元寺)에서 역학연구단체를 결성하여 90여 책을 출간하면서 청원학파(清

그가 쟁송으로 관복을 얻은 것을 말한다. 하물며 결국에는 빼앗기게 될 것이라는 말은 익(益)괘 상구효의 '유익하게 해주는 이가 없다'[13]는 뜻과 같다."

源學派)를 이루었다. 이정기(李廷機) · 장악(張嶽) · 임희원(林希元) · 진침(陳琛) 등의 학자들이 그 학파의 주요 구성원이었다. 저술로는 『사서몽인(四書蒙引)』 · 『역경몽인(易經蒙引)』 · 『허재문집(虛齋文集)』 등이 있다.

13) 『주역』「익(益)괘」: "상구(上九)는 유익하게 해주는 이가 없다. 간혹 공격하리니, 마음을 세우되 항상하지 말아야 하니, 흉(凶)하다.[上九, 莫益之. 或擊之, 立心勿恒, 凶.]"라고 하였다.

7. 사師䷆괘

地中有水, 師. 君子以容民畜衆.

땅 가운데 물이 있는 것이 사괘의 모습이니 군자는 이를 본받아 백성을 포용하고 군중을 모아 기른다.

本義

水不外於地, 兵不外於民. 故能養民則可以得衆矣.

물은 땅에서 벗어나지 않고 군대는 백성에게서 벗어나지 않는다. 그러므로 백성을 기르면 군중을 얻을 수 있는 것이다.

程傳

地中有水, 水聚於地中, 爲衆聚之象, 故爲師也. 君子觀地中有水之象, 以容保其民, 畜聚其衆也.

땅 가운데 물이 있는 것은 물이 땅 가운데에 모이는 것으로 군중이 모이는 모습이므로 사괘가 된다. 군자는 땅 가운데 물이 있는 모습을 관찰하여 그 백성을 포용하고 보호하며 군중을 기르고 모은다.

集說

● 陳氏琛曰 : "地中有水, 猶民中有兵, 非師之象乎. 君子觀師之象, 必容保其民, 必畜其兵衆焉. 蓋田以民分, 兵以賦出, 故當無事之時, 必制田裏, 教樹畜, 使比閭族黨州鄕之民, 無不各得其養, 民旣有養, 則所謂伍兩卒旅軍師之衆, 以爲他日折衝禦侮之用者, 皆畜於此矣, 苟平時誨之無其方, 則緩急誰復爲之用哉!"

진침(陳琛)[1]이 말했다. "땅 가운데 물이 있는 것은 백성들 가운데 병사가 있는 것과 같으니 군사의 상이 아닌가! 군자는 사괘의 모습을 보고 반드시 그 백성을 포용하고 보호하여 그 군대를 기른다. 밭은 백성으로 나뉘고 군대는 세금으로 내므로 일이 없을 때는 반드시 밭 안을 제어하고 나무를 심고 기르도록 하여 비려(比閭)[2]와 족당(族黨)과 주향(州鄕)의 백성들이 각각 그 기름을 얻지 않음이 없게 하고, 기름을 얻었다면 오양(伍兩)과 졸려(卒旅)[3]와 군사(軍

1) 진침(陳琛, 1477~1545) : 명(明)대 복건(福建) 진강(晉江) 사람으로 자는 사헌(思獻)이고, 호는 자봉선생(紫峰先生)이다. 채청(蔡淸)에게 배웠고, 왕선(王宣), 역시충(易時沖), 임동(林同), 조록(趙逯), 채열(蔡烈) 등과 함께 유명했는데, 그가 가장 저명했다. 정덕(正德) 12년(1517)에 진사(進士)에 급제하여 형부산서사주사(刑部山西司主事), 남경호부운남사주사(南京戶部雲南司主事), 남경이부고공랑중(南京吏部考功郎中) 등을 역임하였다. 하지만 관직에 흥미가 없어 5년 만에 사직하고 귀향하여 강학에 힘쓰며, 복건주자학을 발전시켰다. 저서에 『사서천설(四書淺說)』, 『역학통전(易學通典)』, 『정학편(正學編)』, 『자봉집(紫峰集)』 등이 있다.

2) 『주례(周禮)』「지관(地官)·대사도(大司徒)」: "令五家爲比, 使之相保, 五比爲閭, 使之相受." 비(比)와 여(閭)는 고대 호적편제의 기본 단위이다. 후대에 이르러 비려는 향리(鄕里)를 뜻한다.

3) 『주례(周禮)』「하관(夏官)·제자(諸子)」: "合其卒伍, 置其有司." 고대 군

師)의 무리들을 훗날 외부의 침략을 막아내는 용도로 여기는 것이 모두 이를 기르는 일이다. 평시에 가르칠 방도가 없다면 완급을 조절하여 누가 다시 쓰겠는가!"

대 편제의 단위이다. 사병 5명이 한 오(伍)를 이룬다. 정현은 "군대 법에 100인을 졸로 삼는데 5인을 오로 한다.[軍法百人爲卒, 五人爲伍.]"라고 하였다.

師出以律, 失律凶也.

군사를 출동하는데 규율에 맞게 하는 것이니 규율을 잃으면 흉하다.

程傳

師出當以律, 失律則凶矣. 雖幸而勝, 亦凶道矣.

군사는 마땅히 규율로서 일으켜야만 하니, 규율을 잃으면 흉하다. 규율을 잃고 요행히 승리하더라도 또한 흉한 길이다.

集說

● 蔡氏淸曰 : "不曰否臧凶, 而曰失律凶者, 明否臧之爲失律也."[4]

채청(蔡淸)이 말했다. "그렇지 않다면 이기더라도 흉하다고 말하지 않고 규율을 잃으면 흉하다고 한 것은 그렇지 않고 이기는 것이 규율을 이기는 것이라는 점을 밝혔다."

4) 채청(蔡淸), 『역경몽인(易經蒙引)』 권2 중.

在師中吉, 承天寵也, 王三錫命, 懷萬邦也.

군사의 일에서 알맞음을 얻었으니 길한 것은 하늘의 총애를 받는 일이고, 왕이 세 번이나 명령을 내림 온 나라를 어루만진 것이다.

程傳

在師中吉者, 以其承天之寵任也. 天, 謂王也. 人臣非君寵任之, 則安得專征之權, 而有成功之吉? 「象」以二專主其事, 故發此義, 與前所雲世儒之見異矣. 王三錫以恩命, 褒其成功, 所以懷萬邦也.

군사의 일에서 알맞음을 얻어 길한 것은 그가 하늘의 총애와 신임을 얻었기 때문이다. 하늘은 왕을 말한다. 신하는 군주가 총애하고 신임하지 않는다면, 어떻게 전권을 가지고 정벌하는 권한을 얻어 공을 이루는 길함이 있겠는가? 「상전」에서 구이효가 군사의 일을 전권으로 주관하기 때문에 이러한 의미를 밝혔으니, 앞에서 말한 세속의 여러 유학자들의 견해와는 다르다. 왕이 세 번 은혜로운 명령을 내려 공을 이룬 것을 포상하니 이는 온 나라를 어루만지기 위해서이다.

集說

● 干氏寶曰: "錫命, 非私也, 安萬邦而已."[5)]

간보(干寶)[6]가 말했다. "명을 받는 것은 사사로운 일이 아니라 온 나라를 안정시키는 일일 뿐이다."

● 邱氏富國曰 : "王者用兵非得已, 嗜殺豈其本心, 故三錫之命, 唯在於懷綏萬邦而已."

구부국(邱富國)[7]이 말했다. "왕이 군사를 사용하는 것은 부득이해서이니 어찌 살인을 좋아함이 것이 본심이겠는가? 그러므로 세 번

---

5) 이정조(李鼎祚), 『주역집해(周易集解)』

6) 간보(幹寶, ?~336) : 자는 영승(令升)이고, 동진(東晉)의 신채(新蔡 : 현 하남성 신채현) 사람이다. 역사·음양·산수를 연구했고, 원제(元帝) 때 저작랑(著作郎)이 된 뒤 역사찬집(歷史撰集)에 종사했다. 특히 역학(易學)에 조예가 깊어 『진서(晉書)』에서 "간보가 『주역』을 주석했다."고 했으며, 『수서(隋書)』「경적지(經籍志)」에는 "『주역』10권을 진(晉)의 산기상시(散騎常侍)인 간보가 주석했고, 또한 『주역효의(周易爻義)』 1권을 간보가 지었으며, 양(梁)나라에는 『주역종도(周易宗塗)』 4권이 있는데 간보가 지었다."라고 기재되어 있다. 저서에는 『주역주(周易注)』, 『오기변화론(五氣變化論)』, 『진기(晉記)』, 『주관례주(周官禮注)』, 『춘추좌자의외전(春秋左子義外傳)』, 『수신기(搜神記)』 등이 있으며, 특히 『수신기』는 괴이전설(怪異傳說)을 집대성한 것으로 육조(六朝) 소설의 뛰어난 작품일 뿐만 아니라, 당·송시대(唐宋時代) 전기물(傳奇物)의 선구가 되었다.

7) 구부국(丘富國) : 자는 행가(行加)이고, 남송 건안(建安 : 현 복건성 건구〈建甌〉) 사람이다. 주자의 문인으로 주자의 역학사상을 주로 계승 발전시켰다. 이종(理宗) 순우(淳祐) 7년(1247)에 진사에 급제하여 벼슬은 단주첨판(端州僉判)을 역임했다. 남송이 망하자 은거하고 벼슬하지 않았다. 저서에는 『주역집해(周易輯解)』, 『역학설약(易學說約)』, 『경세보유(經世補遺)』가 있다.

명령을 내리는 것은 온 나라를 회유하려는 데 있을 뿐이다."

● 谷氏家杰曰:"不曰威而曰懷, 見王者用師之本心."

곡가걸(谷家杰)이 말했다. "위엄이라 말하지 않고 회유라고 한 것은 왕이 군사를 쓰는 본심을 드러낸 것이다."

師或輿尸, 大無功也.

군사적인 일을 여러 사람이 주장하게 하면 공을 크게 이루지 못한다.

程傳

倚付二三, 安能成功, 豈唯無功, 所以致凶也.

구이효와 육삼효에게 동시에 책임을 맡긴다면 어떻게 공을 이룰 수 있겠는가? 어찌 또 공만이 없겠는가? 이 때문에 흉하게 된다.

集說

● 楊氏簡曰: "行師之法, 權歸一將, 使衆主之, 凶之道也. 衆所不一, 必無成功. 九二旣作帥, 六三居二之上, 有權不歸一之象."[8)]

양간(楊簡)이 말했다. "군사를 행하는 방법은 전권을 한 사람에게 주는 것이니 여러 사람이 주도하게 하면 흉한 도이다. 여러 사람은 하나로 하지 못하여 반드시 공을 이루지 못한다. 구이효가 이미 장수가 되었으니 육삼효는 이효의 위에 자리하여 권한은 있지만 하나로 할 수 없는 모습이다."

8) 양간(楊簡), 『양씨역전(楊氏易傳)』 권4.

左次無咎, 未失常也.
물러나 머무니 허물이 없음은 상도(常道)를 잃은 것이 아니다.

本義

知難而退, 師之常也.

어려움을 알고 후퇴함은 군사의 상도(常道)이다.

程傳

行師之道, 因時施宜, 乃其常也, 故左次未爲失也. 如四退次, 乃得其宜, 是以無咎.

군사를 행하는 도리는 때에 따라 그 마땅함을 시행하는 일이니, 그것이 곧 상도(常道)이다. 그러므로 물러나 머무는 것이 반드시 과실이 되지 않는다. 육사효처럼 물러나 머문다면 그 마땅함을 얻으니 이 때문에 허물이 없다.

集說

● 楊氏時曰:"師以右爲主, 常也. 左次則失常矣, 然四以柔順之資, 量敵而後進, 慮勝而後會, 退而左次, 未爲失常也."

양시(楊時)[9]가 말했다. "군사는 오른쪽을 주된 것으로 삼으니 상도이다. 물러나 멈추는 것은 상도를 잃었지만 육사효는 유순(柔順)한 자질로 적을 헤아린 뒤에 나아가고 사려가 우세한 뒤에 만나니 물러나 멈추는 일이 반드시 상도를 잃은 것은 아니다."

9) 양시(楊時, 1053~1135) : 자는 중립(中立)이고, 호는 구산(龜山)이며, 시호는 문정(文靖)이다. 북송 검남 장락(劍南將樂 : 현 복건성 장락현) 사람이다. 신종(神宗) 희녕(熙寧) 9년(1076)에 진사에 급제하였지만, 관직에 나가지 않고 10년 동안 칩거하다가 형주교수(荊州教授), 우간의대부(右諫議大夫), 국자감좨주(國子監祭酒), 공부시랑(工部侍郎), 용도각직학사(龍圖閣直學士) 등을 역임하였다. 정호(程顥)·정이(程頤) 형제에게 사사(師事)했는데, 특히 형 정호의 신임을 받았다. 민학(閩學)의 창시자로서, 유초(游酢), 여대림(呂大臨), 사량좌와 함께 정문사선생(程門四先生)으로 불렸다. 그의 학문 계통에서 주희·장식(張栻)·여조겸(呂祖謙) 등 뛰어난 학자가 많이 배출되었다. 저서에 『구산집(龜山集)』, 『구산어록(龜山語錄)』, 『이정수언(二程粹言)』 등이 있다.

長子帥師, 以中行也, 弟子輿尸, 使不當也.
맏아들이 군사를 거느림은 중도로 행하는 일이고, 동생들 여럿이 주도하게 함은 군사를 부리는 일이 마땅하지 않은 것이다.

程傳

長子, 謂二. 以中正之德合於上, 而受任以行. 若復使其餘者衆尸其事, 是任使之不當也, 其凶宜矣.

맏아들은 구이효를 말한다. 중정(中正)의 덕으로 윗사람과 합하여 책임을 맡고 군대를 시행했다. 다시 동생들 여럿이 군대를 주도하게 한다면 이는 책임을 맡기고 부리게 하는 일이 마땅하지 않음이니, 흉한 것이 당연하다.

集說

● 孔氏穎達曰 : "以中行, 是九二居中也. 使不當, 謂六三失位也."[10]

공영달(孔穎達)이 말했다. "중도로 행하니 구이가 가운데 자리하였다. 부리는 일이 마땅하지 않은 것은 육삼이 지위를 잃어서이다."

10) 공영달(孔穎達), 『주역주소(周易注疏)』 권2.

大君有命, 以正功也. 小人勿用, 必亂邦也.

대군이 명령을 내린 것은 공을 바르게 하기 위해서이고, 소인을 쓰지 말라는 것은 반드시 나라를 혼란하게 만들기 때문이다.

本義

聖人之戒深矣.

성인의 경계가 깊다.

程傳

大君持恩賞之柄, 以正軍旅之功. 師之終也, 雖賞其功, 小人則不可以有功而任用之, 用之必亂邦. 小人恃功而亂邦者, 古有之矣.

대군은 은혜로운 상을 줄 수 있는 권력을 가지고 군대의 일에서 올린 공을 바르게 한다. 군대의 일이 끝났을 때 공을 이룬 자에게는 상을 주지만 소인이라면 공이 있더라도 요직에 등용해서는 안 되니 등용한다면 반드시 나라를 혼란하게 할 것이다. 소인이 공을 뽐내면서 나라를 혼란케 하는 경우는 옛날부터 있었다.

集說

● 楊氏簡曰: "師之終功成, 大君有命, 所以賞功也. 正功, 言賞必當功, 不可差失也. 開國承家之始, 其初不可用小人也. 於此始言勿用者, 因此賞功, 原其始也. 用小人爲將帥, 幸而成功, 則難於不賞, 使之開國承家, 則害及民, 必亂邦也. 去一害民者, 又用一害民者, 以亂易亂, 必不可."[11]

양간(楊簡)이 말했다. "군사의 끝은 공을 이룸이니 대군이 명령을 내리는 것은 공에 대해 상 주려는 뜻이다. 공을 바르게 한다는 것은 상은 반드시 공에 마땅하여 과실이 있을 수 없다. 제후를 봉하고 경대부를 삼을 시기에 그 처음에는 소인을 쓸 수가 없다. 이 처음에 쓰지 말라고 한 것은 이로 인하여 공에 대해 상을 주니 그 시작에 기원한 것이다. 소인을 써서 장수로 삼아 다행히 공을 이루면 상을 주지 않기 어려워 그에게 제후로 봉하고 경대부를 삼으면 해로움이 백성에게 미쳐 반드시 나라가 혼란스럽다. 하나라도 백성을 해치는 자를 제거하면서 또 하나라도 백성을 해치는 자를 쓰는 것은 혼란으로 혼란을 바꾸는 일이니 반드시 그래서는 안 된다."

● 胡氏炳文曰: "王三錫命, 命於行師之始, 大君有命, 命於行師之終. 懷邦亂邦, 丈人小人之所以分, 此固聖人之所深慮遠戒也."[12]

호병문(胡炳文)이 말했다. "왕이 세 번 명을 내리는 것은 명령을 군사를 행하는 시작에 명령하는 것이고 대군이 명령이 있는 것은 명

11) 양간(楊簡), 『양씨역전(楊氏易傳)』 권4.
12) 호병문(胡炳文), 『주역본의통석(周易本義通釋)』 권3.

령이 군사를 행하는 끝에 명령하는 것이다. 나라를 회유하거나 나라를 혼란하게 하는 것과 대장부와 소인을 구분하는 일이 진실로 성인이 깊게 사려하고 멀리 경계하는 것이다."

● 邵氏寶曰 : "弟子輿屍, 戒於師始. 小人勿用, 戒於師終. 始無弟子, 則終無小人, 卽使有之, 或賞而不封, 或封而不任, 不任亦不用也."[13]

소보(邵寶)가 말했다. "동생들 여럿이 주장하게 함은 군사의 시작에서 경계하는 것이다. 소인을 쓰지 말라는 말은 군사의 끝에서 경계하는 것이다. 시작에서는 여러 동생들이 없어야 한다면 끝에서는 소인이 없어야 하니 있게 했더라도 간혹 상을 주되 봉하지는 말아야 하고 간혹 봉했더라도 등용하지 말아야 하니 등용하지 않음이 또한 쓰지 않는 것이다."

13) 소보(邵寶), 『간단록(簡端録)』 권1.

8. 비比䷇괘

地上有水, 比, 先王以建萬國, 親諸侯.

땅위에 물이 있는 것이 비괘의 모습이니, 선왕은 이것을 본받아 온갖 나라를 세우고 제후를 친애한다.

本義

地上有水, 水比於地, 不容有間, 建國親侯, 亦先王所以比於天下而無間者也, 「彖」意人來比我, 此取我往比人.

땅 위에 물이 있으니 물이 땅과 가까워 틈이 있음을 허용할 수 없으니 나라를 세우고 제후를 친애하는 것은 또한 선왕(先王)이 천하를 친애하여 틈이 없게 한 것이다. 「단전」의 뜻은 남이 와서 나를 친애하고 여기서는 내가 가서 남을 친애하는 뜻을 취한 것이다.

程傳

夫物相親比而無間者, 莫如水在地上, 所以爲比也, 先王觀比之象, 以建萬國, 親諸侯. 建立萬國, 所以比民也, 親撫諸侯, 所以比天下也.

사물이 서로 친애하여 틈이 없음은 물이 땅 위에 있는 것 만한 것이 없으니, 친애의 모습이 된다. 선왕은 비괘의 모습을 관찰하여 온갖 나라를 세우고 제후를 친애한다. 온갖 나라를 세우는 것은 백성과 친밀하게 지내는 일이고, 제후들을 친애함은 천하와 친애하는 일이다.

集說

● 張氏浚曰:"水行地上, 小大相比, 率以歸東. 先王法之, 建萬國以下比其民, 親諸侯以上比其君, 若身使臂, 臂使指, 小大相維, 順以聽命, 制得其道也."[1]

장준(張浚)이 말했다. "물이 땅위에서 행하니 작고 큰 것이 서로 친밀하게 흘러 결국에는 동쪽으로 간다. 선왕이 이를 본받아 온갖 나라 건립하여 아래로 그 백성과 친밀하게 지내며 제후를 친애하여 위로 그 군주와 친밀하게 지낸다. 마치 몸이 팔을 부리고 팔이 손가락을 부리는 것과 같으니 작은 일과 큰 일이 의지하니 순조롭게 명령을 따라 그 도를 제어한다."[2]

---

1) 장준(張浚), 『자암역전(紫巖易傳)』 권1.

2) 장준(張浚, 1094~1164) : 송나라 한주(漢州) 면죽(綿竹) 사람으로 자는 덕원(德遠)이고, 세칭 자암선생(紫巖先生)으로 불리며, 시호는 충헌(忠獻)이다. 장함(張咸)의 아들이다. 장식(張栻)의 아버지고, 초정(譙定)의 문인이며, 정이(程頤)와 소식(蘇軾)의 재전제자(再傳弟子)이자, 당나라의 명재상 장구고(張九皐)의 후손이다. 당시 일류 학자인 정이천(程伊

● 『朱子語類』云 : "伊川言建萬國以比民, 民不可盡得而比, 故建諸侯使比民, 而天下所親者諸侯而已. 這便是比天下之道."[3)]

『주자어류』에서 말했다. "이천이 '온갖 나라를 세워 백성과 친밀하게 지낸다'고 했지만 백성은 친밀해질 수가 없으므로 제후를 세워 백성과 친밀해지도록 하니 천하에 친애하는 자는 제후일 뿐이다. 이것이 천하와 친밀해지는 방도이다."

● 馮氏當可曰 : "地上之水, 異源同流, 畎澮相比, 以比於川, 九川相比, 以比於海, 如萬國諸侯, 大小相比, 而方伯連帥, 率之以比於天子也."

풍당가(馮當可)[4)]가 말했다. "땅위의 물은 원천은 다르지만 함께 흘러 도랑을 이루어 서로 친밀하고 강에서 친밀하여 온갖 천이 서로 친밀하면서 바다로 모여드니 온갖 나라의 제후들이 크건 작건 서로 친애하고 방백(方伯) 연수(連帥)[5)]가 통솔하여 천자와 친밀하게 지

川)의 제자 천수(天授)에게 배워 이락(伊洛)의 학문을 남송에 전한 공이 있다. 저서에 『자암역전(紫巖易傳)』과 『주역해(周易解)』, 『상서해(尙書解)』, 『시경해(詩經解)』, 『예기해(禮記解)』, 『춘추해(春秋解)』, 『중용해(中庸解)』, 『중흥비람(中興備覽)』, 문집 등이 있다.

3) 『주자어류』 70권 72조목.

4) 풍당가(馮當可, 1100~1163) : 풍시행(馮時行)의 자는 당가(當可)이고 호는 진운(縉雲)이다. 송나라 휘종(徽宗) 선화(宣和) 6년 장원급제하여 봉절위(奉節尉), 강원현승(江原縣丞), 좌조봉의랑(左朝奉議郎) 등을 지냈다. 후에 항금(抗金)을 주장했다가 폐직되었다가 다시 기용되어 성도부노제형(成都府路提刑)까지 지냈다. 사천(四川) 아안(雅安)에서 서거했다. 『진운문집(縉雲文集)』과 『역륜(易倫)』이 있다.

5) 연수(連帥) : 제후의 우두머리이다. 『예기(禮記)』「왕제(王制)」, "10개의

내는 일과 같다."

● 胡氏炳文曰:"師之容民畜衆, 井田法也, 可以使民自相合而無間. 比之建國親侯, 封建法也, 可使君與民相合而無間."[6]

호병문(胡炳文)이 말했다. "사(師)괘가 백성을 포용하고 군중을 모아 기르는 것은 정전법(井田法)에 의거 하였으니 백성들이 서로 합치하여 틈이 없게 할 수 있다. 비(比)괘가 나라를 세워 제후와 친밀한 것은 봉건법(封建法)에 의거하였으니 군주와 백성이 서로 합치하여 틈이 없게 할 수 있다."

나라를 묶어 연이라 하니 연에는 우두머리가 있다.[十國以爲連, 連有帥.]"라고 하였다.

6) 호병문(胡炳文), 『주역본의통석(周易本義通釋)』 권3.

比之初六, 有它吉也.

비괘의 초구효는 뜻하지 않은 길함이 있다.

程傳

言比之初六者, 比之道在乎始也. 始能有孚, 則終致有它之吉. 其始不誠, 終焉得吉? 上六之凶, 由無首也.

비괘의 초육효는 친애의 도가 시작하는 것이다. 처음에 믿고 신뢰할 수 있다면 결국에는 뜻하지 않은 길함이 온다. 그 시작이 진실하지 못한데 어떻게 끝에 가서 길함을 얻겠는가? 상육효의 흉함은 처음에 진실하지 못했기 때문이다.

集說

● 蔣氏悌生曰:"爻辭有孚凡兩更端, 及盈缶等語, 「象傳」皆略之, 直擧初六爲言, 可見比之要道, 在乎始先. 此義與卦辭後夫凶之意相發明."[7]

장제생(蔣悌生)[8]이 말했다. "효사에 진실한 믿음이라 언급한 두 가

7) 장제생(蔣悌生), 『오경려측(五經蠡測)』 권1.

8) 장제생(蔣悌生): 명나라 복건(福建) 복녕(福寧) 사람으로 자는 인숙(仁叔)이다. 홍무(洪武) 연간에 명경(明經)으로 천거되어 복주훈도(福州訓導)를 지냈다. 저서에 『오경려측(五經蠡測)』이 있다.

지 단락과 질그릇에 가득 채운다는 말이 「상전」에서는 모두 생략되고 직접 초육효를 거론하여 말했으니 친애하는 요체가 시작하는 데 있음을 알 수 있다. 이 뜻은 괘사에서 후부(後夫)는 흉하다라는 뜻과 함께 서로 밝혔다."

比之自內, 不自失也.

친하기를 안으로부터 하는 것은 스스로를 잃지 않음을 뜻한다.

本義

得正則不自失矣.

올바름을 얻으면 스스로를 잃지 않는다.

程傳

守己中正之道, 以待上之求, 乃不自失也. 『易』之爲戒嚴密. 二雖中正, 質柔體順, 故有貞吉自失之戒. 戒之自守, 以待上之求, 無乃涉後凶乎. 曰士之修己, 乃求上之道, 降志辱身, 非自重之道也. 故伊尹武侯, 救天下之心非不切, 必待禮至然後出也.

중정(中正)의 도를 지키면서 윗사람의 구함을 기다리니 스스로를 잃지 않는다. 『역』에서 경계함이 이렇게 엄밀하다. 육이효가 중정(中正)을 이루었지만 그 자질이 나약하고 체질이 유순하므로 올바름을 굳게 지켜 길하니 스스로를 잃지 말라고 경계한 것이다. 스스로 지켜서 윗사람의 구함을 기다리는 일은 늦어서 흉한 것이 아닌가? 사대부가 자신을 수양하는 일은 윗사람을 구하는 방도이니 자신의 뜻을 낮추어 몸을 욕되게 하는 것은 스스로 존중하는 도리가 아니다. 그래서 이윤[9]과 제갈량[10]은 천하를 구하려는 마음이 절실하지 않은 것은 아니었지만, 반드시 군주가 예를 갖추고 찾아오기를 기다린 후에 출사(出仕)했다.

9) 이윤(伊尹) : 이윤은 하나라 말기부터 상나라 초기에 걸친 정치가이다. 탕왕을 보좌하여 상 왕조 성립에 큰 공을 세운 사람이다. 이름은 지(摯)이다. 일설에는 그가 요리 실력이 좋아서 요리로 탕왕의 마음을 얻었고 한다. 맹자는 분명하게 분별하고 있다. 『맹자』「만장상」, "만장이 물었다. '사람들이 말하기를 이윤이 고기를 베어 요리해서 탕왕에게 등용되기를 요구했다고 하는데 그런 일이 있습니까?' 맹자가 말했다. 아니다. 그렇지 않다. 이윤은 유신(有莘)의 들에서 요순(堯舜)의 도를 즐거워하여, 그 의(義)가 아니고, 그 도(道)가 아니면, 천하로 녹을 준다고 해도 돌아보지 않고, ... 탕왕이 사람을 시켜 폐백을 가지고 가서 이윤을 초빙하자, 느긋하게 말하기를 「내가 어찌 탕왕의 초빙하는 폐백을 쓰겠는가? 내 어찌 밭도랑에 처하여 그대로 즐기는 것만 하겠는가?」했다. ...... 그래서 탕왕에게 나아가 설득하여 하나라를 정벌하여 백성을 구제한 것이나. 나는 자신을 굽히고 남을 바로잡았다는 자를 들어보지 못했으니, 하물며 자신을 욕되게 하고 천하를 바로잡는 것은 어떻겠는가? 성인의 행위는 같지 않다. 어떤 경우는 멀리 떠나가고, 어떤 경우는 가까이 군주를 모시며, 어떤 경우는 떠나가고 어떤 경우는 떠나가지 않으니, 귀결은 그 몸을 깨끗이 하는 것일 뿐이다. 나는 요순의 도로 탕왕에게 등용되기를 요구했다는 말은 들었어도, 고기를 베어 요리해서 구했다는 말은 듣지 못했다.[萬章問曰, 人有言伊尹以割烹要湯, 有諸? 孟子曰, 否, 不然. 伊尹耕於有莘之野, 而樂堯舜之道焉. 非其義也, 非其道也, 祿之以天下, 弗顧也 ...... 湯使人以幣聘之, 囂囂然曰, 我何以湯之聘幣爲哉? 我豈若處畎畝之中, 由是以樂堯舜之道哉? ...... 故就湯而說之以伐夏救民. 吾未聞枉己而正人者也, 況辱己以正天下者乎? 聖人之行不同也, 或遠或近, 或去或不去, 歸潔其身而已矣. 吾聞其以堯舜之道要湯, 未聞以割烹也.]"라고 하였다.

10) 제갈량(諸葛亮) : 제갈량은 삼고초려(三顧草廬)하고서 출사했다.

集說

● 朱氏震曰："六二柔也, 恐其自失也. 二處乎內, 待上之求, 然後應之, 比之自內者也, 故曰不自失也."[11)]

주진(朱震)[12)]이 말했다. "육이효의 부드러움이 스스로를 잃을까 근심했다. 이효는 안에 처해서 윗사람의 구함을 기다린 뒤에 호응하니 친애함을 안으로부터 한다는 것이므로 스스로를 잃지 않는다고 말했다."

11) 주진(朱震), 『한상역전(漢上易傳)』 권1.

12) 주진(朱震, 1072~1138) : 자는 자발(子發)이고, 당시 한상선생(漢上先生)이라 불리었다. 송대 형문군(荊門軍 : 현 호북성 소속) 사람으로 한림학사(翰林學士)를 여러 번 역임하였다. 저서는 『한상역전(漢上易傳)』이 있다.

比之匪人, 不亦傷乎.

적절하지 않은 사람과 친애하는 것은 또한 해롭지 않겠는가!

程傳

人之相比, 求安吉也, 乃比於匪人, 必將反得悔吝, 其亦可傷矣. 深戒失所比也.

사람이 서로 친애하는 것은 안정과 길함을 구하기 위해서인데 적절하지 않은 사람과 친애하면 반드시 도리어 후회하고 궁색하게 될 것이니 그 또한 해로울 수 있다. 이는 친애함을 잃게 되는 점을 깊이 경계한 것이다.

外比於賢以從上也

밖으로 현자를 친애하는 것은 윗사람을 따르는 뜻이다.

程傳

外比謂從五也. 五剛明中正之賢, 又居君位, 四比之, 是比賢且從上, 所以吉也.

밖으로 친애하는 일은 구오효를 따르는 것이다. 구오효는 굳세고 밝으며 중정(中正)한 현자이고, 또 군주의 지위에 자리하는데 육사효가 그를 친밀하게 보좌하니 이는 현자를 친애하고 또 윗사람에게 복종하는 것으로 그래서 길하다.

顯比之吉, 位正中也. 舍逆取順, 失前禽也. 邑人不誡, 上使中也.

친애하는 도리를 드러냄이 길한 것은 지위가 정중(正中)하기 때문이다. 거스르는 자는 버리고 순종하는 자는 취하는 일은 앞으로 뛰어가는 짐승을 놓아주는 것이다. 고을 사람들을 경계하지 않음은 윗사람이 부리는 일이 중도에 맞기 때문이다.

本義

由上之德, 使不偏也.

윗사람의 덕(德)이 편벽되지 않게 하기 때문이다.

程傳

顯比所以吉者, 以其所居之位得正中也, 處正中之地, 乃由正中之道也. 比以不偏爲善, 故云正中. 凡言正中者, 其處正得中也, 比與隨是也. 言中正者, 得中與正也, 訟與需是也. 『禮』取不用命者, 乃是舍順取逆也, 順命而去者皆免矣. 比以向背而言, 謂去者爲逆, 來者爲順也, 故所失者前去之禽也. 言來者撫之, 去者不迫也, 不期誡於親近, 上之使下, 中平不偏, 遠近如一也.

친애의 도리를 드러내는 것이 길한 이유는 그가 자리하는 지위가 정중(正中)을 얻었기 때문이다. 정중(正中)의 자리에 처하는 것은 정중(正中)의 도로 말미암는다. 친애는 편벽되지 않는 것이 최선이므로 정중이라고 했다. 정중이라고 말한 것은 그 처신이 올바르게 중도를 얻은 것이니 비(比)괘와 수(隨)괘가 이러하다.[13] 중정(中正)이라고 말한 것은 중(中)과 정(正)을 얻은 것이니 송(訟)괘와 수(需)괘가 그러하다.[14] 예(禮)에서 명령을 듣지 않는 것을 취한다고 했는데, 이는 명령을 따르는 것은 버리고 거스르는 자는 취하니, 명령을 따라 도망가는 자는 모면하는 것이다. 비괘에서는 향하는 것과 등지는 것으로 말했으니 도망가는 자는 거스르는 자이고 오는 자는 순종하는 자이다. 그래서 놓아주는 것은 앞으로 도망가는 짐승이니, 이는 오는 자는 어루만지고 가는 자는 좇지 않는다는 말이다. 친근함에 경계하기를 기약하지 않아야 윗사람이 아래 사람을 부리고, 중도에서 고르게 치우치지 않아야 멀고 가까운 것이 한결 같다.

集說

● 邱氏富國曰:"舍逆, 謂舍上一陰. 陰以乘陽爲逆也. 取順, 謂

13) 비(比)괘와 수(隨)괘가 이러하다:『주역』「비괘」「상전」, "친애의 도리를 드러내는 것이 길한 것은 지위가 정중(正中)하기 때문이다."고 했다.「수괘」, "선에 대한 신뢰를 가지고 있으니 길하다는 것은 지위가 정중(正中)하기 때문이다.[象曰, 孚于嘉吉, 位正中也.]"라고 하였다.

14) 송(訟)괘와 수(需)괘가 이러하다:『주역』「송괘」, "구오효는 다투지만, 크게 길하다.[九五, 訟, 元吉]"라고 하였고,「수(需)괘」「단전」, "'기다림은 믿음을 가지고 있어 빛나고 형통하며 올바름을 지키고 있어 길하다'고 한 것은 천자의 지위에 처하여 정중(正中)을 이루었기 때문이다.[需有孚, 光亨, 貞吉, 位乎天位以正中也.]"라고 하였다.

取下四陰. 陰以承陽爲順也. 失上一陰, 故曰失前禽."

구부국(邱富國)이 말했다. "거스르는 자를 버린다는 것은 위에 있는 하나의 음을 말한다. 음이 양을 탄 것이 거스르는 것이다. 따르는 자를 취한다는 것은 아래에 있는 네 음을 말한다. 음이 양을 잇는 것이 따름이 된다. 위에 있는 하나의 음을 잃었으므로 앞으로 도망가는 짐승을 잃었다고 했다."

● 胡氏炳文曰 : "師之使不當, 誰使之? 五也. 比之使中, 誰使之? 亦五也."[15]

호병문(胡炳文)이 말했다. "사(師䷆)괘에서 부림이 마땅하지 않다는 말은 누가 부리는 것인가? 오효이다. 비(比䷇)괘에서 부림이 중도에 맞았다는 말은 누가 부리는 것인가? 또한 오효이다."

15) 호병문(胡炳文), 『주역본의통석(周易本義通釋)』 권3.

比之無首, 無所終也.
친애함에 시작이 없음은 끝마칠 것이 없다는 말이다.

本義

以上下之象言之, 則爲無首, 以終始之象言之, 則爲無終, 無首則無終矣.

위와 아래의 상(象)으로 말하면 시작이 없음이고, 시작과 끝의 상(象)으로 말하면 끝이 없음이 되니 시작이 없으면 끝이 없는 것이다.

程傳

比旣無首, 何所終乎? 相比有首, 猶或終違. 始不以道, 終復何保? 故曰無所終也.

친애하는 데 시작이 없으니 어떻게 끝마치겠는가? 서로 협력하는 데 시작이 있더라도 끝에 가서는 어그러짐이 있다. 시작에서부터 정도(正道)로 하지 않았는데, 그 끝이 다시 어떻게 유지되겠는가? 그래서 좋은 끝이 없다고 했다.

集說

● 楊氏簡曰: "由初而比之, 其比也誠, 比不於其初, 及終而始求比, 不忠不信, 人所不與, 凶之道也. 首, 初也. 有始則有終, 無始何以能終, 故曰無所終也."[16]

양간(楊簡)이 말했다. "시초로부터 친애하니 그 친애함이 진실하고 친애함이 그 시초에서 시작하지 않고 끝에 가서 비로소 친애함을 구하는 것은 진실하지도 않고 믿음직스럽지도 않아 사람들이 함께 하지 않으니 흉한 도이다. 수(首)는 시초이다. 시작이 있으면 끝이 있으니 시작이 없는데 어찌 끝낼 수 있겠는가? 그러므로 끝마칠 바가 없다고 했다."

● 蔣氏悌生曰 : "卽卦辭後夫凶之義."[17]

진제생(蔣悌生)이 말했다. "괘사에 후부(後夫)는 흉하다는 뜻이다."

16) 양간(楊簡), 『양씨역전(楊氏易傳)』 권5.
17) 진제생(蔣悌生), 『오경여측(五經蠡測)』 권1.

9. 소축小畜☴☰괘

風行天上, 小畜, 君子以懿文德.

바람이 하늘 위에 부는 것이 소축괘이니 군자는 이것을 본받아 문명의덕을 아름답게 한다.

本義

風有氣而無質, 能畜而不能久. 故爲小畜之象. 懿文德, 言未能厚積而遠施也.

바람은 기(氣)는 있으나 질(質)이 없으니 쌓이지만 오래가지 못한다. 그러므로 소축(小畜)의 상(象)이 된다. 문덕(文德)을 아름답게 한다는 것은 두텁게 쌓지만 멀리 베풀지 못함을 말한다.

程傳

乾之剛健而爲巽所積, 夫剛健之性, 唯柔順爲能畜止之, 雖可以畜止之, 然非能固制其剛健也, 但柔順以擾系之耳. 故爲小畜也. 君子觀小畜之義, 以懿美其文德. 畜聚爲蘊畜之義. 君子所蘊畜者, 大則道德經綸之業, 小則文章才藝. 君子觀小畜之象, 以懿美其文德, 文德方之道義爲小也.

건의 강건함은 공손함에 의해 누적된다. 강건한 성질은 오직 유순함으로 제지할 수 있지만 제지할 수 있다고 해도 그 강건함을 견고하게 제어할 수 있는 것이 아니라 유순함으로 길들여 묶어둘 수 있을 뿐이다.[1] 그래서 작은 일로 키우는 것이 된다. 군자는 소축괘의 의미를 관찰하여 그 문덕(文德)[2]을 아름답게 한다. 축(畜)이란 모은다는 것으로 쌓는다는 뜻이다. 군자가 쌓는 일 가운데 큰 것으로는 도덕과 나라를 경륜하는 일이 있고 작은 것으로는 문장(文章)과 예술이 있다. 군자는 소축괘의 모습을 관찰하여 그 문덕을 아름답게 하지만 문덕을 도의(道義)와 비교한다면 작은 것이다.

---

1) 길들여 묶어둘 수 있을 뿐이다 : '요계(擾係)'를 해석한 말이다. '요계'란 동물을 길들인다는 의미이다. 『주례(周禮)』「하관(夏官) · 복불씨(服不氏)」, "복불씨가 맹수를 키워서 길들였다.[服不氏掌養猛獸而教擾之.]"라고 하였는데, 이에 대해 정현은 "요(擾)는 길들인다는 뜻으로 훈련 시켜 복종하게 하는 것이다"라고 주석을 달고 있다. 그래서 야생동물을 훈련시켜 길들여 복종하게 한다는 의미가 있다. 이런 점에서 볼 때 양(陽)이란 야생성을 의미하고 소축이란 완전하게 길들여 복종시킬 수는 없다는 의미를 가지고 있다.

2) 문덕(文德) : 예악교화(禮樂教化)를 말한다. 무력[武功]과는 상대적인 말이다. 그러나 정이천은 여기서 문장과 예술에 한정하여 도의(道義)보다는 못한 것으로 해석하고 있다. 즉 문덕으로 기르는 것보다는 도의로 기르는 것이 큰 것이다.

集說

● 林氏希元曰 : "大風一過, 草木皆爲屈橈, 過後則旋復其歸, 足能畜而不能久也, 有氣而無質故也."[3]

임희원(林希元)[4]이 말했다. "큰 바람이 한 번 불면 초목이 모두 휘어지지만 바람이 지나가고 나면 다시 복귀하니 제지할 수 있지만 오래갈 수가 없는 것은 기만 있고 질은 없기 때문이다."

3) 임희원(林希元), 『역경존의(易經存疑)』 권2.

4) 임희원(林希元, 1481~1565) : 명(明)대 동안 신점(同安新店) 사람으로, 자는 무정(茂貞)이고 호는 차애(次崖)이다. 명(明) 정덕(正德)11년(1516)에 진사에 급제하여 남경대리사평사(南京大理寺評事), 광서사주판관(廣西泗州判官), 흠주지주(欽州知州) 등을 역임했다. 학문으로는 정주학과 채청(蔡清)의 『역경몽인(易經蒙引)』을 중시했다. 특히 『주역』을 다른 경전에 비해 극히 높게 평가하여, 오경 가운데 『역경』을 뺀 나머지는 강물과 같고 『역경』은 바다와 같다고 했다. 저술로는 『역경존의(易經存疑)』, 『사서존의(四書存疑)』, 『임차애선생문집(林次崖先生文集)』 등이 있다.

復自道, 其義吉也.

복귀함이 스스로의 도로 행한 것은 그 의리에서 볼 때 길하다.

程傳

陽剛之才, 由其道而複, 其義吉也. 初與四爲正應, 在畜時乃相畜者也.

양의 굳센 자질이 그 도로 말미암아 복귀하는 것이니 의리에서 보면 길하다. 초구효는 육사효와 올바르게 호응하는 관계에 있는데 기르는 때는 서로 기르는 것이다.

集說

● 張氏浚曰 : "能反身以歸道, 其行己必不悖於理, 是能自畜者也, 故曰其義吉."[5)]

장준(張浚)[6)]이 말했다. "몸을 돌이켜 도로 복귀할 수 있고 그 행함

5) 장준(張浚), 『자암역전(紫巖易傳)』 권1.

6) 장준(張浚, 1097~1164) : 자는 덕원(德遠)이고, 세칭 자암선생(紫巖先生)으로 불렸으며, 시호는 충헌(忠獻)이다. 송대 한주 면죽(漢州綿竹 : 현 사천성 소속) 사람이다. 휘종(徽宗) 정화(政和) 8년(1118)에 진사(進士)에 급제하여, 벼슬은 추밀원편수관(樞密院編修官), 시어사(侍禦史), 예부시랑(禮部侍郎), 지추밀원사(知樞密院事), 상서우복야(尙書右僕

이 반드시 이치에 어긋나지 않으니 스스로 기를 수 있는 자이므로 그 의리에서 길하다고 했다."

射) 등을 지냈다. 남송 시대 금(金)나라의 침입에 대항한 명장이며 명재상으로도 유명하다. 학문적으로는 주희와 교류한 장식(張栻)의 아버지고, 초정(譙定)의 문인이며, 정이(程頤)와 소식(蘇軾)의 재전제자(再傳弟子)로서 특히 『역』에 정통하였다. 저서에는 『자암역전(紫巖易傳)』, 『역해(易解)』, 『서해(書解)』, 『시해(詩解)』, 『춘추해(春秋解)』, 『중용해(中庸解)』, 『장위공집(張魏公集)』 등이 있다.

牽復在中, 亦不自失也.

서로 이끌어 회복함은 가운데 있기 때문이니, 또한 스스로 중도를 잃지 않았기 때문이다.

本義

亦者, 承上爻義.

역(亦)은 위에 있는 효(爻)의 뜻을 이은 것이다.

程傳

二居中得正者也, 剛柔進退, 不失乎中道也. 陽之復, 其勢必強. 二以處中, 故雖強於進, 亦不至於過剛, 過剛乃自失也. 爻止言牽復而吉之義, 「象」復發明其在中之美.

구이효는 가운데 위치에 자리 잡고 올바름을 얻은 자이니, 강(剛)과 유(柔)가 나아가고 물러나는 데 중도(中道)를 잃지 않은 것이다. 양의 회복은 그 형세가 반드시 강하다. 구이효는 가운데 처했기 때문에 나아감이 강하더라도 또한 과도하게 굳셈에는 이르지 않으니 과도하게 굳세면 스스로 중도(中道)를 잃는다. 효사에서는 단지 서로 이끌어 복귀하여 길한 뜻만을 말했고, 「상전」에서는 다시 중도(中道)의 아름다움을 밝힌 것이다.

集說

● 楊氏萬里曰："初安於復, 故爲自復, 二勉於復, 故爲牽復. 能勉於復, 故亦許其不自失."[7]

양만리(楊萬里)[8]가 말했다. "초효는 회복에 안정을 이루므로 스스로 회복한 것이고 이효는 회복에 힘쓰므로 서로 이끌어 회복함이다. 회복에 힘쓸 수 있으므로 또한 스스로 중도를 잃지 않을 것이라고 했다."

● 俞氏琰曰："往而不復, 則不能不自失. 旣復矣, 則亦不自失也. 云亦者, 承上爻之義, 以初九之不失而亦不失也."[9]

유염(俞琰)[10]이 말했다. "가서 회복하지 않으면 스스로 중도를 잃

7) 양만리(楊萬里), 『성재역전(誠齋易傳)』 권3.

8) 양만리(楊萬里, 1127~1206) : 자는 정수(廷秀)이고, 호는 성재誠齋이며, 시호는 문절(文節)이다. 남송대 길주 길수(吉州吉水 : 현 강서성 길수현 황교진〈吉水縣黃橋鎭〉) 사람이다. 소흥(紹興) 때 진사에 급제하여 보모각직학사(寶謨閣直學士), 영릉승(零陵丞)을 지냈고, 효종 때 국자감박사(國子監博士), 보문각대제(寶文閣待制)를 역임하였다. 영주(永州)에 귀양된 장준(張浚)에게 성리학을 사사하였다. 시문에 뛰어나 평생 2만 여 수의 시를 지었다고 한다. 저서에는 『성재역전(誠齋易傳)』, 『당언(唐言)』, 『천려책(千慮策)』, 『성재시화(誠齋詩話)』, 『성재집(誠齋集)』 등이 있다.

9) 유염(俞琰), 『주역집설(周易集說)』 권21.

10) 유염(俞琰) : 자는 옥오(玉吾)이고, 호는 전양자(全陽子), 임옥산인(林屋山人), 석간도인(石澗道人) 등이다. 남송 말 원대 초기에 활동한 학자로 송대 오군(吳郡 : 현 강소성 소주〈蘇州〉) 사람이다. 어려서 가학을 익히고 젊어서는 기서(奇書)를 즐겨 연구하다가, 뒤늦게 과거시험 준비를 했

지 않을 수가 없다. 회복했다면 또한 스스로 잃지 않는다. 역(亦 : 또한)이라고 말한 것은 위에 있는 효의 뜻을 이은 것이니 초구효가 잃지 않고 또한 이효도 잃지 않는다."

다. 남송이 멸망하고 원대 조정이 들어서자 과거응시를 포기하고 은거하여 역학 연구에 전념하였다. 역학 관련 저술이 특히 많았는데, 대표적인 것으로 『주역집설(周易集說)』, 『독역거요(讀易擧要)』, 『역외별전(易外別傳)』 등이 있다.

夫妻反目，不能正室也.

남편과 부인이 반목하게 된 것은 집안을 올바르게 다스리지 못했기 때문이다.

本義

程於曰，說輻反目，三自爲也.

정자(程子)가 "수레에 바퀴통이 빠지고 남편과 부인이 반목함은 삼효가 제 스스로 한 것이다"라고 했다.

程傳

夫妻反目，蓋由不能正其室家也. 三自處不以道，故四得制之不使進，猶夫不能正其室家，故致反日也.

남편과 부인이 반목하게 된 것은 남편이 그 집안을 올바르게 다스릴 수 없었기 때문이다. 구삼효는 정도(正道)로 스스로 처신하지 못했으므로 육사효가 그를 제재하여 나아가지 못하게 하니, 남편이 그 집안을 올바르게 다스릴 수 없어 반목함이 이르게 된 것과 같다.

集說

● 項氏安世曰："下卦三陽，皆爲巽所畜者也. 初九止之於初，不施畜止而自復於道, 無過可補, 此畜之最美者也. 九二已動而後牽之, 牽而後復, 畜而後止, 已用力矣, 以其在中而未遠, 故亦不至於失道. 亦之爲言, 猶可之辭也. 九三剛已過中而後畜之, 四當其上, 其勢必至於相拂, 如人已升輿輻說, 係而止之, 夫不行正, 妻反目而爭之, 故曰不能正室也."[11]

항안세(項安世)[12]가 말했다. "아래 괘의 세 양은 모두 손(巽☴)괘가 기르는 것이다. 초구효는 처음부터 기르지 않았는데 스스로 도에 회복하고 보충할 과실이 없으니 이것이 기름에서 가장 아름답다. 구이효는 이미 움직인 뒤에 이끌고 이끈 뒤에 회복하여 기른 뒤에 그쳐서 이미 힘을 썼고 가운데 있어 멀지 않으므로 또한 도를 잃는 데 이르지 않는다. 역(亦 : 또한)이라는 말은 가능하다는 말과 같다. 구삼효는 이미 중간을 넘긴 뒤에 기르고 사효가 그 위에 해당하니 그 형세가 반드시 서로 떨쳐내는 데 이르니 마치 사람이 이미 수레를 올라탔는데 바퀴가 빠져 걸려 그치니 올바름을 행하지 못하여 부인이 반목하여 다투므로 집안을 바르게 할 수 없다고 했다."

11) 항안세(項安世), 『주역완사(周易玩辭)』 권2.
12) 항안세(項安世, 1129~1208) : 자는 평부(平父)이고, 호는 평암(平庵)이며, 송대 강릉(江陵 : 현 호북성 소속) 사람이다. 효종(孝宗) 순희(淳熙) 2년(1175) 진사에 급제하여 소흥부교수(紹興府教授)가 되었는데, 당시 절동제거(浙東提擧)를 맡고 있던 주희(朱熹)를 만나 서로 강론하였다. 주희가 간관(諫官)으로 조정에 추천한 적이 있으며, 비서성정자(秘書省正字), 교서랑(校書郞), 지주통판(池州通判) 등을 역임했다. 경원(慶元) 연간에 상소를 올려 주희(朱熹)를 유임하라고 했다가 탄핵을 받고 위당(僞黨)으로 몰려 파직되었다. 나중에 복직되어 여러 벼슬을 거쳤다. 저서에는 『주역완사(周易玩辭)』, 『항씨가설(項氏家說)』, 『평암회고(平庵悔稿)』 등이 있다.

有孚惕出, 上合志也.

진정한 믿음이 있다면 두려움에서 벗어나는 것은 위와 뜻이 합치했기 때문이다.

程傳

四旣有孚, 則五信任之, 與之合志, 所以得惕出而無咎也. 惕出則血去可知, 擧其輕者也, 五旣合志, 衆陽皆從之矣.

육사효가 진정한 믿음이 있다면 구오효가 그를 신임하여 그와 뜻을 함께 하니 두려움에서 벗어나 허물이 없게 된다. 두려움에서 벗어나면 피해가 없어짐을 알 수 있으니, 그 가벼운 것을 들어 말했다. 구오효가 뜻을 합했으니, 여러 양효들이 모두 그를 따른다.

集說

● 郭氏忠孝曰 : "上合志者, 合九五有孚之志, 唯其上合志, 是以能畜也."[13]

곽충효(郭忠孝)[14]가 말했다. "위와 뜻이 합치한 것은 구오가 진실

---

13) 곽옹(郭雍), 『곽씨전가역설(郭氏傳家易說)』 권1.

14) 곽충효(郭忠孝, ?~1128) : 자는 입지(立之)이고, 호는 겸산(兼山)이다. 북송대 낙양(현 하남성 낙양시) 사람으로 곽규(郭逵)의 아들이고 곽옹

한 뜻과 합치한 것이니 오직 위와 뜻이 합치했기 때문에 그래서 기를 수 있다."

● 王氏宗傳曰 : "但云惕出, 則血去可知. 蓋謂恐懼猶免, 則傷害斯遠矣. 擧輕以見重也."[15]

왕종전(王宗傳)[16]이 말했다. "단지 두려움에서 벗어난다고 말했으니 피해가 없어지는 것을 알 수 있다. 두려워하는 것은 면하는 일과 같으니 상해가 멀어진다. 가벼운 것을 들어 무거운 것을 드러냈다."

(郭雍)의 아버지이다. 정이(程頤)에게 『역(易)』과 『중용(中庸)』을 배웠다. 부친의 음사(蔭仕)로 우반전직(右班殿直)에 올랐다가 진사가 된 뒤 벼슬은 하동로제거(河東路提擧), 군기소감(軍器少監)을 역임했다. 금나라가 영흥(永興)을 침공할 때 수성(守城)하다가 성이 함락되자 전사했다. 그의 역학사상은 순희(淳熙) 연간에 편찬된 『대역수언(大易粹言)』에 정호(程顥)와 정이(程頤), 장재(張載), 양시(楊時), 유초(游酢), 곽옹(郭雍) 등의 학설과 함께 실려 있다. 저서에 『중용설(中庸說)』, 『겸산역해(兼山易解)』, 『역서(易書)』, 『사학연원론(四學淵源論)』 등이 있다.

15) 왕종전(王宗傳), 『동계역전(童溪易傳)』 권6.

16) 왕종전(王宗傳) : 자는 경맹(景孟)이고, 송대 영덕(寧德 : 현 복건성 영덕시) 사람이다. 1181년에 진사에 급제하여 소주교수(韶州教授)를 역임하였다. 왕필의 의리역학을 추종하여 상수역학을 배척하였다. 저서에는 『동계역전(童溪易傳)』이 있다.

有手攣如, 不獨富也.

신뢰가 있어 사람들을 이끄는 일은 재력을 독점하지 않는 것이다.

程傳

有孚攣如, 蓋其鄰類皆牽攣而從之, 與衆同欲, 不獨有其富也. 君子之處艱厄, 唯其至誠, 故得衆力之助, 而能濟其衆也.

신뢰가 있어 사람들을 이끄는 일은 그 이웃들이 모두 이끌려 따르는 것이니 군중들과 함께 하려는 것을 같이 하여 그 부귀를 독점적으로 소유하지 않는다. 군자는 어려움과 곤란에 처했을 때 오직 지극히 성실함을 다하기 때문에 군중들의 힘에 도움을 얻어 그 군중들을 도와줄 수 있다.

旣雨旣處, 德積載也. 君子征凶, 有所疑也.

비가 내려 스스로 처함은 덕이 누적되어 쌓인 것이고, 군자가 움직이면 흉한 것은 의심하는 바가 있어서 이다.

程傳

旣雨旣處, 言畜道積滿而成也. 陰將盛極, 君子動則有凶也. 陰敵陽, 則必消陽, 小人抗君子, 則必害君子, 安得不疑慮乎? 若前知疑慮而警懼, 求所以制之, 則不至於凶矣.

비가 내리고 스스로 처함은 길들이는 도가 쌓여 이루어졌음을 말한다. 음의 세력이 매우 성대하려고 할 때 군자가 함부로 움직이면 흉하다. 음이 양을 대적하면 반드시 양을 소멸시키고, 소인이 군자에 대항하면 반드시 군자를 해칠 것이니 어떻게 의심하고 사려하지 않을 수 있겠는가? 그러나 사전에 의심하고 염려할 줄 알아 경계하고 두려워하여 제어할 수 있는 방법을 구한다면, 흉한 곳에 이르지 않는다.

集說

● 楊氏簡曰 "旣畜而通矣, 而又往致其畜則犯矣, 非其道也. 有所疑, 疑其不順也. 坤上六曰陰疑於陽, 亦此也凶道也."[17]

양간(楊簡)[18]이 말했다. "기르고 통했는데 또 가서 기르려고 하면

범하는 것이니 도가 아니다. 의심하는 바가 있으니 그 불순함을 의심한다. 곤괘의 상육효에서 음이 양을 의심하니 또한 이것으로 흉한 도이다."

17) 양간(楊簡), 『양씨역전(楊氏易傳)』 권5.

18) 양간(楊簡, 1141~1226) : 남송 명주(明州) 자계(慈溪) 사람으로 자는 경중(敬仲)이고, 호는 자호선생(慈湖先生)이며, 시호는 문원(文元)이다. 양정현(楊庭顯)의 아들이다. 효종(孝宗) 건도(乾道) 5년(1169) 진사(進士)가 되고, 부양주부(富陽主簿)에 올랐다. 이때 육구연(陸九淵)을 스승으로 섬겨 육씨심학파(陸氏心學派)의 대표적 인물이 되었다. 원섭(袁燮), 서린(舒璘), 심환(沈煥) 등과 함께 녹상사선생(甬上四先生), 사명사선생(四明四先生)으로 일컬어졌다. 육구연의 심학을 우주의 만물(萬物), 만상(萬象), 만변(萬變)이 모두 자신에게 속해 있다는 유아론(唯我論)으로 발전시켰다. 저서에 『자호시전(慈湖詩傳)』과 『양씨역전(楊氏易傳)』, 『계폐(啓蔽)』, 『선성대훈(先聖大訓)』, 『오고해(五誥解)』, 『자호유서(慈湖遺書)』 등이 있다.

10. 이履䷉괘

上天下澤, 履. 君子以辨上下, 定民志.

위로 하늘이 있고 아래로 연못이 있는 것이 이괘의 모습이다. 군자는 이것을 본받아 위와 아래를 분별하여 백성의 뜻을 안정시킨다.

本義

程傳備矣.

『정전』에 갖추었다.

程傳

天在上, 澤居下, 上下之正理也, 人之所履當如是, 故取其象而爲履. 君子觀履之象, 以辨別上下之分, 以定其民志. 夫上下之分明, 然後民志有定, 民志定, 然後可以言治. 民志不定, 天下不可得而治也. 古之時, 公卿大夫而下, 位各稱其德, 終身居之, 得其分也. 位未稱德, 則君擧而進之. 士修其學, 學至而君求之, 皆非有予於己也. 農工商賈勤其事, 而所享有限, 故皆有定志, 而天下之心可一. 後世自庶士至於公卿, 日志於尊榮, 農工商賈, 日志於富侈, 億兆之心, 交鶩於利, 天下紛然, 如之何其可一也! 欲其不亂難矣. 此由上下無定志也. 君子觀履之象, 而分辨上下, 使各當其分, 以定民之心志也.

하늘이 위에 있고 연못이 아래에 있으니 위와 아래의 바른 이치이다. 사람이 이행하는 것도 마땅히 이와 같아야만 하므로 그 모습을 취하여 이(履)괘가 되었다. 군자는 이괘의 모습을 보고 위와 아래의 본분을 분별하여 백성의 뜻을 안정시킨다. 위와 아래의 본분이 분명하게 된 다음에 백성의 뜻이 안정을 이룬다. 백성의 뜻이 안정을 이룬 뒤에야 다스림을 말할 수 있다. 백성의 뜻이 안정되지 못하면 세상은 다스려질 수가 없다.
옛날에는 공·경·대부 이하는 그 지위가 그 덕에 걸맞아 죽을 때까지 그 지위에 자리하니 그 본분을 얻은 것이다. 그러나 그 지위가 덕에 걸맞지 않으면 군주가 그에 걸맞은 인물을 발탁하여 등용시켰다. 사(士)가 학문을 수양하여 학문이 지극한 경지에 이르면 군주가 그를 구했으니 모두 자기에게 미리 예비되어 있었던 것은 아니다. 농·공·상·고(農工商賈)가 모두 그 맡은 일에 힘쓰지만 그 향유하는 바에 한계가 있으므로 뜻을 안정시켜야 천하의 마음이 하나로 조화될 수 있었다. 후세에는 서민과 사(士)에서부터 공·경에 이르기까지 날로 높은 지위와 영달에만 뜻을 두고 농·공·상·고도 날로 부귀와 사치에 뜻을 두어 모든 백성의 마음이 이익에만 몰두해 천하가 혼란하게 되었으니 이렇게 해서 어떻게 하나로 조화될 수 있겠는가! 혼란스럽게 만들고 싶지 않으려 해도 어려울 것이다. 이것은 위와 아래에 안정된 뜻이 없기 때문이다.

군자는 이(履)괘의 모습을 보고 위와 아래를 나누어 분별하여 각각 그 본분에 합당하도록 만들어 백성의 마음과 뜻을 안정시킨다.

集說

● 『朱子語類』問: "履如何都作禮字說."
曰: "禮主卑下. 履也是那踐履處, 所行若不由禮, 自是乖戾. 所以曰履以和行."[1]

『주자어류』에서 물었다. "이(履)는 어찌하여 모두 예(禮)자로 말합니까?"
말했다. "예는 주로 자신을 낮추는 일이다. 이(履)도 실천하는 일을 말하는데 행하는 것이 예를 경유하지 않으면 저절로 어그러진다. 그래서 '이(履)는 조화로 행한다'[2]고 했다."

● 王氏應麟曰: "上天下澤履, 此『易』之言禮. 雷出地奮豫, 此『易』之言樂. 呂成公之說, 本於漢書'上天下澤, 春雷奮作, 先王觀象, 爰制禮樂.'"

왕응린(王應麟)이 말했다. "위로 하늘이 있고 아래로 연못이 있는 것이 이(履)괘인데 『역』에서는 예(禮)를 말한다. 우레가 땅에서 나오는 것에 예(豫)괘인데 『역』에서 악(樂)을 말한다. 여성공[여조겸]의 말은 『한서(漢書)』에 '위로 하늘이 있고 아래로 연못이 있으며 봄에 우레가 나오니 선왕이 상을 관찰하여 이에 예악을 제정했

1) 『주자어류』 70권 98조목.
2) 『주역』「계사상」.

다.'[3]는 것에 근본한다."

● 何氏楷曰 : "天高地下, 天尊地卑, 澤又下之下卑之卑者."

하해(何楷)가 말했다. "하늘은 위에 있고 땅은 아래에 있으며 하늘은 높고 땅은 낮으니 연못은 또한 아래의 아래에 있고 낮은 곳 중에서도 낮은 곳이다."

3) 『전한서(前漢書)』 권100 하 「서전(敍傳)」 제70 하.

素履之往, 獨行願也.

본래 지위에 따라 밟아 나아가는 일은 원하는 바를 행하는 것일 뿐이다.

程傳

安履其素而往者, 非苟利也, 獨行其志願耳. 獨, 專也. 若欲貴之心, 與行道之心, 交戰於中, 豈能安履其素也.

그 본래 지위에 편안해 하면서 행해 나아가는 자는 구차하게 이익을 구하려 하지 않고, 뜻한 바를 행할 뿐이다. 독(獨 : 오직)은 오로지의 뜻이다. 존귀하게 되려는 욕심과 도리를 행하려는 마음이 속에서 싸운다면 어떻게 본래 지위에 편안해 하면서 행할 수 있겠는가?

集說

● 李氏心傳曰 : "素履往, 卽中庸所謂素位而行者也, 獨行願, 卽中庸所謂不願乎其外者也."[4]

이심전(李心傳)[5]이 말했다. "그 본래 지위에 따라 행한다는 것은

4) 이심전(李心傳), 『병자학역편(丙子學易編)』

5) 이심전(李心傳, 1166~1243) : 자는 미지(微之) 또는 백미(伯微)고, 호는 수암(秀巖)이며, 이순신(李舜臣)의 아들이다. 남송 융주 정연(隆州井研

『중용』의 '그 지위에 합당한 것을 행한다'[6]고 한 뜻이다. 오직 원하는 일을 행한다는 것은 『중용』의 '그밖의 것을 원하지 않는다'는 뜻이다."

: 현 사천성 낙산〈樂山〉) 사람이다. 영종(寧宗) 경원(慶元) 초에 과거시험에 낙방한 뒤 연구와 저술에 힘썼다. 만년에 최여지(崔與之)·위료옹(魏了翁) 등의 천거로 사관교감(史館校勘)이 되어 『중흥사조제기(中興四朝帝紀)』와 『십삼조회요(十三朝會要)』를 편찬하고, 공부시랑(工部侍郎)에 발탁되었다. 사직한 뒤 조주(潮州)에서 살았다. 저서에 『병자학역편(丙子學易編)』, 『춘추고(春秋考)』, 『예변(禮辨)』, 『송시훈(誦詩訓)』, 『독사고(讀史考)』, 『건염이래계년요록(建炎以來系年要錄)』, 『건염이래조야잡기(建炎以來朝野雜記)』, 『구문정오(舊聞正誤)』, 『도명록(道命錄)』 등이 있다.

6) 『중용』 14장 : "군자는 그 지위에 자리하여 그 지위에 합당한 것을 행하지 그 이상의 것을 원하지 않는다.[君子素其位而行, 不願乎其外.]"라고 하였다.

幽人貞吉, 中不自亂也.

마음이 그윽하게 안정된 사람이라야 올바르고 길한 것은 마음이 스스로 혼란되지 않기 때문이다.

程傳

履道在於安靜. 其中恬正, 則所履安裕. 中若躁動, 豈能安其所履? 故必幽人則能堅固而吉. 蓋其中心安靜, 不以利欲自亂也.

본분을 이행하는 도리는 마음이 편안하고 안정을 이룬 데 있다. 그 마음이 안정되고 올바르면 이행하는 바가 편안하고 여유롭다. 마음이 조급하고 요동치면 어떻게 이행하는 것에 편안해할 수 있겠는가? 그러므로 반드시 그윽하게 안정된 사람이라야 뜻을 견고하게 지켜 길할 수 있다. 마음속이 안정되고 고요해야, 이득과 욕심에 의해 혼란스럽지 않다.

集說

● 谷氏家杰曰 : "初之素而曰行願, 二之坦而曰不亂, 可見其身之履, 皆由於志之定也."

곡가걸(谷家杰)이 말했다. "초효의 본래 바탕에서는 원하는 것을 행한다고 했고 이효의 탄탄함은 혼란스럽지 않다고 했으니 그 몸의 이행이 모두 뜻의 안정으로부터 나옴을 알 수 있다."

眇能視, 不足以有明也, 跛能履, 不足以與行也. 咥人之凶, 位不當也. 武人爲於大君, 志剛也.

애꾸눈이 보아도 밝게 볼 수가 없고, 절름발이가 걸을 때 함께 갈 수가 없다. 사람을 물어서 흉함은 지위가 합당하지 못하기 때문이다. 무인이 대군이 되는 것은 뜻만 굳세기 때문이다.

程傳

陰柔之人, 其才不足, 視不能明, 行不能遠, 而乃務剛, 所履如此, 其能免於害乎? 以柔居三, 履非其正, 所以致禍害, 被咥至而凶也. 以武人爲喩者, 以其處陽, 才弱而志剛也. 志剛則妄動, 所履不由其道, 如武人而爲大君也.

음의 부드러운 사람은 그 재능이 부족하여 보는 것이 밝을 수가 없고 행하더라도 멀리 갈 수 없는데도 굳세게 힘쓰니 이행하는 바가 이와 같다면 해로움을 면할 수 있겠는가? 부드러움으로 삼(三)에 자리하여 이행하는 바가 올바름이 아니니, 재앙과 피해가 이르게 되고 호랑이에게 물려서 흉한 것이다. 무인으로 비유한 것은 그가 양에 처하여 재능이 약한데 뜻만 굳세기 때문이다. 뜻만 굳세면 경거망동하여, 이행하는 데 도를 따르지 않으니 무인이 대군이 된 것과 같다.

集說

● 王氏申子曰:"三質暗才弱, 本不足以有爲, 以當履之時, 一陰爲主, 適與時遇, 是以不顧其位不當, 勇於行而履危蹈禍. 斯道也, 唯武人用之以爲王事, 一於進以行其志之剛則可. 故爻辭於咥人凶後言之. 用各有當也."[7]

왕신자(王申子)[8]가 말했다. "삼(三)은 질이 어둡고 재주가 약해 본래 일을 하기에는 부족하다. 이행할 때를 당하여 하나의 음이 주가 되어 바로 때를 만났는데 그 지위가 부당함을 살피지 않고 행하는데 용감하여 위험과 재앙을 밟는다. 이러한 도는 오직 무인이 써서 왕의 일을 삼아 일관되게 나아가 그 뜻을 굳세게 행하면 좋다. 그러므로 효사에 사람을 물어 흉하다는 말 다음에 그것을 말했다. 쓰임에 각각 합당함이 있다."

7) 왕신자(王申子), 『대역집설(大易緝說)』 권4.
8) 왕신자(王申子) : 자는 손경(巽卿)이다. 원나라 공주(邛州, 사천성 공래〈邛崍〉) 사람이다. 인종(仁宗) 황경(皇慶) 연간(1311~1320)에 무창로(武昌路) 남양서원(南陽書院)의 산장(山長)을 지냈다. 나중에 30여 년 동안 자리주(慈利州) 천문산(天門山)에 은거했다. 저서에 『춘추류전(春秋類傳)』, 『대역집설(大易集說)』, 『주례정의(周禮正義)』 등이 있다.

愬愬終吉, 志行也.

두려워하고 두려워하면 결국에 길하다 것은 뜻을 행한다는 말이다.

程傳

能愬愬畏懼, 則終得其吉者, 志在於行而不處也, 去危則獲吉矣. 陽剛, 能行者也, 居柔, 以順自處者也.

두려워하고 두려워하며 근심할 수 있다면 결국에는 길함을 얻는 것은 뜻은 행하려는 데 있지만 처하지 않는 것이다. 위험을 제거하면 길함을 얻는다. 양의 굳셈은 행할 수 있는 자이지만 부드러움에 자리하여 순종하며 스스로 처신하는 것이다.

集說

● 李氏過曰 : "畏懼, 所以行其志也."[9)]

이과(李過)[10)]가 말했다. "두려워하는 것은 그 뜻을 행하려는 뜻이다."

9) 이과(李過), 『서계역설(西谿易說)』 권2.

10) 이과(李過) : 송(宋)대 강소성 흥화(興化) 사람으로 자는 계변(季辨)이다. 20여 년의 노력을 쏟아 부어 『서계역설(西溪易說)』을 저술했다. 풍의(馮椅)는 『후재역학(厚齊易學)』에서 그의 의견이 새로운 경지를 개척한 점이 많다고 평가하였다. 영종(寧宗) 경원(慶元) 4년(1198)에 쓴 자서(自序)가 남아있다.

● 王氏申子曰:"三與四皆履虎尾者, 三凶而四吉何也? 三柔而志剛, 勇於行而不知懼, 四剛而志柔, 謹於行而知所懼也. 懼則能防, 是以終吉, 其吉者, 上進之志行也."[11]

왕신자(王申子)가 말했다. "삼효와 사효는 모두 호랑이 꼬리를 밟은 자인데 삼효는 흉하고 사효가 길한 것은 무엇 때문인가? 삼효는 부드러운데 뜻이 굳세어 행하는 데 용감하지만 두려워할 줄을 모르고, 사효는 굳센데 뜻이 부드러워 행하는 데 조심하고 두려움을 안다. 두려우면 방비할 수 있으니 그래서 결국에는 길하다. 길한 것은 위로 나아가려는 뜻을 펼친다."

● 沈氏一貫曰:"合而言之, 則乾爲虎, 離而言之, 唯五爲虎, 故九四亦有履虎尾之象. 以九居四, 正與六三相反, 故其志行."

심일관(沈一貫)이 말했다. "합하여 말하면 건(乾☰)괘가 호랑이이고 분리하여 말하면 오직 오효가 호랑이이므로 구사효 역시 호랑이의 꼬리를 밟은 모습이다. 구(九)로 사(四)에 자리하여 바로 육삼효와 서로 반대되므로 그 뜻을 행한다."

11) 왕신자(王申子), 『대역집설(大易緝說)』 권4.

夬履貞厲, 位正當也.

과감하게 이행하니, 올바르더라도 위태로운 것은 그 지위가 올바르고 합당하기 때문이다.

本義

傷於所恃.

믿는 바에 상처를 입는다.

程傳

戒夬履者, 以其正當尊位也. 居至尊之位, 據能專之勢而自任剛決, 不復畏懼, 雖使得正亦危道也.

과감하게 행하는 것을 경계한 것은 올바르고 합당하며 존귀한 지위이기 때문이다. 지극히 존귀한 지위에 자리하여 함부로 전권을 휘두를 수 있는 세력만을 믿고, 굳세고 결단함을 자임하여 다시 두려워하지 않는다면 설령 올바를지라도 위태로운 도리이다.

元吉在上, 大有慶也.

위에서 크게 길한 것은 크게 경사가 있다는 말이다.

本義

若得元吉, 則大有福慶也.

크게 길함을 얻으면 크게 복과 경사가 있을 것이다.

程傳

上, 履之終也. 人之所履善而吉, 至其終周旋無虧, 乃大有福慶之人也. 人之行貴乎有終.

상(上)은 이행의 끝이다. 사람이 이행한 바가 선하고 길하여 그 끝에 두루 완비되어 어그러짐이 없는 것이 곧 경사와 복이 많이 있는 사람이다. 사람의 행함은 그 끝이 좋은 것을 귀하게 여긴다.

集說

● 林氏希元曰: "在上, 履之終也. 言於履之終而得元吉, 則大有福慶也. 在上, 是解所以元吉, 大有慶, 是正解元吉."[12]

임희원(林希元)이 말했다. "위에서라는 것은 이행의 끝이다. 행함의 끝에서 크게 길함을 얻으면 크게 복과 경사가 있다는 말이다. 위에서라는 말은 크게 길한 까닭을 해설한 것이고, 크게 경사가 있다는 말은 바로 크게 길함을 해석한 것이다."

12) 임희원(林希元), 『역경존의(易經存疑)』 권2.

11. 태泰☷☰괘

> 天地交, 泰, 后以裁成天地之道, 輔相天地之宜, 以左右民.
>
> 하늘과 땅이 교류하는 것이 태괘의 모습이니, 군주는 이것을 본받아 천지의 도(道)를 마름질하고 완성하고 천지의 마땅함을 제도화하여 백성들의 생활을 돕는다.

本義

裁成以制其過, 輔相以補其不及.

마름질하고 완성하여 지나침을 억제하고, 제도화하고 돕는 것은 모자란 부분을 보충하는 것이다.

程傳

天地交而陰陽和, 則萬物茂遂, 所以泰也. 人君當體天地通泰之象, 而以裁成天地之道, 輔相天地之宜, 以左右生民也, 裁成, 謂體天地交泰之道, 而裁制成其施爲之方也, 輔相天地之宜, 天地通泰, 則萬物茂遂, 人君體之而爲法制, 使民用天時, 因地利, 輔助化育之功, 成其豐美之利也. 如春氣發生萬物, 則爲播植之法, 秋氣成實萬物, 則爲收斂之法, 乃輔相天地之宜, 以左右輔助於民也. 民之生, 必賴君上爲之法制, 以教率輔翼之, 乃得遂其生養, 是左右之也.

하늘과 땅이 교류하고 음과 양이 조화하면 만물이 무성하게 자라나니 태평성대이다. 군주는 마땅히 하늘과 땅이 소통하여 태평한 모습을 체득하고 천지의 도를 마름질하여 완성하며 천지의 마땅함을 제도화하여 백성들의 생활을 돕는다.

"마름질하고 완성한다"는 것은 천지가 교류하여 소통하는 도를 체득하고 시행하는 방도를 마름질하여 이룬다는 말이다. "천지의 마땅함을 제도화한다"는 것은 천지가 소통하여 안정을 이루면 만물이 무성하게 자라나니 군주가 이것을 체득하여 제도화하여, 백성들이 천시(天時)를 이용하고 지리(地利)를 따라 화육(化育)하는 공을 도와 풍부하고 아름다운 이로움을 이루게 하는 것을 말한다.

예를 들어 봄의 기운이 만물을 발생하게 하므로 그것에 따라 씨앗을 뿌리고 심는 법을 만들고, 가을 기운은 만물을 이루고 열매를 맺게 하니 그것에 따라 거두어들이는 법을 만드니, 천지의 마땅함을 도와 그것으로 백성들의 생활을 돕는 것이다. 백성의 생활은 반드시 군주가 그들을 위해 제도화하여 가르치고 인도하고 돕는 것에 의지해야 비로소 그 생장과 양육을 이룰 수 있으니, 이것이 돕는다는 말이다.

集說

● 『朱子語類』云 : "裁成, 是截作段子, 輔相, 是佐助它. 天地之化, 儱侗相續下來, 聖人便截作段子. 如氣化一年一周, 聖人於它截作春夏秋冬四時."[1)]

『주자어류』에서 말했다. "'마름질하여 완성하는' 것은 단락을 구분하는 일이고, '제도화하여 돕는' 것은 다른 영역을 돕는 일이다. 천지의 조화는 모호하게 계속되지만 성인이 마름질하여 구분해야 한다. 예를 들어 기의 변화가 1년에 한 번 도는데 성인은 그것을 봄·여름·가을·겨울 네 계절로 마름질한다."

● 蔡氏淵曰 : "氣化流行, 儱侗相續, 聖人則爲之裁制, 以分春夏秋冬之節. 地形廣邈, 經緯交錯, 聖人則爲之裁制, 以分東西南北之限. 此裁成天地之道也. 春生秋殺, 此時運之自然. 高黍下稻, 亦地勢之所宜. 聖人則輔相之, 使當春而耕, 當秋而斂, 高者種黍, 下者種稻, 此輔相天地之宜也."

채연(蔡淵)[2)]이 말했다. "기가 변화하고 유행하는 것은 모호하게 서로 계속되지만 성인은 그것을 마름질하여 봄·여름·가을·겨울의 절기로 나누었다. 땅의 형세는 넓고 아득하여 가로 세로로 교차하

1) 『주자어류』 70권, 110조목.

2) 채연(蔡淵, 1156~1236) : 자는 백정(伯靜)이고, 호는 절재(節齋)이다. 송대 건양(建陽 : 현 복건성 건양) 사람으로 채원정의 맏아들이다. 부친의 뜻을 이어 주경야독하여, 특히 『역』에 조예가 깊었고 그에 관한 저술이 많다. 저서는 『주역훈해(周易訓解)』, 『역상의언(易象意言)』, 『괘효사지(卦爻辭旨)』 등이 있다.

지만 성인은 그것을 마름질하여 동서남북의 제한으로 분리했다. 이것이 천지의 도를 마름질하여 완성하는 일이다. 봄은 생명을 낳고 가을은 죽이니 이는 시운(時運)의 자연스러움이다. 높은 곳에서는 기장을 낮은 곳에서는 벼를 심으니 또한 지세(地勢)의 마땅함이다. 성인이 그것을 보충하여 돕는데, 봄에는 경작하게 하고 가을에는 수확하게 하며 높은 곳에는 기장을 심고 낮은 곳에서는 벼를 심게 하니 이것이 천지의 마땅함을 보충하고 돕는 일이다."

● 王氏申子曰:"天地交而陰陽和, 萬物遂, 所以爲泰. 人君象之, 裁成其道, 輔相其宜. 此天地之間, 所以無一物之不泰也."

왕신자(王申子)가 말했다. "하늘과 땅이 교류하고 음과 양이 조화하여 만물이 자라니 태평하게 된다. 군주가 이것을 본받아 그 도를 마름질하여 완성하고 그 마땅함을 보충하고 돕는다. 이것이 하늘과 땅 사이에 태평하지 않은 것이 하나도 없는 이유이다."

拔茅征吉, 志在外也.

띠풀 뿌리가 함께 뽑혀져 가니 길한 것은 뜻이 밖에 있기 때문이다.

程傳

時將泰, 則群賢皆欲上進, 三陽之志欲進同也, 故取茅茹彙征之象, 志在外, 上進也.

때가 태평하려고 하면 여러 현자들이 모두 위로 나아가려고 하니, 세 양(陽)의 뜻이 모두 나아가고자 하므로 띠풀 뿌리가 함께 뽑혀 함께 가는 모습을 취했다. 뜻이 밖에 있다는 것은 위로 나아가려는 의도이다.

集說

● 楊氏萬里曰 : "君子之志, 在天下, 不在一身, 故曰志在外也."

양만리(楊萬里)가 말했다. "군자의 뜻은 천하에 있지 자기 한 몸에 있지 않으므로 뜻이 밖에 있다고 했다."

包荒得尚於中行, 以光大也.

더러운 것을 포용하여 중도를 행하는 일에 합치된 것은 밝게 빛나고 크다.

程傳

「象」擧包荒一句, 而通解四者之義. 言如此則能配合中行之德, 而其道光明顯大也.

「상전」에서 "더러운 것을 포용한다"는 한 구절을 들어 네 가지의 의미를 두루 해석했다. 이와 같이 한다면 중도(中道)를 행하는 덕에 합치할 수 있어 그 도가 밝게 빛나고 거대하게 드러난다는 말이다.

案

「傳」只擧包荒, 非省文以包下. 蓋包荒是治道之本, 然包荒而得合乎中道者, 以其正大光明, 明斷無私, 是以有馮河之決, 有不遐遺之照, 有朋亡之公, 以與包荒相濟, 而中道無不合也.

「상전」에서는 "더러운 것을 포용한다"는 말을 들었지만 문장을 생략하여 아래 것들을 포함한 것이 아니다. 왜냐하면 더러운 것을 포용하는 것은 도를 다스리는 근본이고 더러운 것을 포용하여 중도에 부합하는 자는 공명정대하여 분명하게 결단하고 사사로움이 없어 맨 몸으로 강을 건너는 결단이 있고 먼 곳을 버리지 않는 관조가 있고 친구를 멀리하는 공정함이 있으니 더러움을 포용하는 것과 함께 서로 다스려져 중도에 합치되지 않음이 없다.

無往不復, 天地際也.

나아가서 돌아오지 않음이 없는 것은 하늘과 땅이 교제하는 뜻이다.

程傳

無往不復, 言天地之交際也. 陽降於下, 必復於上, 陰升於上, 必復於下, 屈伸往來之常理也. 因天地交際之道, 明否泰不常之理, 以爲戒也.

나아가서 돌아오지 않음이 없는 것은 하늘과 땅이 서로 교류함을 말한다. 양이 아래로 내려오면 반드시 다시 위로 올라가고 음이 위로 올라가면 반드시 다시 아래로 내려오니, 움츠러들고 펼쳐지는 것과 가고 오는 것의 상리(常理)이다. 하늘과 땅이 교류하는 도를 따라 막힘과 소통이 일정하지 않는 이치를 밝혀 경계로 삼았다.

案

天地際, 只是言乾坤交接之際也. 自卦言之, 外卦爲陰往, 自爻言之, 外卦又爲陰來.

하늘과 땅의 교제는 단지 건곤(乾坤)이 교접하는 것을 말한다. 괘로부터 말하면 외괘(外卦)는 음이 가고 효로부터 말하면 외괘는 또 음이 온다.

翩翩不富, 皆失實也. 不戒以孚, 中心願也.

빠르게 아래로 내려가서 부유하지 않아도 그 이웃으로 삼은 것은 알참을 잃었기 때문이고, 경계하지 않아도 믿는 것은 마음속에서 원한 것이다.

本義

陰本居下, 在上爲失實.

음(陰)은 본래 아래에 있는데 위에 있음은 알참을 잃은 것이다.

程傳

翩翩, 下往之疾. 不待富而鄰從者, 以三陰在上, 皆失其實故也. 陰本在下之物, 今乃居上, 是失實也. 不待告戒而誠意相與者, 蓋其中心所願故也. 理當然者天也, 衆所同者時也.

'편편'(翩翩)은 아래로 빠르게 내려가는 모습이다. 부유하지 않아도 이웃들이 따른다는 것은 세 음효가 위에 있어 모두 그 알참을 잃었기 때문이다. 음은 본래 아래 위치에 자리하는 물건인데 지금은 위에 있으니 이것이 알참을 잃은 것이다. 경계하여 알리지 않았는데도 진실한 뜻으로 서로 함께 하는 것은 그 마음이 원했기 때문이다. 이치 상 당연한 것이 천(天)이고 사람들이 모두 동의하는 것이 그 때의 마땅함이다.

集說

● 李氏簡曰："爻言不富,「象」言失實, 是皆不以富貴驕人, 而有虛中無我之意也. 鄰, 類也, 謂五與上也, 故四五皆稱行願. 在下卦之初, 則明以彙交於上, 在上卦之初, 則明以鄰交於下, 蓋上下交而其志同也."[3)]

이간(李簡)이 말했다. "효는 부유하지 않다고 하고 「상전」은 알참을 잃었다고 했는데 이는 모두 부귀하여 교만한 사람이 아니라 마음이 비고 자아가 없다는 뜻이다. 이웃은 부류이니 오효와 상효를 말하므로 사효와 오효 모두 원하는 것을 행한다고 했다. 하괘의 처음에서는 무리지어 위로 교제한다고 밝혔고 상괘의 처음에서는 이웃끼리 아래로 교제한다고 말했으니 위와 아래가 교제하여 그 뜻이 같기 때문이다."

● 俞氏琰曰："失實, 與蒙六四遠實同, 皆指陽爲實也. 陰之從陽, 猶貧之依富也. 今三陰在外而失所依, 故曰皆失實也. 願者, 上下交而其志同也, 泰之時, 上下不相疑忌, 蓋出其本心, 故曰中心願也."[4)]

유염(俞琰)[5)]이 말했다. "알참을 잃은 것은 몽(蒙)괘 육사효의 알참

3) 이간(李簡), 『학역기(學易記)』 권2.

4) 유염(俞琰), 『주역집설(周易集說)』 권21.

5) 유염(俞琰) : 자는 옥오(玉吾)이고, 호는 전양자(全陽子), 임옥산인(林屋山人), 석간도인(石澗道人) 등이다. 남송 말 원대 초기에 활동한 학자로 송대 오군(吳郡 : 현 강소성 소주〈蘇州〉) 사람이다. 어려서 가학을 익히고 젊어서는 기서(奇書)를 즐겨 연구하다가, 뒤늦게 과거시험 준비를 했다. 남송이 멸망하고 원대 조정이 들어서자 과거응시를 포기하고 은거하

과 멀어졌다[6]는 말과 같으니 모두 양이 알참을 가리킨다. 음이 양을 좇는 것은 가난함이 부유함에 의존하는 것과 같다. 지금 세 음이 밖에 있고 의존할 곳을 잃었으므로 모두 알참을 잃었다고 했다. 원하는 것은 위와 아래가 교제하여 그 뜻이 같다. 태평한 때 위와 아래가 모두 의심하고 시기하지 않으니 그 본심을 내었으므로 마음 속에서 원하는 것이라고 했다."

● 何氏楷曰: "失實, 卽不富之謂. 不富而其鄰從之者, 以三爻皆不富而欲資於陽故也. 不待期約而相孚, 各出於其中心之所願欲也."[7]

하해(何楷)[8]가 말했다. "알참을 잃은 것은 부유하지 않음을 말한다. 부유하지 않지만 그 이웃이 따르는 것은 세 효 모두 부유하지 않지만 양에 의존하려고 하기 때문이다. 기약하지 않고 서로 믿으

여 역학 연구에 전념하였다. 역학 관련 저술이 특히 많았는데, 대표적인 것으로 『주역집설(周易集說)』, 『독역거요(讀易擧要)』, 『역외별전(易外別傳)』 등이 있다.

6) 『주역』「몽괘」「상전」: "어리석음에 곤란을 겪는 부끄러움이란 홀로 실(實)함과 멀어졌기 때문이다.[象曰, 困蒙之吝, 獨遠實也.]"라고 하였다.

7) 하해(何楷), 『고주역정고(古周易訂詁)』 권2.

8) 하해(何楷): 자는 현자(玄子)이고 호는 황여(黃如)이다. 명말청초 때 장주 진해위(漳州鎭海衛: 현 복건성 용해시〈龍海市〉) 사람이다. 천계(天啓) 5년(1625)에 진사에 급제하여 벼슬은 호부주사(戶部主事), 공과급사중(工科給事中), 호부상서(戶部尙書) 등을 역임했다. 직언과 직간으로 유명했는데, 말년에 정성공(鄭成功)의 부친인 정지룡(鄭芝龍)과 뜻이 어긋나서 사직하고 귀향했다. 저서에는 『고주역정고(古周易訂詁)』, 『시경세본고의(詩經世本古義)』 등이 있다.

니 각각 그 마음속에 원하는 것을 내었다."

案

王弼以陰居上爲失實, 而『傳』『義』從之. 考『易』中皆以陰陽分虛實, 不因乎上下也, 故凡陽爻爲實爲富, 陰爻爲虛爲不富, 則失實之爲解不富, 明矣. 失實, 猶言實若虛也. 四五皆虛中以下交, 其視勢位與才德, 皆若無有然者. 大學所謂無他技, 孟子所謂忘勢是也. 李氏俞氏何氏之說, 蓋合經指.

왕필(王弼)은 음이 위에 자리한 것을 알참을 잃었다고 여겼고 『정전』과 『주역본의』도 그것을 따랐다. 『역』 가운데 모두 음양(陰陽)을 허실(虛實)로 분리한 것은 상하에 바탕을 두지 않으므로 대부분의 양효는 알참이고 부유함이고 음효는 비어있음이고 부유하지 않음이니 알참을 잃은 것을 부유하지 않음으로 해석하는 것이 분명하다. 알참을 잃은 것은 알참이 비어있음과 같다는 말이다. 사효와 오효 모두 마음을 비우고 아래와 교제하니 형세와 지위와 재능과 덕을 보면 모두 없는 것처럼 보인다. 『대학』에서 '다른 기예가 없다'[9]고 말한 것과 『맹자』에서 '세력을 잊었다'[10]고 한 말이 이것이

9) 『대학』 전10장 : "「진서(秦誓)」에 이르기를 '만일 어떤 한 신하가 단단(斷斷)하고 다른 기예(技藝)가 없으나, 그 마음이 곱고 고와 용납함이 있는 듯하여, 남이 가지고 있는 기예(技藝)를 자기가 소유한 것처럼 여기며, 남의 훌륭하고 성스러움을 그 마음에 좋아함이 자기 입에서 나온 것보다도 더한다면, 이는 능히 남을 포용하는 것이어서, 능히 나의 자손(子孫)과 여민(黎民)을 보전할 것이니, 행여 또한 이로움이 있을 것이다. 남이 가지고 있는 기예(技藝)를 시기하고 미워하며, 남의 훌륭하고 성스러움을 어겨서 하여금 통하지 못하게 하면, 이것은 능히 포용하지 못하는 것이어서, 나의 자손(子孫)과 여민(黎民)을 보전하지 못할 것이니, 또한

다. 이씨[이간]·유씨[유염]·하씨[하해]의 설이 경이 가리키는 뜻에 부합한다.

위태로울진저! [秦誓曰, 若有一臣, 斷斷兮無他技, 其心, 休休焉其如有容焉. 人之有技, 若己有之, 人之彦聖, 其心好之, 不若自其口出, 寔能容之. 以能保我子孫黎民, 尙亦有利哉. 人之有技, 疾以惡之, 人之彦聖, 而違之, 不通, 寔不能容. 以不能保我子孫黎民, 亦曰殆哉.]"라고 하였다.

10) 『맹자』「진심상」: "옛날 어진 군왕(君王)들은 선(善)을 좋아하고 세력을 잊었으니, 옛 현사(賢士)가 어찌 홀로 그렇지 않았겠는가. 그 도(道)를 즐거워하고 남의 세력을 잊었다. 그러므로 왕공(王公)이 경(敬)을 지극히 하고 예(禮)를 다하지 않으면, 자주 그를 만나볼 수 없었다. 만나보는 것도 오히려 자주할 수 없는데, 하물며 그를 신하로 삼음에 있어서랴! [孟子曰, 古之賢王, 好善而忘勢, 古之賢士何獨不然. 樂其道而忘人之勢. 故王公, 不致敬盡禮, 則不得見之, 見且猶不得, 而況得而臣之乎.]"라고 하였다.

以祉元吉, 中以行願也.

복을 얻고 크게 길한 것은 중도를 가지고 원하는 것을 시행했기 때문이다.

程傳

所以能獲祉福且元吉者, 由其以中道合而行其志願也. 有中德, 所以能任剛中之賢, 所聽從者, 皆其志願也. 非其所欲, 能從之乎!

복을 얻고 크게 길할 수 있는 까닭은 중도(中道)로 화합하여 원하는 뜻을 행했기 때문이다. 알맞은 덕을 지니고 있으면 굳세고 알맞은 덕을 가진 현자에게 일을 위임할 수 있지만 그가 듣고 따르는 바는 모두 그의 뜻이 원하는 것이다. 원하지 않는 것을 따를 수 있겠는가?

集說

● 王氏宗傳曰 : "中以行願, 謂以柔中之德, 而行此志願以合乎下, 故能受其祉福且元吉也. 所謂上下交而其志同如此."[11]

왕종전(王宗傳)이 말했다. "중도로 원하는 것을 행한다는 말은 부드럽고 알맞은 덕으로 뜻이 원하는 것을 행하여 아래와 합하는 일

11) 왕종전(王宗傳), 『동계역전(童溪易傳)』 권7.

이므로 그 복과 큰 길함을 얻을 수 있다. 위와 아래가 교제하여 그 뜻이 같음이 이와 같다는 말이다."

城復於隍, 其命亂也.

성이 옛 터로 돌아간 것은 그 명령이 분란을 일으키는 일이다.

本義

命亂故復否, 告命所以治之也.

명령이 혼란하기 때문에 비(否)로 돌아가는 것이니, 고명(告命)은 이를 다스리는 것이다.

程傳

城復於隍矣, 雖其命之亂, 不可止也.

성이 다시 옛 터로 돌아왔으니, 그 명령이 분란을 일으키더라도 그 혼란된 상황을 그칠 수가 없다.

12. 비否䷋괘

天地不交, 否, 君子以儉德辟難, 不可榮以祿.

하늘과 땅이 교제하지 않는 것이 비괘이니, 군자가 검소한 덕으로 재난을 피하고 녹봉으로 영화를 누리지도 않는다.

本義

收斂其德, 不形於外, 以辟小人之難, 人不得以祿位榮之.

그 덕을 수렴하여 겉으로 드러내지 않아 소인들의 재난을 피하니 사람이 녹봉과 작위로만 영화로울 수는 없다.

程傳

天地不相交通, 故爲否. 否塞之時, 君子道消, 當觀否塞之象, 而以儉損其德, 辟免禍難, 不可榮居祿位也. 否者小人得志之時, 君子居顯榮之地, 禍患必及其身, 故宜晦處窮約也.

하늘과 땅이 서로 교류하여 소통하지 않으므로 정체가 된다. 정체되고 막힌 때 군자의 도는 줄어드니, 정체되고 막힌 모습을 보고 군자는 그 덕을 수렴하고 드러내지 않아 재앙과 환난을 피해야 하지, 녹봉과 지위를 차지하여 영화를 누려서는 안 된다. 정체의 시기에는 소인들이 득세하는 때이므로 군자가 드러나고 영화로운 곳에 있으면 재난과 근심이 반드시 자신에게 미치게 되므로, 마땅히 자신을 감추고 궁핍하고 검약하게 지내야 한다.

拔茅貞吉, 志在君也.

떠풀을 뽑는 일이 곧으면 좋다는 것은 뜻이 임금에게 있다는 말이다.

本義

小人而變爲君子, 則能以愛君爲念, 而不計其私矣.

소인이 변하여 군자가 되면 군주를 아끼는 것을 생각하여 그 사사로움은 계산하지 않을 수 있다.

程傳

爻以六自守於下, 明君子處下之道, 「象」復推明以象君子之心. 君子固守其節以處下者, 非樂於不進獨善也, 以其道方否不可進, 故安之耳, 心固未嘗不在天下也. 其志常在得君而進, 以康濟天下, 故曰"志在君也".

효사(爻辭)는 초육효가 아래 위치에서 지키는 것으로 군자가 아래 위치에 처하는 도리를 밝혔고 「상전」에서는 다시 군자의 마음을 미루어 밝혀 그 마음을 형상화했다. 군자가 그 절도를 굳게 지키면서 아래 위치에 처하는 것은 나아가지 않고 홀로 착함을 지키는 것을 즐거워함이 아니라 도가 막히고 정체되어 나아갈 수 없기 때문에 그 운명에 마음을 편안히 할 뿐이지, 그 마음은 세상을 향해 있지 않았던 적이 없다. 그 뜻은 항상 군주를 얻어 나아가 세상을 편안하게 하고 혼란을 구제하려는 데 있으므로 "그 뜻이 군주에게 있다"고 했다.

集說

● 王氏弼曰:"志在於君, 故不苟進."

왕필이 말했다. "뜻이 군주에게 있기 때문에 구차하게 나아가지 않는다."

● 胡氏瑗曰:"君子之志未嘗不在致君澤民也. 雖當此否塞之時, 引退守正, 不苟務其進, 俟時而後動者, 亦志在致君澤民而已."

호원이 말했다. "군자의 뜻은 군주에게 나아가 백성에게 혜택을 주는 것에 있지 않은 적이 없다. 이 막힌 때에 물러나 올바름을 지키고 그 나아감을 구차하게 힘쓰지 않고 때를 기다린 후에 움직이는 것은 또한 뜻이 군주에게 나아가 백성에게 혜택을 주려는 데 있을 뿐이다."

● 郭氏雍曰:"先人曰, '先大夫有言, 居廟堂之高, 則憂其民, 處江湖之遠, 則憂其君'. 蓋泰言志在外, 否言志在君之意也. 卦象以內爲小人, 而爻以初爲君子, 伊川所謂隨時取義, 變動無常也. 志在君者, 君子儉德辟難, 豈忘君者哉, 君臣之義, 如之何其廢之, 故荷條之徒, 聖人無取焉."[1)]

곽옹(郭雍)[2]이 말했다. "선인이 '이전 대부들에게 내려오는 말이 있으니, 높은 묘당에 자리해서는 백성을 근심하고 멀리 강호에 있을 때는 군주를 근심한다'고 했다. 태(泰)괘에서는 뜻이 밖에 있다[3]고 했고 비(否)괘에서는 뜻이 군주에게 있다는 뜻을 말한다. 괘상에서 안은 소인이고 효는 초효가 군자이다. 이천이 말하는 때에 따라 뜻을 취하여 변하고 움직임에 일정함이 없다. 뜻은 군주에게 있다는 것은 군자는 덕을 수렴하여 재난을 피하지만 어찌 군주를 잊겠는가, 군주와 신하의 의리를 어떻게 폐하겠는가? 그러므로 지팡이로 대바구니를 멘 장인[4]의 무리들을 성인은 취하지 않았다."

1) 곽옹(郭雍), 『곽씨전가역설(郭氏傳家易說)』 권4.
2) 곽옹(郭雍, 1091~1187) : 자는 자화(子和)이고, 호는 백운선생(白雲先生)이다. 남송 낙양(洛陽 : 현 하남성 낙양시) 사람이다. 정이(程頤)의 제자인 곽충효(郭忠孝)의 둘째 아들로 가학을 계승했다. 벼슬길에 나아가지 않고 평생 섬주(陝州) 장양산(長楊山)에 은거하면서 역학과 의학에 정통했다고 한다. 『주역(周易)』에 대해서는 정이(程頤)의 학설을 계승·발전시켰다. 저서에 『곽씨진가역설(郭氏傳家易說)』, 『괘시지요(卦辭指要)』, 『시괘변의(蓍卦辨疑)』 등이 있고, 순희(淳熙) 초에 학자들이 곽씨 두 부자와 이정(二程), 장재(張載), 유초(游酢), 양시(楊時) 등 칠가(七家)의 설을 모아 『대역수언(大易粹言)』을 편집했다.
3) 『주역』「태괘」 : "「상전」에서 말했다. 띠 뿌리가 함께 뽑혀져 가니 길한 것은 뜻이 나아가는 데에 있기 때문이다.[象曰, 拔茅征吉, 志在外也.]"라고 하였다.
4) 『논어』「미자」 : "자로(子路)가 따라가다가 뒤에 처져 있었는데, 지팡이로 대바구니를 멘 장인(丈人)을 만나, 자로가 물었다. '노인은 우리 공자를 보았습니까?' 장인이 말했다. '사지를 부지런히 하지 않고 오곡을 분별하지 못하니, 누구를 공자라 하는가?' 지팡이를 꽂아놓고 김을 매었다. 자로가 손을 마주잡고 서 있었다. 자로를 머물러 자게 하고는 닭을 잡고 기장밥을 지어 먹이고 그의 두 아들을 뵙게 하였다. 다음날 자로가 떠나와서 공자께 아뢰니, 공자가 말했다. '은자이다.' 자로에게 돌아가 만나보

● 王氏宗傳曰 : "時方否塞, 故以彙守正於下. 若反否而爲泰, 則亦如初九之以彙征矣. 故初九之「象」曰志在外, 初六之「象」曰志在君. 以言行止雖系於時, 而君子之志於君, 亦無往而不在也."

왕종전(王宗傳)[5]이 말했다. "때는 바야흐로 막히므로 무리들과 함께 아래에서 올바름을 지킨다. 막힌 것이 바뀌어 태평한 때가 되면 또한 태(泰)괘의 초구효에서 말한 것처럼 무리들과 함께 간다. 그러므로 태괘 초구효의 「상전」에서는 뜻이 밖에 있다고 했고 비괘 초육효의 「상전」에서는 그 뜻이 군주에 있다고 했다. 언행(言行)은 단지 때에 걸려 있으니 군자의 뜻이 군주에 있는 것 또한 어디에 간들 없겠는가?"

게 하시었는데, 도착해 보니 떠나가고 없었다. 자로가 말하였다. '벼슬하지 않는 것은 의(義)가 없으니, 장유(長幼)의 예절(禮節)을 폐할 수 없거늘 군신(君臣)의 의(義)를 어떻게 폐할 수 있겠는가? 자기 몸을 깨끗하게 하고자 하여 대륜(大倫)을 어지럽히는 짓이다. 군자가 벼슬하는 것은 그 의(義)를 행하는 것이니, 도가 행하여지지 못할 것은 이미 알고 계시다. [子路從而後, 遇丈人, 以杖荷蓧. 子路問曰, "子見夫子乎?" 丈人曰, "四體不勤, 五穀不分. 孰爲夫子?" 植其杖而芸. 子路拱而立. 止子路宿, 殺雞爲黍而食之, 見其二子焉. 明日, 子路行以告. 子曰, "隱者也." 使子路反見之. 至則行矣. 子路曰, "不仕無義. 長幼之節, 不可廢也, 君臣之義, 如之何其廢之? 欲絜其身, 而亂大倫. 君子之仕也, 行其義也. 道之不行, 已知之矣.]"라고 말하였다.

5) 왕종전(王宗傳) : 자는 경맹(景孟)이고, 송대 영덕(寧德 : 현 복건성 영덕시) 사람이다. 1181년에 진사에 급제하여 소주교수(韶州教授)를 역임하였다. 왕필의 의리역학을 추종하여 상수역학을 배척하였다. 저서에는 『동계역전(童溪易傳)』이 있다.

案

此爻『本義』主小人說, 故欲其以愛君爲念. 然卦象雖分別大小, 而爻辭則皆系以君子之義, 朱子嘗答陳亮書云, '就其不遇, 獨善其身, 以明大義於天下, 使天下之人, 皆知道義之正而守之, 以待上之使令. 是亦所以報不報之恩, 豈必進爲而撫世哉!', 正此『象傳』之意也.

이 효는『주역본의』에서 소인들을 중심으로 말했으므로 그들이 군주를 아끼는 것을 생각하게 하려 했다. 그러나 괘상에서 크고 작은 것을 분별했지만 효사는 모두 군자의 뜻으로 연결시켰다. 주자가 일찍이 진량(陳亮)[6]에게 답한 편지에서 '불우한 때를 만나 홀로 그 몸을 착함으로 수양하여 천하에 대의(大義)를 밝혀 천하 사람들이 모두 대의의 올바름을 알게 하여 지켜서 위 사람의 명령을 기다리는 일이다. 이것이 또한 보답하지 못한 은혜를 보답하는 일이니 어찌 반드시 나아가 세상을 어루만지겠는가?'[7] 이것이「상전」의 뜻이다.

6) 진량(陳亮, 1143~1194) : 자는 동보(同甫)·동보(同父)이고, 호는 용천(龍川)이다. 송대 무주 영강(婺州永康 : 현 절강성 소속) 사람으로 말년에 첨서건강부판관(簽書建康府判官)이 되었으나 1년도 채우지 못하고 죽었다. 여조겸과 벗이었고 여조겸 사후에 비로소 주희와 만났으며, 이후 '왕패논쟁(王霸論爭)'을 비롯하여 상호간에 빈번하게 논변 성격의 편지를 주고받았다. 주희는 진량이 사공(事功)을 중시한다고 생각하여 그를 '의리쌍행(義理雙行)·왕패병용(王霸竝用)'이라는 말로 경계하였다. 저서는『용천문집(龍川文集)』,『용천사(龍川詞)』,『삼국기연(三國紀年)』등이 있다.

7) 주자,『주문공문집(朱文公文集)』권36,「서(書)·답진동포(答陳同甫)」.

大人否亨，不亂群也.

대인은 정체 되지만 형통한다는 것은 군중에게 어지럽혀지지 않는다는 말이다.

本義

言不亂於小人之群.

소인의 무리에서 혼란하지 않다는 말이다.

程傳

大人於否之時守其正節，不雜亂於小人之群類，身雖否而道之亨也，故曰"否亨". 不以道而身亨，乃道之否也，不云君子而云大人，能如是則其道大也.

대인이 정체되어 막히는 때 자신의 올바른 절도를 지켜 소인들의 무리들과 혼잡하게 섞이지 않으니 몸은 비록 막히고 정체되지만 도는 형통한 것이므로 "정체되지만 형통하다"고 했다. 그러나 정도(正道)로 행하지 않고 단지 몸만 형통한 것은 그 도가 막힌다는 말이다. 군자라 말하지 않고 대인이라 말한 것은 이렇게 할 수 있다면 그 도가 크기 때문이다.

集說

● 王氏宗傳曰 : "六二當上下不交之時, 五雖正應, 無由而通. 包承, 小人之常態也. 乃若大人, 則不以非道求合, 身雖否而道亨, 又豈務爲包承之事, 以雜亂於群流之中而不自知耶."

왕종전(王宗傳)이 말했다. "육이효는 위와 아래가 교제하지 않은 때 구오효와 올바르게 호응하는 관계이지만 연유하여 통할 길이 없다. 포용하여 받드는 것은 소인의 항상된 상태이다. 대인이라면 도가 아닌 것으로 군주와의 화합을 구하지 않고, 몸은 막혔어도 도는 형통하니 어찌 포용하여 받드는 일에 힘써 무리들의 시류 속에 어지러이 섞여 스스로 알지 못하겠는가?"

包羞, 位不當也.

부끄러움을 품고 있는 것은 지위가 합당하지 않는다는 말이다.

程傳

陰柔居否, 而不中不正, 所爲可羞者處不當故也, 處不當位, 所爲不以道也.

음의 부드러운 자질로 정체되는 때에 자리하여 중도(中道)를 이루지 못하고 올바르지도 못하여 하는 일들이 부끄러울 정도인 것은 합당하지 않은 지위에 처했기 때문이다. 합당하지 않은 지위에 처하면 하는 일이 모두 도를 따르지 않는다.

集說

● 王氏弼曰 : "用小道以承其上, 而位不當, 所以包羞也."

왕필이 말했다. "작은 도를 사용하여 윗사람을 받들어 지위가 합당하지 않으므로 부끄러움을 품는다."

有命無咎, 志行也.

명령이 있고 허물이 없어 뜻이 실행된다.

程傳

有君命則得無咎, 乃可以濟否, 其志得行也.

군주의 명령이 있으면 허물이 없으니, 정체되어 막히는 때를 구제할 수 있고 그 뜻이 시행될 수 있다.

大人之吉, 位正當也.

대인의 길함은 자리가 바르고 마땅하다는 말이다.

程傳

有大人之德, 而得至尊之正位, 故能休天下之否, 是以吉也. 無其位, 則雖有其道, 將何爲乎, 故聖人之位, 謂之大寶.

대인의 덕을 가지고 있으면서 지극히 존귀한 올바른 지위를 얻었으므로 천하가 막히는 때를 그치게 할 수 있고 그래서 길하다. 그 지위가 없다면 아무리 도를 가지고 있더라도 무엇을 할 수 있겠는가? 그래서 성인의 지위는 큰 보배라고 한다.[8)]

8) 성인의 지위는 큰 보배라고 한다: 『역』「계사하」, "천지의 큰 덕은 낳는 것[生]이라 하고, 성인의 큰 보배는 지위[位]라 한다. 어떻게 지위를 지키는가? 인(仁)이다. 어떻게 사람을 모으는가? 재물이다. 재물을 다스리고 말을 바르게 하고 백성이 그릇된 것을 행하는 것을 금하는 것을 의(義)라 한다.[天地之大德曰生, 聖人之大寶曰位. 何以守位? 曰仁. 何以聚人? 曰財. 理財正辭禁民爲非曰義.]"라고 하였다.

否終則傾, 何可長也.

정체되어 막힘이 끝나면 기울어지니, 어찌 오래 갈 수 있겠는가?

程傳

否終則必傾, 豈有長否之理, 極而必反, 理之常也, 然反危爲安, 易亂爲治, 必有剛陽之才而後能也. 故否之上九, 則能傾否, 屯之上六, 則不能變屯也.

막힘의 때가 끝나면 반드시 기울어지니 어찌 오래도록 정체되어 막힌 때가 지속될 이치가 있겠는가? 극한에 이르면 반드시 되돌아오는 것이 이치의 상도이다. 그러나 위태로움을 돌이켜 안정시키고 혼란을 바꿔 질서를 유지하는 일은 반드시 굳센 양의 재능을 가진 사람이 있어야만 가능하다. 그러므로 비(否)괘의 상구효는 정체되어 막힌 때를 기울게 만들 수 있지만 준(屯)괘의 상육효는 혼돈의 때를 변화시킬 수가 없다.

集說

何氏楷曰 : "'則'字要歸到人事, 謂否極則當思所以傾之, 何可使長否也? 正責成於人之意."

하해(何楷)가 말했다. "'즉(則 : ~면)자는 사람의 일로 귀결되니 막힘이 궁극에 이르면 마땅히 기울어지게 되는 이유를 생각해야 하니, 어찌 오래도록 막히게 할 수 있겠는가? 바로 책임이 사람에서 이루어진다는 뜻이다.

13. 동인同人䷌괘

天與火, 同人, 君子以類族辨物.

하늘과 불이 동인괘의 모습이니, 군자는 이것을 본받아 같은 무리를 분류하여 사물을 변별한다.

本義

天在上而火炎上, 其性同也. 類族辨物, 所以審異而致同也.

하늘이 위에 있고 불꽃이 타 올라가니, 그 성질이 같다. 무리를 분류하고 사물을 변별함은 다른 것을 살펴 똑같게 만드는 일이다.

程傳

不云火在天下, 天下有火, 而云天與火者, 天在上, 火性炎上, 火與天同, 故爲同人之義. 君子觀同人之象, 而以類族辨物, 各以其類族, 辨物之同異也. 若君子小人之黨, 善惡是非之理, 物情之離合, 事理之異同, 凡異同者, 君子能辨明之, 故處物不失其方也.

불이 하늘 아래에 있다거나, 하늘 아래에 불이 있다고 말하지 않고, 하늘과 불이라고 말한 것은 하늘은 위에 있고 불의 성질은 불타올라 불과 하늘이 함께 하므로 동인(同人)이라는 뜻이 있다.
군자는 이 동인괘의 모습을 보고 같은 무리를 분류하여 사물을 분별하니 각기 그 같은 종류로 사물의 동일한 점과 차이점을 분별한다.[1] 예를 들어 군자와 소인의 당파 차이, 선악·시비의 이치, 사물의 정(情)이 분리되고 합치되는 것, 사리(事理)의 차이점과 동일한 점 같은 것을 말하니 차이점과 동일한 점을 군자가 분명하게 분별하므로 어떤 일이든 대처하는 데 그 방도를 잃지 않는다.

1) 사물의 동일한 점과 차이점을 분별한다 : 호원은 다소 정치적인 측면을 드러내고 있다. "그 무리를 분류하고, 그 사물을 분별한다. 무리란 붕당이고, 사물이란 사물의 성질이다. 붕당을 분별해서 각각 그 파벌에 따라 행동하고, 그 사물의 성질을 분명하게 분멸하여 각각 그 마땅한 자리에 있게 하니, 선한 자는 선한 자와 연대하고, 불선한 자는 불선한 자와 연대하며, 군자는 군자와 도를 함께 하고 소인은 소인과 도를 함께 한다. 이것이 천하를 분명하게 각각 그 같음을 얻게 하는 것이다.[類其族, 辨其物. 族卽族黨也, 物卽物性也. 言其分別族黨, 使各以其類, 明辨其物性, 使各得其所, 善者同于善, 不善者同于不善, 君子則與君子同道, 小人則與小人同道, 是類別天下使各得其同也.]"라고 하였다. 정이천은 오히려 이런 붕당에 따라 움직이는 파벌적인 정치보다는 공명정대하고 공평무사한 공심(公心)에 따라 연대하는 것을 강조하고 있다. 그래서 사물의 같은 점과 차이점을 동시에 분별하라고 말하고 있는 것이다.

集說

● 虞氏翻曰:“方以類聚, 物以群分, 君子和而不同, 故於同人以類族辨物也.”

우번(虞翻)[2]이 말했다. “'방향은 무리로 모이고 사물은 무리로 나누어지는데'[3] 군자는 조화하면서도 동일하지 않으므로 동인괘에서 무리로 분류하여 사물을 변별한다.”

● 『朱子語類』云:“類族, 是就人上說, 辨物, 是就物上說. 天下有不可皆同之理, 故隨它頭項去分別.”[4]

『주자어류』에서 말했다. “무리를 분류한다는 것은 사람을 기준으로 말하였고 사물을 분별하는 것은 사물을 기준으로 말한 것이다. 천하에는 모두 동일한 이치가 있을 수 없으므로 그 항목에 따라 분별했다.”

---

2) 우번(虞翻, 164~233): 중국 후한 말기~삼국시대의 인물로, 자는 중상(仲翔)이며 양주(楊州) 회계군(會稽郡) 여요현(餘姚縣) 출신이다. 『역경(易經)』에 밝은 학자이다.

3) 『주역』「계사상」: “하늘은 높고 땅은 낮으니 건(乾)과 곤(坤)이 정해지고, 낮은 것과 높은 것이 진열되니 귀함과 천함이 자리하고, 움직임과 고요함에 상도가 있으니 강(剛)과 유(柔)가 결단되고, 방향은 무리로 모아지고 사물은 무리로써 나누어지니 길함과 흉함이 생기고, 하늘에 있어서는 상(象)이 이루어지고 땅에 있어서는 형체(形體)가 이루어지니 변(變)·화(化)가 나타난다.[天尊地卑, 乾坤定矣, 卑高以陳, 貴賤位矣, 動靜有常, 剛柔斷矣, 方以類聚, 物以群分, 吉凶生矣, 在天成象, 在地成形, 變化見矣.]”라고 하였다.

4) 『주자어류』 70권, 137조목.

出門同人, 又誰咎也.

문을 나가 동지와 연대하는 것을 또 누가 허물하겠는가?

程傳

出門同人於外, 是其所同者廣, 無所偏私. 人之同也, 有厚薄親疏之異, 過咎所由生也, 旣無所偏黨, 誰其咎之.

문을 나가 밖에 있는 사람들과 함께 하니 그 함께함이 폭넓어 치우치고 사사로운 점이 없다. 사람들이 함께 하는 데 두텁거나 얇고 친하거나 소원한 차이가 있으면, 허물이 이로 말미암아 생기니 치우친 당파가 없다면 누가 허물하겠는가?

集說

● 林氏希元曰 : "出門同人, 是解同人於門, 明於門爲出門也. 言出門外去同人, 無私系而能同人者也. 內不失己, 外不失人, 又誰得而咎之."[5)]

임희원(林希元)[6)]이 말했다. "문을 나가 사람들과 함께 한다는 것은

5) 임희원(林希元), 『역경존의(易經存疑)』 권3.

6) 임희원(林希元, 1481~1565) : 명(明)대 동안 신점(同安新店) 사람으로, 자는 무정(茂貞)이고 호는 차애(次崖)이다. 명(明) 정덕(正德)11년

문에서 사람들과 함께 한다는 것을 풀이한 말이니 문에서는 문을 나가는 것이 분명하다. 문 밖으로 나가 사람들과 함께 하니 사사롭게 얽매이지 않고 사람들과 함께 할 수 있다. 안으로는 자기를 잃지 않고 밖으로는 사람을 잃지 않으니 또 누가 허물할 수 있겠는가?"

● 何氏楷曰 : "同人於門, 『傳』以出門同人釋之, 加一'出'字而意愈明."[7]

하해(何楷)[8]가 말했다. "문에서 사람과 함께 하는 것을 『정전』에서는 문을 나가 사람들과 함께 한다고 해석하여 '나간다'는 한 글자를 덧붙여 의미가 더욱 분명하다."

(1516)에 진사에 급제하여 남경대리사평사(南京大理寺評事), 광서사주판관(廣西泗州判官), 흠주지주(欽州知州) 등을 역임했다. 학문으로는 정주학과 채청(蔡清)의 『역경몽인(易經蒙引)』을 중시했다. 특히 『주역』을 다른 경전에 비해 극히 높게 평가하여, 오경 가운데 『역경』을 뺀 나머지는 강물과 같고 『역경』은 바다와 같다고 했다. 저술로는 『역경존의(易經存疑)』, 『사서존의(四書存疑)』, 『임차애선생문집(林次崖先生文集)』 등이 있다.

7) 하해(何楷), 『고주역정고(古周易訂詁)』 권2.

8) 하해(何楷) : 자는 현자(玄子)이고 호는 황여(黃如)이다. 명말청초 때 장주 진해위(漳州鎭海衛 : 현 복건성 용해시〈龍海市〉) 사람이다. 천계(天啓) 5년(1625)에 진사에 급제하여 벼슬은 호부주사(戶部主事), 공과급사중(工科給事中), 호부상서(戶部尙書) 등을 역임했다. 직언과 직간으로 유명했는데, 말년에 정성공(鄭成功)의 부친인 정지룡(鄭芝龍)과 뜻이 어긋나서 사직하고 귀향했다. 저서에는 『고주역정고(古周易訂詁)』, 『시경세본고의(詩經世本古義)』 등이 있다.

同人於宗, 吝道也.

집안 사람끼리 함께 하는 것은 인색한 도이다.

程傳

諸卦以中正相應爲善, 而在同人則爲可吝, 故五不取君義. 蓋私比非人君之道, 相同以私, 爲可吝也.

다른 괘에서는 중정(中正)으로 서로 호응하면 좋은 일인데 동인괘에서는 인색할 만한 것이 되므로 구오효에서는 군주의 뜻을 취하지 않았다. 왜냐하면 사사롭게 친밀한 관계를 맺는 것은 군주의 도리가 아니니, 서로 사사로움으로 함께 하는 것은 인색할 만하기 때문이다.

集說

● 姜氏寶曰 : "必出門然後無咎, 若於宗, 則門內之人而已, 此所以吝也."

강보(姜寶)가 말했다. "반드시 문을 나온 뒤에 허물이 없다. 집안에서라면 문 안의 사람일 뿐이니 이것이 인색한 이유이다."

案

凡『易』例, 九五六二雖正應, 然於六二每有戒辭, 比之不自失,萃之志未變是也. 在同人之卦, 其應尤專, 故曰"吝道". 言若同於情之專, 而不同於理之正, 則其道可吝, 亦因占設戒之辭爾, 非與卦義異也. 但在卦則通言應衆陽, 而不專指九五之應, 在爻則偏言與五位相應, 而因以發大公之義, 各不相悖.

『역』의 범례는 구오효와 육이효가 비록 올바르게 호응하는 관계이더라도 육이효에 매번 경계의 말이 있으니 비(比䷇)괘의 '스스로 잃지 않았다'[9]와 췌(萃䷬)괘의 '뜻이 아직 변하지 않았다'[10]는 말이 이것이다. 동인괘에서는 그 호응이 더욱 전일하므로 인색한 도라고 했다. 만약 감정의 전일함은 같은데 이치의 올바름이 다르다면 그 도는 인색하니 또한 점을 통해 경계를 세운 말일 뿐이지 괘의 뜻과는 다르다. 단지 괘에서는 여러 양과 호응하는 것을 통체적으로 말했지 구오와의 호응을 오로지 가리키지는 않았고 효사에서는 오의 자리와 서로 호응하는 것을 치우쳐 말해 대공(大公)의 뜻을 드러냈으니 각각 서로 어긋나지 않는다.

9) 『주역』「비괘」: "「상전」에 말하였다. 친밀한 협력을 스스로 선택한 것은 스스로 지조를 잃지 않은 것이다.[象曰, 比之自內, 不自失也.]"라고 하였다.

10) 『주역』「췌괘」: "「상전」에 말하였다. 끌어당기면 길하여 허물이 없는 것은 중도(中道)로 성급하게 변하지 않았기 때문이다.[象曰, 引吉无咎, 中未變也.]"라고 하였다. 『주역절중』에서는 '지미변(志未變)'인데 췌(萃)괘에서는 '중미변'(中未變)이다.

伏戎於莽, 敵剛也, 三歲不興, 安行也.

병사를 숲속에 감춘 것은 적이 강하기 때문이고, 삼년 동안 흥하지 못했으니 어떻게 행하겠는가?

本義

言不能行.

행할 수 없다는 말이다.

程傳

所敵者五, 旣剛且正, 其可奪乎? 故畏憚伏藏也, 至於三歲不興矣, 終安能行乎?

대적하는 것은 구오효인데 굳세고 또 올바르니 어찌 빼앗을 수 있겠는가? 그러므로 두려워하고 분노하면서 마음속에 감추고 있다. 3년 동안 실행하지 못하는 지경에 이르니, 결국 어떻게 행할 수 있겠는가?

案

敵者, 應也, 若艮言敵應, 中孚言得敵, 皆謂應爻也.

적이란 호응하는 것이니 간(艮)괘의 '맞서 호응한다'[11]와 중부(中孚)괘의 '적을 얻다'[12]와 같으니 모두 호응하는 효를 말한다.

乘其墉, 義弗克也. 其吉, 則困而反則也.

담장에 올라간 것은 의리상 공격할 수 없기 때문이고 길함은 곤란하여 규범으로 돌아왔기 때문이다.

本義

乘其墉矣, 則非其力之不足也, 特以義之弗克而不攻耳, 能以義斷, 困而反於法則, 故吉也.

담장에 올라갔으면 힘이 부족한 것이 아니고 다만 의리상 이기지 못해 공격하지 않았을 뿐이다. 의리로 결단하여 곤란해서 규범으로 돌아오므로 길하다.

程傳

所以乘其墉而弗克攻之者, 以其義之弗克也. 以邪攻正, 義不

---

11) 『주역』「간괘」「단전」: “그쳐야할 곳에서 멈춤은 제자리에 멈추기 때문이다. 위와 아래가 맞서 호응하여, 서로 간여하지 않기 때문이다. 이 때문에 몸을 가지지 못하며, 뜰에 가면서도 사람을 보지 못하여, 허물이 없는 것이다.[艮其止, 止其所也. 上下敵應, 不相與也. 是以不獲其身, 行其庭不見其人, 无咎也.]”라고 하였다.

12) 『주역』「중부괘」: “육삼효는 적(敵)을 얻어 어떤 때는 북을 치고, 어떤 때는 그만두며, 어떤 때는 울고, 어떤 때는 노래한다.[六三, 得敵, 或鼓, 或罷, 或泣, 或歌.]”라고 하였다.

勝也, 其所以得吉者, 由其義不勝, 困窮而反於法則也. 二者, 衆陽所同欲也, 獨三四有爭奪之義者, 二爻居二五之間也, 初終遠, 故取義別.

담장에 올라갔는데도 공격할 수 없었던 것은 그 의리 상 공격할 수 없었기 때문이다. 사특함이 올바름을 공격하는 것은 의리 상 이길 수 없다. 길함을 얻는 것은 의리 상 이길 수 없으므로 곤궁해져 규범으로 돌아오기 때문이다. 육이효는 모든 양효가 함께 하고 싶어 하는 사람이다. 오직 구삼효와 구사효만이 쟁탈의 뜻이 있는 것은 이 두 효가 육이효와 구오효 사이에 있기 때문이니, 초효와 마지막 상효는 멀기 때문에 그 뜻을 취함이 구별된다.

同人之先, 以中直也. 大師相遇, 言相克也.

함께 함에서 먼저 울부짖음은 곧기 때문이고, 큰 군사로 이겨야 서로 만나는 것은 결국에 이길 수 있다는 말이다.

本義

'直'謂理直.

'직(直)'이란 이치가 곧은 것이다.

程傳

先所以號咷者, 以中誠理直, 故不勝其忿切而然也. 雖其敵剛強, 至用大師, 然義直理勝, 終能克之, 故言能相克也. 相克, 謂能勝, 見二陽之強也.

먼저 울부짖는 이유는 마음이 진실하고 이치가 곧기 때문에 분함과 절박함을 이기지 못해 그런 것이다. 그 상대가 매우 굳세어 큰 군사를 동원하지만 의리가 곧고 이치가 우세하여 결국에는 이길 수 있으므로 이길 수 있다고 했다. '상극'이란 이길 수 있다는 말이니, 두 양효의 강함을 드러냈다.

集說

● 董氏銖曰 : "雖大師相克, 而後相遇, 亦以義理之同, 物終不得而間之故也."

동수(董銖)[13]가 말했다. "큰 군사로 이긴 뒤에 서로 만나지만 또한 의리의 같음으로 사물은 결국 벌어지지 않을 수 있기 때문이다."

案

『易』凡言號者, 皆寫心抒誠之謂, 故曰中直, 言至誠積於中也. 當同人之時, 二五正應, 必以相克而後相遇者, 因外卦以反異歸同取象, 無它旁取也.

『역』에서 울부짖는다고 말한 것은 모두 마음의 진실함이 펼쳐진 것을 말하므로 마음이 곧다고 했으니 지극히 성실함이 마음속에 쌓인 것을 말한다. 사람들과 함께 할 때 이효와 오효는 올바르게 호응하지만 반드시 이겨낸 뒤에 서로 만나니 외괘(外卦)로 인하여 다름에서 돌이켜 같음으로 복귀하는 것을 상으로 취하여 다른 뜻을 취한 것이 없다.

13) 동수(董銖, 1152~1214) : 자는 숙중(叔重)이고, 학자들에게 반간(槃澗) 선생이라 불렸다. 요주 덕흥(饒州德興 : 현 강서성 소속) 사람으로 가정(嘉定)연간에 진사에 급제하여 벼슬은 무주 금화현위(婺州 金華縣尉)를 역임하였다. 처음에는 정순(程洵)에게 배우다가 주희의 문인이 되어 주희에게 깊이 신임을 얻었다. 심지어 학자들이 찾아오면 먼저 동수와 논변을 하게 하고 주희가 나중에 그것을 절충할 정도였다. 덕흥에서 강학을 하고 반간서원(槃澗書院)을 세웠다. 저술은 『성리주해(性理注解)』, 『역서주(易書注)』 등이 있다.

同人於郊, 志未得也.

사람을 교외에서 만남은 아직 뜻을 얻지 못했다는 말이다.

程傳

居遠莫同, 故終无所悔. 然而在同人之道, 求同之志不得遂, 雖无悔, 非善處也.

먼 곳에 자리하여 함께 하는 사람이 없기 때문에 결국 후회는 없다. 그러나 사람들과 함께 하는 도리에서 함께 하는 뜻을 이루지 못했기 때문에 후회는 없을지라도 최선의 처신은 아니다.

集說

● 蔡氏淵曰 : "未及乎野, 非盡乎大同之道者也, 故曰志未得."

채연(蔡淵)[14]이 말했다. "들판을 언급하지 않은 것은 크게 함께 하는 도를 다하지 않았으므로 뜻을 얻지 못했다고 했다."

14) 채연(蔡淵, 1156~1236) : 자는 백정(伯靜)이고, 호는 절재(節齋)이다. 송대 건양(建陽 : 현 복건성 건양) 사람으로 채원정의 맏아들이다. 부친의 뜻을 이어 주경야독하여, 특히 『역』에 조예가 깊었고 그에 관한 저술이 많다. 저서는 『주역훈해(周易訓解)』, 『역상의언(易象意言)』, 『괘효사지(卦爻辭旨)』 등이 있다.

案

卦外有野象，於野曰亨，而此爻但曰無悔，則知郊去野猶一間，而大同之志未得也. 孔子可謂善讀周公之文矣.

괘 바깥에 들판의 상이 있으니 들판에서 형통하지만 이 효에서는 후회는 없다고 말했으니 교외와 들판의 차이는 오히려 하나의 틈과 같고 크게 함께 하는 뜻은 얻지 못했음을 알 수 있다. 공자는 주공(周公)의 글을 잘 읽었다고 할 수 있다.

14. 대유大有䷍괘

> **火在天上, 大有. 君子以遏惡揚善, 順天休命.**
> 불이 하늘 위에 있는 것이 대유괘의 모습이니, 군자는 이를 본받아 악을 막고 선을 드날려, 하늘의 아름다운 명을 따른다.

本義

火在天上, 所照者廣, 爲大有之象. 所有旣大, 無以治之, 則釁蘖萌於其間矣. 天命有善而無惡, 故遏惡揚善, 所以順天, 反之於身, 亦若是而已矣.

불이 하늘 위에 있어 비추는 바가 넓으니, 대유(大有)의 모습이다. 소유한 것이 이미 큰데 다스림이 없으면 재앙이 그 사이에서 싹튼다. 천명(天命)은 선만 있고 악이 없으므로 악을 막고 선을 드날림이 하늘을 순종하는 것이니, 자신에게 돌이킬 때도 또한 이와 같을 뿐이다.

程傳

火高在天上, 照見萬物之衆多, 故爲大有. 大有, 繁庶之義. 君子觀大有之象, 以遏絶衆惡, 揚明善類, 以奉順天休美之命. 萬物衆多, 則有善惡之殊. 君子享大有之盛, 當代天工, 治養庶類. 治衆之道, 在遏惡揚善而已. 惡懲善勸, 所以順天命而安群生也.

불이 높이 하늘 위에서 다양한 만물을 비춰 드러내므로 대유가 된다. 대유는 많다는 뜻이다. 군자는 대유괘의 모습을 관찰하여 여러 악을 막아 없애고 선한 종류를 밝혀 하늘의 아름다운 명령을 받들어 따른다. 만물이 다양하니 선함과 악함의 차이가 있다. 군자는 대유의 풍성함을 향유하되, 하늘의 일[天工][1]을 대신하여 여러 부류들을 다스리고 길러야 한다. 사람을 다스리는 방식은 악함을 막고 선함을 드날리는 데 달려 있을 뿐이다. 악을 징계하고 선을 권면하는 것은 천명을 따라 여러 생명을 편안하게 하는 일이다.

集說

● 王氏弼曰 : "大有, 包容之象也. 故遏惡揚善, 成物之美, 順夫天德休物之命."[2]

1) 하늘의 일[天工] : 하늘의 직임을 말한다. 옛날에는 왕이 하늘을 본받아 관직을 세워, 하늘을 대신하여 하늘의 직임을 대행한다고 생각했다. 『서경』「고요모」, "모든 관직을 없애지 말아야 한다. 하늘의 일을 사람이 대신하기 때문이다.[無曠庶官, 天工人其代之.]"라고 하였다.

2) 왕필(王弼), 『주역주(周易註)』 권2.

왕필(王弼)이 말했다. "대유는 포용하는 모습이다. 그러므로 악을 막고 선을 드러내니 사물을 이루는 아름다움이고 천덕의 아름다운 명령을 따르는 것이다."

● 司馬氏光曰 : "火在天上, 明之至也. 至明則善惡無所逃. 善則擧之, 惡則抑之, 慶賞刑威得其當, 然後能保有四方, 所以順天休命也."[3]

사마광(司馬光)이 말했다. "불이 하늘 위에 있으니 밝음의 지극함이다. 지극히 밝으면 선과 악이 도망갈 수 없다. 선하면 드러내고 악하면 억누르니 기쁜 상과 형벌의 위엄이 마땅함을 얻은 뒤에 사방을 보위할 수 있으니 하늘의 아름다운 명을 따르는 것이다."

● 楊氏萬里曰 : "天討有罪, 吾遏之以天, 天命有德, 吾揚之以天, 吾何與焉? 此舜禹有天下而不與也, 故曰順天休命. 同人離在下, 而權不敢專, 故止於類而辨, 大有離在上, 而權由己出, 故極於遏而揚."[4]

양만리(楊萬里)[5]가 말했다. "하늘이 죄를 토벌하여 내가 하늘로 그

3) 사마광(司馬光), 『역설(易說)』 권2.

4) 양만리(楊萬里), 『성재역전(誠齋易傳)』 권4.

5) 양만리(楊萬里, 1127~1206) : 양만리는 송나라 길수(吉水) 출신이다. 이름은 만리(萬里)이다. 자는 정수(廷秀). 시호는 문절(文節). 학자로서 성재선생(誠齋先生)이라고 불린다. 소흥(紹興) 때 진사가 되었다. 영릉승(零陵丞)이 되었다. 때마침 영주(永州)에서 귀양살이하는 장준(張浚)에게 정심성의의 학을 공부했다. 양만리는 그의 가르침에 감복하여 책 읽

것을 막고 하늘의 명령에 덕이 있어 내가 하늘로 그것을 드러내니 내가 어찌 간여하겠는가? 이것이 순(舜)·우(禹)가 천하를 소유하되 간여하지 않는 것이므로 하늘의 아름다운 명령을 따른다고 했다. 동인(同人☰)괘는 이(離☲)괘가 아래에 있어서 권한을 감히 전제하지 못하므로 무리짓고 분별하는 데 그치고, 대유(大有☰)괘는 이(離☲)괘가 위에 있어서 권한이 나로부터 나오므로 막고 드러내는 것을 지극히 한다."

는 방을 성재라고 불렀다. 효종 때 국자감박사가 되었고, 보문각대제(寶文閣待制)에서 벼슬을 사양하고 물러났다. 개희(開禧) 2년 보모각(寶謨閣) 학사에 나아갔다. 한탁주(韓胄)의 전참(專僭)에 분개하다 병이 나서 죽었다. 광종(光宗)이 성재라는 두 글자를 써서 내렸다. 시문에 뛰어났다. 저서에 『성재역전(誠齋易傳)』, 『당언(唐言)』, 『성재집(誠齋集)』, 『천려책(千慮策)』, 『성재시화(誠齋詩話)』가 있다.

大有初九, 無交害也.

대유의 초구효는 교접하는 해로움이 없다.

程傳

在大有之初, 克念艱難, 則驕溢之心, 無由生矣, 所以不交涉於害也.

대유의 처음에 있으면서 어려움을 생각할 줄 알면 교만하고 넘치는 마음이 생겨나지 않으니, 해로운 것에 이르지 않는 까닭이다.

集說

● 陸氏振奇曰 : "保終之道, 愼於厥始, 必有克艱於初, 而後有天祐於終, 故初曰大有初九, 上曰大有上吉, 獨本末見大有焉."

육진기(陸振奇)[6]가 말했다. "끝을 보존하는 도는 시작에서 신중하니 반드시 처음을 어렵게 여길 줄 안 뒤 끝에서 하늘의 도움이 있다. 그러므로 초효에서 대유의 초구라고 했고 상효에서 대유는 위에서 길하다고 했으니 오직 근본과 말단의 차원에서 대유를 드러냈다."

6) 육진기(陸振奇) : 자는 용성(庸成)이고 명(明)대 전당(錢塘 : 현 절강성 항주〈杭州〉) 사람이다. 만력(萬曆) 34년(1606)에 거인(擧人)이 되었다. 저서에 『역개(易芥)』가 있다.

● 黃氏淳耀曰 : "無交言者, 以九居初, 是初心未變, 無交故無害也. 若過此而有交, 則有害矣, 安得不愼終如始, 而一以艱處之也."

황순요(黃淳耀)가 말했다. "교접함이 없다는 것은 구가 초에 자리하여 초심이 변하지 않았으니 교접이 없으므로 해로움이 없다. 만약 이것을 넘어서면 교접이 있어 해로움이 있으니 어찌 끝을 처음처럼 신중하게 하여 일관되게 어려운 듯이 대처하지 않을 수 있겠는가?"

大車以載, 積中不敗也.

거대한 수레가 물건을 싣는 것은 수레의 가운데에 실어 무너지지 않는다는 말이다.

程傳

壯大之車, 重積載於其中, 而不損敗, 猶九二材力之強, 能勝大有之任也.

거대한 수레가 무거운 물건을 수레의 가운데에 실어 무너지지 않으니, 마치 구이효의 재능과 역량의 강함이 대유의 임무를 감당할 수 있는 것과 같다.

集說

● 郭氏雍曰 : "道積於中, 無所往而不利, 如大車之不可敗也."[7]

곽옹(郭雍)이 말했다. "도를 가운데 쌓아 가서 이롭지 않음이 없으니 큰 수레가 망가질 수가 없는 것과 같다."

● 吳氏曰愼曰 : "積中不敗, 與『詩』言不輸爾載相似."

7) 곽옹(郭雍), 『곽씨전가역설(郭氏傳家易說)』 권2.

오왈신(吳曰愼)이 말했다. "가운데 쌓아 무너지지 않는 것은 『시경』에서 '너의 짐이 떨어지지 않는다'[8]는 말과 유사하다."

8) 『시경』「소아(小雅) · 절남산지십(節南山之什) · 정월(正月)」: "짐을 지탱하는 덧 막대기를 버리지 아니하고, 수레의 가장자리를 견고히 하고, 자주 자주 네 마부를 돌아보면, 네 짐이 떨어질리 없으리니, 마침내 험한 길을 넘어가기에, 일찍이 예상했던 것보다 쉬워지리라.[無棄爾輔, 員于爾輻, 顧爾僕, 不輸爾載, 終踰絶險, 曾是不意.]"라고 하였다.

公用亨於天子, 小人害也.

공이 자신의 부를 써서 천자를 형통하게 하는 것은 소인들에게는 해롭다.

程傳

公當用亨於天子, 若小人處之, 則爲害也. 自古諸侯能守臣節, 忠順奉上者, 則蕃養其衆, 以爲王之屛翰, 豐殖其財, 以待上之征賦. 若小人處之, 則不知爲臣奉上之道, 以其爲己之私, 民衆財豐, 則反擅其富強, 益爲不順. 是小人大有則爲害, 又大有爲小人之害也.

공은 자신의 부를 써서 천자를 형통하게 하지만 소인이 그런 경우에 처한다면 해롭다고 여긴다. 옛날부터 제후들은 신하의 절도를 지키며 충직하고 순종하면서 윗사람을 받드는 자이니 백성을 번성하게 하여 왕의 울타리로 삼고, 재물을 증식하여 윗사람의 세금 징수에 대비했다. 소인이 처하면 신하가 윗사람을 받드는 도리를 알지 못하고 자신의 사사로운 이익만을 생각하여 백성들이 많고 재물이 풍부하면 도리어 그 부강함을 독차지하여 더욱 불순한 행위를 한다. 이는 소인들이 거대하게 소유하면 세상이 피해를 입을 것이고 또 대유가 소인들의 해로움이 된다.

集說

● 方氏應祥曰:"爻言小人弗克, 「傳」言小人害, 弗克則必至於害矣."

방응상(方應祥)이 말했다. "효에서 소인은 가능하지 않다고 하고 「상전」에서는 소인에게 해롭다고 말했으니, 가능하지 않으면 반드시 해로움이 이른다."

匪其彭, 無咎, 明辨晢也.

지나치게 성대하지 않으면 허물이 없다는 것은 분명하게 분별한 지혜이기 때문이다

本義

晢, 明貌.

석(晢)은 밝은 모양이다.

程傳

能不處其盛而得無咎者, 蓋有明辨之智也. 晢, 明智也. 賢智之人, 明辨物理, 當其方盛, 則知咎之將至, 故能損抑, 不敢至於滿極也.

그 성대함에 처하지 않아 허물이 없을 수 있는 자는 분명하게 분별하는 지혜를 가지고 있기 때문이다. '석(晢)'은 밝은 지혜이다. 지혜로운 사람은 사물의 이치를 분명하게 분별하여 지나치게 성대하게 되면 허물이 이를 수 있다는 점을 알기 때문에 덜어내고 억제하여 함부로 꽉 찬 것에 이르지 않는다.

集說

● 梁氏寅曰："謂之明辨, 而又謂之晳者, 見其明智之極也."

양인(梁寅)[9]이 말했다. "분명하게 분별한다고 말하고 석(晳)이라고 말한 것은 그 밝은 지혜가 지극함을 드러낸 것이다."

---

9) 양인(梁寅, 1309~1390) : 자는 맹경(孟敬)이고, 호는 양오경(梁五經) 또는 석문선생(石門先生)이다. 원말명초 강서 신유(江西新喻 : 현 강서성 신여시〈新餘市〉) 사람으로 대대로 농사를 지어 가난했다. 스스로 배우기를 게을리 하지 않아 오경(五經)에 정통했고, 백가(百家)의 학설을 두루 익혔다. 여러 차례 과거에 응시했지만 떨어졌다. 원나라 말에 일찍이 집경로유학훈도(集慶路儒學訓導)로 부름을 받아 2년 동안 있다가 사직하고 은거하여 학생들을 가르쳤다. 명나라 초기에 명유(名儒)로 불려 예국(禮局)에서 각종 예제(禮制)에 대해 토론했는데, 논리가 정확하고 예리해 여러 학자들이 탄복했다. 예악서(禮樂書)를 찬수하고 벼슬을 내렸지만 사양하고 귀향하여 석문산(石門山)에서 학문을 강론했다. 저서에 『예서연의(禮書演義)』, 『주례고주(周禮考注)』, 『춘추고서(春秋考書)』 등이 있었지만 전해지지 않고, 『석문집(石門集)』과 『주역참의(周易參義)』, 『시연의(詩演義)』만 남아 있다.

厥孚交如, 信以發志也.

믿음을 가지고 서로 교류한 것은 신뢰로 뜻을 일으킨다는 말이다.

本義

一人之信, 足以發上下之志也.

한 사람의 믿음이 위와 아래의 뜻을 계발할 수 있다.

威如之吉，易而無備也.

위엄이 있으면 길한 것은 그렇지 않으면 아랫사람이 소홀히 하여 대비함이 없게 되기 때문이다.

本義

太柔則人將易之，而無畏備之心.

너무 유순하면 사람들이 장차 쉽게 여겨 두려워하고 대비하는 마음이 없게 된다.

程傳

下之志，從乎上者也. 上以孚信接於下，則下亦以誠信事其上，故"厥孚交如". 由上有孚信，以發其下孚信之志，下之從上，猶響之應聲也. 威如之所以吉者，謂若無威嚴，則下易慢而無戒備也，謂無恭畏備上之道. 備，謂備上之求責也.

아랫사람의 뜻은 윗사람을 따르는 것이다. 윗사람이 진실한 믿음을 가지고 아랫사람과 접촉하면, 아랫사람 또한 정성과 믿음으로 윗사람을 따르므로, "믿음을 가지고 서로 교류한다"고 했다. 윗사람이 진실한 믿음을 가지고 아랫사람의 진실한 믿음의 뜻을 일으켰기 때문에 아랫사람이 윗사람을 따르니, 마치 메아리가 소리에 응하는 것과 같다. 위엄이 있다면 길한 것은 위엄이 없다면 아랫사람이 쉽게 오만하여 경계하고 대비함이 없게 된다는 뜻을 말하니, 공손하고 두려워하여 윗사람을 대비하는 도리가 없음을 말한다. '비(備)'란 윗사람의 요구와 문책에 대비하는 것을 말한다.

附録

● 孔氏穎達曰 : "信以發志者, 釋厥孚交如之義, 由己誠信發起其志, 故上下應之, 與之交接也. 易而無備者, 釋威如之吉之義, 所以威如者, 以己不私於物, 唯行簡易, 無所防備, 物自畏之, 故云易而無備."[10)]

공영달(孔穎達)[11)]이 말했다. "믿음으로 뜻을 계발하는 것은 믿음을 가지고 교제한다는 뜻을 해석한 말이니 자신의 진실한 믿음으로 그 뜻을 일으키므로 위와 아래가 호응하고 그와 함께 교접한다. 소홀하여 대비함이 없다는 것은 위엄이 있으면 길하다는 뜻을 해석한 말이니 위엄이 있는 것은 자신이 사물에 사사롭지 않고 오직 행함이 간단하고 쉬워 방비함이 없어도 사물들이 스스로 두려워하는 것

10) 공영달(孔穎達), 『주역주소(周易注疏)』 권2.

11) 공영달(孔穎達, 574~648) : 자는 중달(仲達)이고 기주 형수(冀州衡水 : 현 하북성 형수시) 사람이다. 수(隋)나라 양제(煬帝) 때 명경과(明經科)에 급제하여 관계에 나갔으나, 양제가 그의 재능을 시기하여 암살하려 하였다. 당나라의 태종(太宗)에게 중용되어 국자박사(國子博士)를 거쳐 국자감의 좨주(祭酒), 동궁시강(東宮侍講) 등을 지내고, 태종의 신임을 받았다. 문장·천문·수학에 능통하였으며, 위징(魏徵)과 함께 『수서(隋書)』를 편찬하였다. 왕명에 따라 고증학자 안사고(顔師古) 등과 더불어 오경(五經) 해석의 통일을 시도하여 『오경정의(五經正義)』 170권을 편찬하였다.

이므로 쉽게 하여 방비함이 없다고 했다."

案

孔氏之說亦有理. 蓋言威如, 則疑於上下相防矣, 故申之曰, 易而無備, 明乎遏惡揚善, 順理而行, 非有所戒備也.

공씨의 말 또한 이치가 있다. 위엄이 있으면 위와 아래가 서로 방비함에 의심이 있으므로 펼쳐서 말하기를 쉽게 하여 방비가 없어 악을 막고 선을 드러내는 것을 분명히 밝히고 이치를 따라 행하여 경계와 대비가 있지 않다.

大有上吉, 自天祐也.

대유의 상효에서 길한 것은 저절로 하늘이 돕는 일이다.

程傳

大有之上, 有極當變. 由其所爲順天合道, 故天祐助之, 所以吉也. 君子滿而不溢, 乃天祐也. 繫辭復申之云, "天之所助者順也, 人之所助者信也. 履信思乎順, 又以尚賢也, 是以自天祐之, 吉無不利也." 履信, 謂履五. 五虛中, 信也, 思順, 謂謙退不居, 尚賢, 謂志從於五. 大有之世, 不可以盈豐, 而復處盈焉, 非所宜也, 六爻之中, 皆樂據權位, 唯初上不處其位, 故初九無咎, 上九無不利. 上九在上, 履信思順, 故在上而得吉, 蓋自天祐也.

대유의 상은 극한에 이르러 당연히 변한다. 행함이 천(天)을 따르고 도리에 합치하므로 하늘이 도와주어 길한 것이다. 군자는 가득 차도 넘치지 않으니, 하늘이 돕는다.
「계사전」에서 다시 뜻을 펴서 말했다. "하늘이 돕는 것은 따랐기 때문이고, 사람이 돕는 것은 신뢰가 있기 때문이다. 신뢰를 밟고 따르는 것을 생각하고, 또 현자를 숭상하니 그래서 저절로 하늘이 돕고 길하여 이롭지 않음이 없다."
"신뢰를 밟고 있다"는 구오효를 밟고 있는 것이다. 구오효는 마음을 비워 믿음을 가지고 있다. "따르는 것을 생각한다"는 겸손하게 물러나 차지하지 않는 것이다. "현자를 숭상한다"는 뜻이 구오효를 따르는 것을 말한다.

대유의 세상에서 가득 차하거나 풍요로워서는 안 되니 다시 가득 찬 데 처하면 마땅한 일이 아니다. 여섯 효 가운데 모두 권세와 지위를 차지하는 것을 좋아하지만 오직 초구효와 상구효만이 그 지위를 차지하지 않으므로 초구효는 허물이 없고 상구효는 이롭지 않음이 없다. 상구효는 가장 위에 있으면서 신뢰를 밟고 따르는 것을 생각하므로 가장 높이 있으면서도 길함을 얻는데, 이는 하늘이 돕기 때문이다.

集說

● 項氏安世曰:“「象傳」曰, 大有上吉, 明事關全卦, 非止上爻也, 此猶師之上六, 論師之事, 至此而終, 其言大君, 蓋指六五, 非謂上六爲大君也.”

항안세(項安世)가 말했다. “「상전」은 대유의 상이 길하다고 말했으니 일이 전체 괘에 관련됨을 밝힌 것이지 상효에 그치지 않는다. 이는 사(師)괘의 상육효와[12] 유사하니 군사의 일을 논하는 데 여기에 이르러 마치니 거기서 대군이라고 말한 것은 육오효를 가리키지 상육효가 대군이라는 말이 아니다.”

● 趙氏彦肅曰:“五能尊上, 此大有所以上吉也, 君之大有, 極

12) 『주역』「사(師)괘」: “상육효는 대군이 명을 내리는 것이니, 제후를 봉하고 경대부를 삼을 때 소인은 쓰지 말라.[上六, 大君有命, 開國承家, 小人勿用.]”라고 하였다.

於尊賢."

조언숙(趙彦肅)이 말했다. "오효는 상효를 존중할 수 있으니 이것이 대유(大有)가 상효에서 길한 까닭이다. 군주의 대유는 현자를 존중하는 것에서 지극하다."

15. 겸謙䷎괘

地中有山, 謙. 君子以裒多益寡, 稱物平施.
땅 가운데 산이 있는 것이 겸괘의 모습이니, 군자는 이것을 본받아 많은 데서 취하여 적은 것에 더해 주며, 사물을 저울질하여 고르게 분배를 시행한다.

本義

以卑蘊高, 謙之象也. 裒多益寡, 所以稱物之宜而平其施. 損高增卑, 以趨於平, 亦謙之意也.

낮음으로써 높음을 쌓는 것이 겸(謙)괘의 모습이다. 많은 데서 취하여 적은 데 더해주는 것은 사물의 마땅함을 저울질하여 그 베풂을 고르게 하는 일이다. 높은 것을 덜어내어 낮은 것에 더해주어 공평함에 나아가게 하니 이 또한 겸(謙)의 뜻이다.

程傳

地體卑下, 山之高大而在地中, 外卑下而內蘊高大之象, 故爲謙也. 不云山在地中, 而曰地中有山, 言卑下之中蘊其崇高也. 若言崇高蘊於卑下之中, 則文理不順. 諸象皆然, 觀文可見. 君子以裒多益寡, 稱物平施. 君子觀謙之象, 山而在地下, 是高者下之, 卑者上之, 見抑高擧下損過益不及之義. 以施於事, 則裒取多者, 增益寡者, 稱物之多寡以均其施與, 使得其平也.

땅의 형체는 낮고 아래에 있는데 산은 높고 크면서도 땅 가운데 있고 겉은 낮추지만 안은 크고 거대함을 축적하고 있는 모습이므로, 겸손이다. 산이 땅 가운데 있다고 하지 않고 땅 가운데 산이 있다고 한 것은 낮추는 모습 가운데에 그 숭고함을 안으로 축적하고 있는 것을 말한다. 숭고함이 낮추는 모습 안에 있다고 말하면 말의 조리가 부드럽지 않다. 여러 모습이 모두 그러하니, 그 말의 조리를 보면 알 수 있다.
"군자는 이것을 본받아 많은 것에서 취하여 적은 것에 더해 주며, 사물을 저울질 하여 고르게 분배를 시행한다"고 했다. 군자가 겸괘의 모습을 관찰하건대 산이 땅 아래에 있으니 이는 높은 것을 낮추고 낮은 것을 높이는 것으로 높은 것을 누르고 낮은 것을 들며 많은 것을 덜어서 부족한 것에 더해주는 뜻을 본다. 일을 시행하는 데 많은 것에서 취하여 적은 것에 보태어주며, 사물의 많고 적음을 저울질하여 분배를 시행하는 데 고르게 하여 그 공정함을 유지하도록 한다.

集說

● 『朱子語類』問 : "裒多益寡, 是損高就低使教恰好, 不是一向低去."

曰："大抵人多見得在己者高, 在人者卑, 謙則抑己之高, 而卑以下人, 便是平也."[1]

『주자어류』에서 물었다. "많은 것에서 덜어 적은 것에 더한다는 것은 높은 것을 덜어서 낮은 것에 나아가는 것을 흡족해 하는 일이니 낮은 것을 향하는 것은 아닙니까?"
대답했다. "대체로 사람들은 자신에게서 높은 것이 남에게는 낮은 것으로 본다. 겸손은 자신의 높음을 억눌러 남보다 낮추는 것이니 공평하게 하는 일이다."

● 馮氏椅曰："凡「大象」皆別立一意, 使人知用『易』之理. 裒多益寡, 稱物平施, 俾小大長短, 各得其平, 非君子謙德之象, 乃君子治一世使謙之象也. 「象」與六爻無此意."[2]

풍의(馮椅)[3]가 말했다. "「대상전」은 모두 하나의 뜻을 따로 세워 사람들이 『역』을 사용하는 이치를 알게 했다. 많은 데서 취하여 적

1) 『주자어류』 70권, 157조목.
2) 풍의(馮椅), 『후재역학(厚齋易學)』 권38.
3) 풍의(馮椅) : 자는 기지(奇之) 또는 의지(儀之)이고, 호는 후재(厚齋)이다. 송(宋)대 남강 도창(南康都昌 : 현 강서성 도창현) 사람이다. 광종(光宗) 소희(紹熙) 4년(1193)에 진사에 급제하여, 강서운사간판공사(江西運司幹辦公事), 상고현령(上高縣令) 등을 역임했다. 주희(朱熹)가 지남강군(知南康軍)으로 있을 때 제자가 되었는데, 주희는 그의 성실함에 감동하여 벗의 예로 대우했다고 한다. 역학(易學)에 정밀했다. 저서에 『후재역학(厚齋易學)』, 『주역집설명해(周易輯說明解)』, 『경설(經說)』, 『서명집설(西銘輯說)』, 『효경장구(孝經章句)』, 『상례소학(喪禮小學)』, 『공자제자전(孔子弟子傳)』, 『속사기(續史記)』, 『시문지록(詩文志錄)』 등이 있다.

은 것에 더해주며, 사물을 저울질하여 고르게 분배를 시행한다. 대소(大小)·장단(長短)이 각각 그 공평함을 얻도록 했으니 군자의 겸손한 덕목의 모습이 아니라 군자가 한 세대를 다스려 겸손하게 되는 모습이다. 「단전」과 여섯 효에는 이러한 뜻이 없다."

● 蔡氏清曰 : "以卑蘊高, 謙之象也. 此與上本義山至高而地至卑, 乃屈而止於其下不同. 上所謂謙者主山言, 謂高而能下也, 此主地言, 謂地雖卑, 而中之所蘊則高, 內充而外欿也."[4]

채청(蔡清)[5]이 말했다. "낮음으로 높음을 쌓는 것이 겸손의 모습이다. 이는 위의 본래 의미인 산은 매우 높고 땅은 매우 낮지만 굽혀서 그 아래에 멈춘다는 것과는 다르다. 위에서는 겸손을 산을 주로 하여 말해서 높지만 낮출 수 있다고 말했고, 이는 땅을 주로 하여 말해 땅이 비록 낮지만 속에 쌓아놓은 것은 높으니 안으로 충만하고 밖으로는 모자란 듯하다."

4) 채청(蔡清), 『역경몽인(易經蒙引)』 권3상.

5) 채청(蔡清, 1453~1508) : 명(明)대 진강(晉江) 사람으로, 자는 개부(介夫)이고 별호는 허재(虛齋)이다. 31세에 진사에 급제하여 벼슬은 남경문선랑중(南京文選郎中)·강서제학부사(江西提學副使) 등을 역임하였다. 명대의 저명한 이학가(理學家)로서 주로 이정(二程)과 주희(朱熹)의 저술 연구를 통해 그들의 사상을 계승하였다. 특히 천주(泉州) 개원사(開元寺)에서 역학연구단체를 결성하여 90여 책을 출간하면서 청원학파(清源學派)를 이루었다. 이정기(李廷機)·장악(張嶽)·임희원(林希元)·진침(陳琛) 등의 학자들이 그 학파의 주요 구성원이었다. 저술로는 『사서몽인(四書蒙引)』·『역경몽인(易經蒙引)』·『허재문집(虛齋文集)』 등이 있다.

● 楊氏啟新曰 : "人之常情, 自高之心常多, 下人之心常寡, 不裒而益之, 則自處太高, 處人太卑, 而物我之間, 不得其平. 故抑其輕世傲物之心, 而多者不使之多, 增其謙卑遜順之意, 而寡者不使之寡, 多者裒之, 則自視不見其有餘, 寡者益之, 則視人不見其不足. 而物我之施, 各得其平矣, 玆其爲君子之謙與."

양계신(楊啟新)[6]이 말했다. "인간의 일상적 정서는 스스로 높이는 마음이 항상 많고 남에게 자신을 낮추는 마음이 항상 적어 덜어내지 않고 덧붙이면 스스로 지나치게 높게 하고 남을 대하는 데 지나치게 낮추어 사물과 나 사이에 공평함을 얻지 못한다. 그러므로 세상을 경시하고 사물에 오만해 하는 마음을 억누르고 많은 것을 많게 하지 않아 그 겸손하고 낮추고 공손하고 순종하는 뜻을 늘리며 적은 적을 적게 하지 않아 많은 것을 덜어내면 스스로를 보는 데 그 여유로움을 보지 못하고, 모자란 것을 덧붙이면 남을 보는 데 그 부족한 것을 보지 못하여 남과 나의 베풂에 각각 공평함을 얻으니 바로 군자의 겸손이리라!"

案

諸說皆說向謙本義上, 唯馮氏以爲推說, 亦可相備.

여러 설명은 모두 겸손의 본래 의미를 말했지만 오직 풍씨[풍의]는 추론하여 말했으니 또한 서로 갖출 만하다.

---

6) 양계신(楊啟新) : 청나라의 양문원(楊文源)이다.

謙謙君子, 卑以自牧也.

겸손하고 겸손한 군자이니 스스로를 낮추어 처신한다.

程傳

謙謙, 謙之至也, 謂君子以謙卑之道自牧也. 自牧, 自處也, 『詩』云"自牧歸荑".

겸손하고 겸손함은 겸손의 지극함이다. 군자가 겸손하고 자신을 낮추는 방식으로 스스로를 수양하는 것을 말한다. 스스로 수양하는 것은 자기 자신을 스스로 대처하는 것이다. 『시경』에서 "스스로 수양하기를 띠풀의 싹처럼 부드럽게 한다."[7] 했다.

集說

● 孔氏穎達曰 : "牧, 養也. 解謙謙君子之義, 恒以謙卑自養其

7) 스스로 수양하기를 띠풀의 싹처럼 부드럽게 한다 : 『시경』, 「패풍(邶風)·정녀(靜女)」, "교외로부터 삐비를 선물하니 진실로 아름답고 또 특이하도다. 네가 아름다워서가 아니라 미인(美人)이 선물해서 이니라.[自牧歸荑, 洵美且異. 匪女之爲美, 美人之貽.]"라고 하였는데, 정이천은 이렇게 말한다. "'자목귀이(自牧歸荑)'란 스스로 낮추어 수양하는 뜻이다. 띠풀의 싹을 뜻하는 '이(荑)'란 유순하다는 뜻이다.[自牧歸荑, 卑以自牧之意, 荑, 柔順意.]"라고 말하였다. 이 구절을 해석하는 정이천의 입장은 스스로를 수양하는 마음가짐이 부드럽고 겸손해야 한다는 것이다.

德也."[8]

공영달(孔穎達)이 말했다. "목(牧)은 기른다는 말이다. 겸손하고 겸손한 군자의 뜻을 해석했으니 항상 겸손하고 낮춤으로 그 덕을 스스로 기른다는 말이다."

● 王氏宗傳曰 : "謙, 卑德也. 初, 卑位也. 養德之地, 未有不基於至卑之所. 所養也至, 則愈卑而愈不卑矣, 此自養之方也."[9]

왕종전(王宗傳)[10]이 말했다. "겸손은 낮추는 덕이다. 초효는 낮은 지위이다. 덕을 기르는 곳은 지극이 낮은 곳에 기초하지 않은 적이 없다. 기르는 것이 지극하면 낮으면 낮을수록 더욱 비천하지 않으니 이것이 스스로 기르는 방도이다."

● 張氏栻曰 : "謙謙君子, 卑以自牧, 如牧牛羊然, 使之馴服, 方可以言謙. 今人往往反以驕矜爲養氣, 此特客氣, 非浩然之氣也."

장식(張栻)[11]이 말했다. "겸손하고 겸손한 군자는 낮춤으로 스스로

8) 공영달(孔穎達疏), 『주역주소(周易注疏)』 권4.

9) 왕종전(王宗傳), 『동계역전(童溪易傳)』 권8.

10) 왕종전(王宗傳) : 자는 경맹(景孟)이고, 송대 영덕(寧德 : 현 복건성 영덕시) 사람이다. 1181년에 진사에 급제하여 소주교수(韶州教授)를 역임하였다. 왕필의 의리역학을 추종하여 상수역학을 배척하였다. 저서에는 『동계역전(童溪易傳)』이 있다.

11) 장식(張栻) : 장식(張栻, 1133~1180)은 사천(四川) 면죽인(綿竹人)으로 자는 경부(敬夫)이고 또 다른 자는 낙재(樂齋)이고 호는 남헌(南軒)이

를 기르니 마치 소와 양을 기르는 것과 같아 길들여 복종하게 해야 겸손하다고 할 수 있다. 지금 사람들은 왕왕 반대로 교만과 긍지로 기를 기르는데 이것은 객기이지 호연지기가 아니다."

● 俞氏琰曰:"爻辭謙謙句點, 爻傳乃以君子綴於謙謙之下, 謂謙謙乃君子之德, 非君子則不能謙謙也."[12]

유염(俞琰)이 말했다. "효사에서 겸손하고 겸손하다에서 구두점을 찍었는데 효사의 「상전」에서는 군자를 겸손하고 겸손하다는 글자 아래에 붙였으니, 이는 겸손하고 겸손한 것이 군자의 덕이니 군자가 아니면 겸손하고 겸손할 수 없다는 말이다."

다. 남송 시대 유명한 유학자이고, 악록서원(岳麓書院)의 창시자이다. 승상 장준(張浚)의 아들이고, 어려서부터 호굉(胡宏)으로부터 사사를 받고 이학을 전수받았다. 후에 장사(長沙)의 성남서원(城南書院)과 악록서원을 오랫동안 맡고서 주희와 여조겸과 함께 '동남삼현'(東南三賢)이라고 칭해진다. 우문전수찬(右文殿修撰)을 지냈으며 저서에 『남헌전집(南軒全集)』이 있다.

12) 유염(俞琰), 『주역집설(周易集說)』 권21.

鳴謙貞吉, 中心得也.

소리를 내는 겸손이니 올바르고 길한 것은 마음속 깊은 곳에서 얻었다.

程傳

二之謙德, 由至誠積於中, 所以發於聲音, 中心所自得也, 非勉爲之也.

육이효의 겸손한 덕은 지극히 성실함이 마음속에 쌓여 소리로 발현되니 마음속에서 얻었지 억지로 그런 것이 아니다.

集說

● 胡氏瑗曰 : "中心得者, 言君於所作所爲皆得諸心, 然後發之於外, 故此謙謙皆由中心得之, 以至於聲聞流傳於人, 而獲至正之吉也."[13]

호원(胡瑗)[14]이 말했다. "마음속에서 얻은 것은 군자가 작위하고

13) 호원(胡瑗), 『주역구의(周易口義)』 권3.

14) 호원(胡瑗, 993~1059) : 자는 익지(翼之)이고 시호는 문소(文昭)로서, 북송시대 태주 해릉(泰州海陵 : 현 강소성 태주시) 사람이다. 13살에 오경(五經)을 통독하고, 20세에 손복(孫復)과 석개(石介)를 산동성 태산(泰山) 서진관(棲眞觀)에서 배알하고 10년 동안 사사하였다. 30세에 귀

행하는 모두가 마음에서 얻은 뒤에 밖으로 발현된다는 말이므로 이 겸손하고 겸손함은 모두 마음속에서 얻어 소리와 소문이 사람들에게 흘러 전해서 지극히 올바른 길함을 얻었다."

향하여 7번 과거에 응시했으나 낙방하여, 안정서원(安定書院)을 짓고 후학배양에 힘썼다. 이에 세칭 안정선생으로 불렸다. 42세에 범중엄(范仲淹)의 천거로 교서랑(校書郎)이 되고, 태자중사(太子中舍), 광록시승(光祿寺丞), 천장각시강(天章閣侍講), 태상박사(太常博士) 등을 역임하였다. 특히 관직 생활 중에도 강학에 힘을 쏟아 손복(孫復)·석개(石介)와 함께 송초삼선생(宋初三先生)으로 추숭되어 송대 리학의 선구가 되었다. 저서에 『주역구의(周易口義)』, 『홍범구의(洪範口義)』, 『춘추구의(春秋口義)』, 『논어설(論語說)』 등이 있다.

勞謙君子, 萬民服也.

공로가 있는데도 겸손한 군자는 모든 백성이 복종한다.

程傳

能勞謙之君子, 萬民所尊服也. 繫辭云, 勞而不伐, 有功而不德, 厚之至也. 語以其功下人者也. 德言盛, 禮言恭. 謙也者, 致恭以存其位者也.' 有勞而不自矜伐, 有功而不自以爲德, 是其德弘厚之至也. 言以其功勞而自謙, 以下於人也. 德言盛, 禮言恭, 以其德言之, 則至盛, 以其自處之禮言之, 則至恭, 此所謂謙也. 夫謙也者, 謂致恭以存其位者也. 存, 守也. 致其恭巽以守其位, 故高而不危, 滿而不溢, 是以能終吉也. 夫君子履謙, 乃其常行, 非爲保其位而爲之也. 而言存其位者, 蓋能致恭所以能存其位, 言謙之道如此. 如言爲善有令名, 君子豈爲令名而爲善也哉? 亦言其令名者, 爲善之故也.

공로가 있는데도 겸손할 수 있는 군자는 모든 백성이 존경하고 복종한다. 「계사전」에서 "공로가 있으면서도 자랑하지 않고 공이 있으면서도 자신의 덕택이라고 여기지 않으니, 후덕함의 지극함이다. 공로를 가지고도 남에게 스스로를 낮추는 자를 말한다. 덕으로 말하면 성대하고 예로 말하면 공손하다. 겸손함은 지극한 공손함으로 그 지위를 보전하는 것이다."
공로가 있는데도 스스로 자랑하지 않고 공이 있으면서도 스스로 자신의 덕택이라고 생각하지 않으니, 이는 그 덕이 매우 넓고 두터운 것이다. 공로가 있으면서도 스스로 겸손하며 남에게 낮추는 것을 말한다. "덕으로 말하면 성대하고, 예로 말하면 공손하다"고 했으니 그 덕으로 말하면 매우 성대하고 그가 자처하는 예(禮)로 말하면 매우 공손하니 이것을 겸손이라고 한다.

겸손은 공손하게 섬겨 그 지위를 보전하는 것이다. "보전한다"는 말은 지키는 것이다. 공손함을 다하여 그 지위를 지키므로 높은 지위에 있으면서도 위태롭지 않고 가득차도 넘치지 않아 끝마침을 이루어 길할 수 있다. 군자가 겸손을 이행함은 상도(常道)의 행함이지 그 자리를 보전하기 위해 그렇게 하는 것이 아니다. 그런데 그 지위를 보전하는 일이라고 말한 것은 공손함을 지극히 할 수 있어야 그 지위를 보전할 수 있기 때문이니, 겸손의 도리가 이와 같음을 말하였다. 예를 들면 선을 행하면 훌륭한 명성이 있다고 말하는 것이니 군자가 어찌 훌륭한 명성을 얻기 위해 선을 행하겠는가? 이 또한 훌륭한 명성은 선을 행했기 때문에 생긴 것임을 말한 것이다.

集說

● 吳氏澄曰 : "萬民服, 謂有終而吉也."[15]

오징(吳澄)[16]이 말했다. "모든 백성이 복종함은 끝이 있어서 길한

15) 오징(吳澄), 『역찬언(易纂言)』 권5.

16) 오징(吳澄, 1249~1333) : 자는 유청(幼淸)이고, 세칭 초려선생(草廬先生)이라 한다. 송원(宋元)교체기 숭인(崇仁 : 현 강서성 소속) 사람으로 국자감사업(國子監司業)·한림학사(翰林學士)를 역임하였다. 시호는 문정(文正)이다. 그의 학문은 주로 주희와 육구연의 사상을 절충하는 경향이 있으며, 특히 주희 이래의 도통(道統)을 은연중에 자임하고 있다. 저

것이다."

● 俞氏琰曰 : "爻辭本以'勞謙'句點, 「爻傳」又以'君子'二字屬之, 言勞而能謙, 乃君子之德, 非君子則不能如是也."[17]

유염(俞琰)이 말했다. "효사는 본래 '노겸(勞謙)'에서 구두점을 찍었는데 효의 「상전」에서는 또 '군자(君子)' 두 글자를 속하게 했으니 공로를 세웠으면서도 겸손할 수 있는 것이 군자의 덕이라는 말이다. 군자가 아니라면 이렇게 할 수 없다."

서는 『학기(學基)』, 『학통(學統)』, 『서·역·춘추·예기찬언(書·易·春秋·禮記纂言)』, 『오문정공집(吳文正公集)』, 『효경장구(孝經章句)』 등이 있고, 『황극경세서(皇極經世書)』, 『노자(老子)』, 『장자(莊子)』, 『태현경(太玄經)』, 『팔진도(八陣圖)』, 『곽박장서(郭璞葬書)』를 교정했다.

17) 유염(俞琰), 『주역집설(周易集說)』 권21.

無不利撝謙, 不違則也.

두루 겸손을 베푸는 데 이롭지 않음이 없는 것은 법칙을 어기지 않았기 때문이다.

本義

言不爲過.

지나치지 않음을 말한다.

程傳

凡人之謙, 有所宜施, 不可過其宜也. 如六五或用侵伐是也. 唯四以處近君之地, 據勞臣之上, 故凡所動作, 靡不利於施謙. 如是然後中於法則, 故曰"不違則"也, 謂得其宜也.

사람의 겸손은 마땅히 시행해야 할 것이 있지만 그 마땅함에서 지나쳐서는 안 된다. 예를 들어 육오효가 어떤 경우는 무력을 사용하는 것이 그러하다. 오직 육사효는 군주와 가까운 위치에 처했고 공로를 세운 신하보다 높은 지위에 자리하고 있으므로 모든 행동이 두루 겸손을 베푸는 데 이롭지 않음이 없다. 이와 같이 한 뒤에야 법칙에 적중하므로, "법칙을 어기지 않는다"고 한 것이니, 그 마땅함을 얻었다는 말이다.

集說

● 『朱子語類』云 : “不違則, 言不違法則, 撝謙是合如此, 不是過分事.”18)

『주자어류』에서 말했다. “불위칙(不違則)은 법칙을 어기지 않았다는 말이다. 자기를 낮추어 겸손한 것이 이와 같아 본분을 맡은 일에서 지나치지 않는다.”

18) 『주자어류』 70권, 160조목.

利用侵伐, 征不服也.

무력을 사용함이 이로운 것은 복종하지 않는 자를 정벌한다는 뜻이다.

程傳

征其文德謙巽所不能服者也. 文德所不能服, 而不用威武, 何以平治天下? 非人君之中道, 謙之過也.

그 문덕(文德)과 겸손으로 복종시킬 수 없는 자를 정복하는 뜻이다. 문덕으로 복종시킬 수 없는데 위엄과 무력을 사용하지 않는다면, 어떻게 세상을 평정하여 다스리겠는가? 군주의 중도(中道)가 아니라면 지나치게 과도한 겸손이다.

集說

● 何氏楷曰; "侵伐非黷武, 以其不服, 不得已而征之. 正以釋征伐用謙之義."[19]

하해(何楷)[20]가 말했다. "침벌은 무력을 남용하는 것이 아니라 복

19) 하해(何楷), 『구주역정고(古周易訂詁)』 권2.
20) 하해(何楷) : 자는 현자(玄子)이고 호는 황여(黃如)이다. 명말청초 때 장주 진해위(漳州鎭海衛 : 현 복건성 용해시〈龍海市〉) 사람이다. 천계(天

종하지 않는 자들을 부득이하게 정벌하는 것이다. 바로잡음으로써 정벌을 해석하고 겸손의 뜻을 사용했다.”

啓) 5년(1625)에 진사에 급제하여 벼슬은 호부주사(戶部主事), 공과급사중(工科給事中), 호부상서(戶部尙書) 등을 역임했다. 직언과 직간으로 유명했는데, 말년에 정성공(鄭成功)의 부친인 정지룡(鄭芝龍)과 뜻이 어긋나서 사직하고 귀향했다. 저서에는 『고주역정고(古周易訂詁)』, 『시경세본고의(詩經世本古義)』 등이 있다.

鳴謙, 志未得也. 可用行師, 征邑國也.

소리를 내는 겸손은 뜻을 얻지 못함이니, 군대를 사용하여 읍이나 나라를 정벌해야 한다.

本義

陰柔無位, 才力不足, 故其志未得, 而至於行師, 然亦適足以治其私邑而已.

음의 부드러움으로 지위가 없고 재주와 힘이 부족하므로 뜻을 얻지 못하여 군대를 출동함에 이르지만 또한 사사로운 읍(邑)을 다스릴 뿐이다.

程傳

謙極而居上, 欲謙之志未得, 故不勝其切至於鳴也. 雖不當位, 謙旣過極, 宜以剛武自治其私, 故云利用行師, 征邑國也.

겸손함이 지극하나 높은 지위에 자리하여 겸손하려는 뜻을 이루지 못하므로, 그 간절함을 참지 못하고 소리를 내는 데까지 이른다. 합당한 지위가 아니지만 겸손함이 과도하게 지나치므로, 마땅히 굳센 무력으로 사사로운 점을 다스려야 하므로 "군사를 사용하여 읍이나 나라를 정벌하는 것이 이롭다"고 했다.

集說

● 項氏安世曰："六二鳴謙,「象」以中心解之, 上六鳴謙,「象」以志解之. 豫之初六鳴豫,「象」又以志解之. 然則凡言鳴者皆志也. 志有憂有樂, 皆寓於鳴. 當豫之時, 人志以從上爲樂, 當謙之時, 人志在下, 不以上爲樂也."[21]

항안세(項安世)가 말했다. "육이효의 소리내는 겸손은 「상전」에서 마음속으로 해석했고, 상육효의 소리내는 겸손은 「상전」에서 뜻으로 해석했다. 예(豫)괘 초육효의 소리내는 기쁨은 「상전」에서 뜻으로 해석했다.[22] 그러하니 대체로 소리낸다고 하는 것은 모두 뜻이다. 뜻에는 근심이 있고 즐거움이 있으니 모두 소리낸다는 것으로 비유했다. 기쁨에 해당할 때는 사람의 뜻이 위를 따르는 것을 즐거워하고 겸손에 해당할 때는 사람의 뜻이 아래에 있어 위에 있는 것을 즐거워하지 않는다."

● 谷氏家杰曰："上之鳴謙, 外雖有聲譽, 而其心則欿然不自滿足, 志猶未得也. 志未得, 正是謙處."

곡가걸(谷家杰)이 말했다. "상육효의 소리내는 겸손은 밖으로 소리와 명예가 있지만 그 마음이 결핍되어 스스로 만족하지 못하여 뜻은 오히려 얻지 못했다. 뜻을 얻지 못한 것이 바로 겸손한 곳이다."

21) 항안세(項安世),『주역완사(周易玩辭)』권3.

22)『주역』「예(豫)괘」: "「상전」에서 말했다. 초육효는 소리를 내는 기쁨이니, 뜻이 궁색하게 되어 흉하다.[象曰, 初六鳴豫, 志窮, 凶也.]"라고 하였다.

● 何氏楷曰 : "志未得者, 上居謙之極, 方自視歉然, 而猶以其謙爲未足. 如益贊於禹滿損謙益之意."[23]

하해(何楷)가 말했다. "뜻을 얻지 못한 것은 위로 겸손의 극한에 자리했으니 비로소 스스로 부족한 듯이 바라보아 오히려 그 겸손함에 만족해하지 않는다. 우(禹)왕이 가득하면 덜어내고 겸손하면 덧붙인다는 뜻[24]과 같다."

案

「象傳」意, 言上六之鳴謙, 由其中心之志, 歉然不自滿足故也. 是以雖可用行師, 而但征其邑國. 蓋始終自治之意, 亦猶同人之上. 其志未得者, 乃未能遂其大同之心, 故亦歉然而未足也. 無同人之上之心, 則未極乎大同之量矣, 無謙之上之心, 則未極乎謙德之虛矣. 谷氏何氏之說獨見大意.

「상전」의 뜻은 상육효의 소리내는 겸손은 마음속의 뜻에서부터 비롯되어 부족한 듯이 스스로 만족하지 못했기 때문에 군사를 사용하더라도 그 읍이나 나라만을 정복하라는 말이다. 처음부터 끝까지 스스로를 다스리는 뜻이 또한 동인(同人)괘의 상구효와 같아 그 뜻을 얻지 못한 것[25]은 곧 크게 함께 하려는 뜻을 수행하지 못했으므

23) 하해(何楷), 『구주역정고(古周易訂詁)』 권2.

24) 『서경』「우서 · 대우모」: "30일을 유묘(有苗)의 백성들이 명을 거역하자, 익(益)이 우(禹)를 도와 이르기를 '덕(德)은 하늘을 감동시켜 멀어도 이르지 않음이 없으니, 가득하면 덜어냄을 부르고 겸손하면 덧붙임을 받는 것이 이것이 바로 천도(天道)입니다.[三旬, 苗民, 逆命, 益, 贊于禹曰, 惟德, 動天. 無遠弗屆, 滿招損, 謙受益, 時乃天道.]"라고 하였다.

25) 『주역』「동인(同人)괘」: "「상전」에서 말했다. 교외에서 동료와 연대하는

로 또한 부족한 듯이 만족하지 못한 것이다. 동인괘 상구효의 마음이 없다면 크게 함께 하려는 도량을 지극히 하지 못한 것이고, 겸괘의 상육효의 마음이 없다면 겸손한 덕의 텅 빔을 지극히 하지 못한 것이다. 곡씨와 하씨의 말이 유독 큰 뜻을 드러냈다.

것은 뜻을 이루지 못한 것이다.[象曰, 同人于郊, 志未得也.]"라고 하였다.

16. 예豫☳☷괘

雷出地奮, 豫. 先王以作樂崇德, 殷薦之上帝, 以配祖考.

우레가 땅에서 나와 진동하는 것이 예괘의 모습이다. 선왕은 이것을 본받아 음악을 짓고 덕을 높여 성대하게 상제께 올려 조상에게 배향한다.

本義

雷出地奮, 和之至也. 先王作樂, 旣象其聲, 又取其義. 殷, 盛也.

우레가 땅에서 나와 진동하는 것이 조화의 지극함이다. 선왕(先王)이 음악을 지어 그 소리를 형상하고 또 그 뜻을 취하였다. 은(殷)은 성함이다.

程傳

雷者, 陽氣奮發, 陰陽相薄而成聲也. 陽始潛閉地中, 及其動,則出地奮震也. 始閉鬱, 及奮發則通暢和豫, 故爲豫也. 坤順震發, 和順積中而發於聲, 樂之象也. 先王觀雷出地而奮, 和暢發於聲之象, 作聲樂以褒崇功德, 其殷盛至於薦之上帝, 推配之以祖考. 殷, 盛也. 禮有殷奠, 謂盛也. 薦上帝, 配祖考, 盛之至也.

우레는 양(陽)의 기운이 맹렬하게 발출되어 음양이 서로 부딪쳐 소리를 이룬 것이다. 양은 처음에 땅속에 잠겨 있다가 움직이면 땅에서 나와 맹렬하게 진동한다. 처음에는 꽉 막혀 있다가 맹렬하게 발출되면 통하고 펼쳐져 조화롭고 기뻐하게 되므로 기쁨이다.
곤(坤☷)괘는 순종하고 진(震☳)괘는 발출되니, 조화롭고 순종함이 마음속에 쌓여 소리로 발현되는 음악의 모습이다. 선왕은 우레가 땅에서 나와 맹렬하게 진동하고 조화롭게 펼쳐져 소리로 발현되는 모습을 관찰하고, 음악을 지어 공덕을 포상하고 높여 그 성대함을 상제께 올리고 조상에게 배향하는 데 이른 것이다. '은(殷)'은 성대함이다. 예(禮)에는 큰 제사가 있는데 성대함을 말한다. 상제께 올리고 조상에게 배양함은 매우 성대한 일이다.

集說

● 荀氏爽曰 : "樂者, 聖人因人之豫而節之, 所以養其正而閑其邪. 其和可以感鬼神, 而況於人乎!"

순상(荀爽)[1]이 말했다. "음악은 성인이 사람의 기쁨을 바탕으로 조

1) 순상(荀爽, 128~190) : 자는 자명(慈明)이고, 일명 서(諝)라고도 한다.

절하는 것이니 그 올바름을 기르고 사특함을 막는다. 그 조화로움이 귀신을 감동시키는데 하물며 사람에게 있어서랴!"

● 鄭氏康成曰:"奮, 動也. 雷動於地上, 萬物乃豫也. 人至樂則手欲鼓之, 足欲舞之. 王者功成作樂, 以文得之者作籥舞, 以武得之者作萬舞, 各充其德而爲制. 祀天帝以配祖考者, 使與天同饗其功也. 故孝經云, 郊祀後稷以配天, 宗祀文王於明堂以配上帝也."

정강성(鄭康成)[2]이 말했다. "발출됨이 움직임이다. 우레가 땅 위로

후한 영천 영음(潁川潁陰, 현 하남성 허창시〈許昌市〉) 사람으로, 상서령(尙書令) 순숙(荀淑)의 아들이다. 어릴 때부터 총명하여 12살 때『춘추』와『논어』에 정통했다고 한다. 환제(桓帝) 연희(延熹) 9년(166)에 지극한 효성으로 천거되어 낭중(郞中)에 임명되었지만, 대책(對策)을 올려 당시의 폐단을 상주(上奏)하고는 벼슬을 버리고 떠났다. 당고(黨錮)의 화(禍)가 일어나자 바닷가에 숨어 10여 년을 지냈다. 헌제(獻帝) 때 다시 등용되어 사공(司空)을 역임했으며, 사도(司徒) 왕윤(王允)과 함께 잔악한 동탁(董卓)을 제거하려 하였으나 뜻을 이루지 못하고 죽었다. 저서에『역전(易傳)』,『시전(詩傳)』,『예전(禮傳)』,『상서정경(尙書正經)』,『춘추조례(春秋條例)』,『공양문(公羊問)』 등이 있었지만 모두 없어졌고, 비직(費直)의 고문역학(古文易學)을 연구한『주역순씨주(周易荀氏注)』의 일부가 옥함산방집일서 및『한위이십일가역주(漢魏二十一家易注)』에 전해지고 있다.

2) 정강성(鄭康成): 정현(鄭玄, 127~200)의 자는 강성(康成)이며, 북해(北海: 현 산동성 고밀〈高密〉) 사람이다. 후한(後漢) 말기의 대표적 유학자로서 시종 재야 학자로 지냈으며, 제자들에게는 물론 일반인들에게서도 훈고학·경학의 시조로 깊은 존경을 받았다. 젊었을 때부터 학문에 뜻을 두었고, 경학의 금문(今文)과 고문(古文) 외에 천문(天文)·역수

움직이면 만물이 기뻐한다. 사람들이 즐거움에 이르면 손이 움직이려 하고 발이 춤추려고 한다. 왕이 공을 이루고 음악을 만드니 문(文)으로 얻은 자는 약무(籥舞)를 짓고 무(武)로 얻은 자는 만무(萬舞)[3]를 지으니 각각 그 덕을 충족시켜 짓는다. 천제(天帝)에게 제사 드리고 조상을 배향하는 일은 하늘과 그 공을 함께 흠향하기 위함이다. 그러므로 『효경』에서는 '교외에서 제사를 올리는 데 후직을 제사함으로써 하늘에 배향하셨고, 문왕을 명당에 높이 받들어 제사지냄으로써 상제를 배향하셨다'[4]고 했다."

(曆數)에 이르기까지 광범한 지식을 갖추었다. 처음에 향색부(鄕嗇夫)라는 지방의 말단관리가 되었으나 그만두고, 낙양(洛陽)에 올라가 태학에 입학하여, 마융(馬融) 등에게 배웠다. 그가 낙양을 떠날 때, 마융이 "나의 학문이 정현과 함께 동쪽으로 떠나는구나!"하고 탄식하였을 만큼 학문에 힘을 쏟았다. 그는 고문·금문에 모두 정통하였으며, 가장 옳다고 믿는 설을 취하여 『주역』·『상서』·『모시』·『주례』·『의례』·『예기』·『논어』·『효경』 등 경서에 주석을 하였고, 『의례』·『논어』 교과서의 정본(定本)을 만들었다. 그의 저서 가운데 완전하게 현존하는 것은 『모시』의 전(箋)과 『주례』·『의례』·『예기』의 주해뿐이고, 그 밖의 것은 단편적으로 남아 있다.

3) 만무(萬舞) : 『시(詩)』「북풍(邶風)·간혜(簡兮)」, "簡兮簡兮, 方將萬舞." 라고 했는데, 만무는 고대의 춤 이름이다. 먼저는 무무(武舞)인데 춤추는 사람은 병기를 들고 춤을 추었고 나중에는 문무(文舞)인데 춤추는 자는 손에 새 깃털과 악기를 들고 춤을 추었다.

4) 『효경』「성치(聖治)」: "하늘과 땅에서 받은 성은 사람이 귀하고, 사람의 행실에 있어서는 효도보다 더 큰 것이 없고, 효에 있어서는 아버지를 존경하는 것보다 더 큰 것이 없다. 아버지를 존경하는 데 있어서는 하늘을 소중히 여기는 것보다 더 큰 것이 없으니, 곧 주공이 바로 그 사람이다. 옛날에 주공이 교(郊, 하느님께 올리는 제사)에 후직을 제사함으로써 하늘에 배향하셨다. 또한 문왕을 명당에 높이 받들어 제사지냄으로써 상제를 배향하셨다. 이런 까닭으로 사해 안의 모든 사람들은 각기 그 직책

● 胡氏炳文曰 : "『本義』云象其聲者, 樂之聲法雷之聲, 又取其義者, 豫以和爲義, 雷所以發揚化功, 而鼓天地之和, 樂所以發揚功德, 而召神人之和也."[5)]

호병문(胡炳文)이 말했다. "『주역본의』에서 소리를 형상화했다고 한 것은 음악의 소리는 우레 소리를 본받고, 또 그 뜻을 취한 것은 기쁨이 조화를 뜻으로 삼았다는 말이다. 우레가 조화의 공을 드러내 천지의 조화를 고동치고 음악이 공덕을 드러내 신인(神人)의 조화를 불러온다."

대로 와서 제사를 도왔으니, 무릇 성인의 덕이 또 어찌 효도보다 더한 것이 있겠는가? [子曰, 天地之性人爲貴, 人之行莫大於孝, 孝莫大於嚴父, 嚴父莫大於配天則周公其人也. 昔者周公郊祀后稷以配天, 宗祀文王於明堂以配上帝. 是以四海之內各以其職來祭.]"라고 하였다.

5) 호병문(胡炳文), 『주역본의통석(周易本義通釋)』 권3.

初六, 鳴豫, 志窮凶也.

초육효는 소리를 내는 기쁨이니, 뜻이 궁색하게 되어 흉하다.

本義

窮, 謂滿極.

궁(窮)은 자만함이 최고조에 이름을 말한다.

程傳

云初六, 謂其以陰柔處下, 而志意窮極, 不勝其豫, 至於鳴也, 必驕肆而致凶矣.

「상전」에서 초육효라고 말한 것은 음유(陰柔)함으로 아래에 처했으면서도 뜻과 생각이 극한에 이르러 그 기쁨을 억제하지 못하고 소리를 내는 데까지 이름을 말하니 반드시 교만하고 방자하게 되어 흉함에 이른다.

集說

- 楊氏簡曰 : "位之在下, 未爲窮也, 豫而鳴, 其志窮矣."[6]

양간(楊簡)[7]이 말했다. "아래에 자리함은 궁극인 것은 아니지만 기뻐하면서 소리를 내니 그 뜻이 가득 찼다."

● 趙氏汝楳曰:"位方在初, 時勢未窮, 而競躁如此, 是志已先窮, 自取其凶者也."[8)]

조여매(趙汝楳[9)])가 말했다. "자리가 처음에 있고 시세(時勢)가 궁극이지 않은데 조급함이 이와 같으니 뜻이 이미 먼저 궁색하고 스스로 흉함을 자초하는 자이다."

---

6) 양간(楊簡), 『양씨역전(楊氏易傳)』 권7.

7) 양간(楊簡, 1141~1226) : 자는 경중(敬仲)이고, 호는 자호선생(慈湖先生)이며, 시호는 문원(文元)이다. 남송 명주 자계(明州慈溪 : 현 절강성 영파시〈寧波市〉) 사람으로 양정현(楊庭顯)의 아들이다. 효종(孝宗) 건도(乾道) 5년(1169)에 진사에 급제하여 부양주부(富陽主簿)에 올랐다. 이때 육구연(陸九淵)을 스승으로 섬겨 육씨심학파(陸氏心學派)의 대표적 인물이 되었다. 원섭(袁燮), 서린(舒璘), 심환(沈煥) 등과 함께 녹상사선생(甬上四先生), 사명사선생(四明四先生)으로 일컬어졌다. 육구연의 심학을 우주의 만물(萬物), 만상(萬象), 만변(萬變)이 모두 자신에게 속해 있다는 유아론(唯我論)으로 발전시켰다. 저서에 『자호시전(慈湖詩傳)』, 『양씨역전(楊氏易傳)』, 『계폐(啓蔽)』, 『선성대훈(先聖大訓)』, 『오고해(五誥解)』, 『자호유서(慈湖遺書)』 등이 있다.

8) 조여매(趙汝楳), 『주역집문(周易輯聞)』 권2.

9) 조여매(趙汝楳) : 송(宋)대 종실(宗室)로서, 명주(明州) 은현(鄞縣 : 현 절강성 영파시〈寧波市〉)에서 살았고, 조선상(趙善湘)의 아들이다. 이종(理宗) 보경(寶慶) 2년(1226) 진사에 급제하고, 호부시랑(戶部侍郞), 강회안무제치사(江淮安撫制置使) 등을 역임했다. 천수군공(天水郡公)에 봉해졌다. 역상(易象)에 정통했다. 저서에 『주역집문(周易輯聞)』, 『역아(易雅)』, 『역서총서(易敍叢書)』, 『서종(筮宗)』 등이 있다.

不終日貞吉, 以中正也.

하루를 기다리지 않고 단호하게 행하니 올바르고 길한 것은 중정을 이루었기 때문이다.

程傳

能不終日而貞且吉者, 以有中正之德也. 中正故其守堅而能辨之早, 去之速, 爻言六二處豫之道, 爲敎之意深矣.

하루를 기다리지 않고 단호하게 행할 수 있어 올바르고 길한 것은 중정(中正)의 덕이 있기 때문이다. 중정을 이루었으므로 그것을 견고하게 지키고 빠르게 판별할 수 있기 때문에, 신속하게 떠난다. 효에서 육이효가 기쁨에 대처하는 도리를 말했으니, 가르치는 뜻이 깊다.

集說

● 黃氏淳耀曰 : "中正, 卽介石意. 是推明所以不終日之故."

황순요(黃淳耀)가 말했다. "중정(中正)은 바르고 그 절도가 돌과 같다는 뜻이다. 이는 하루를 기다리지 않는 이유를 미루어 밝힌 것이다."

盱豫有悔, 位不當也.

위를 우러러 보아 후회가 있는 것은 지위가 합당하지 못하기 때문이다.

程傳

自處不當, 失中正也. 是以進退有悔.

자처함이 마땅하지 못하여 중정(中正)을 잃었다. 그래서 나아가고 물러남에 후회가 있다.

集說

● 王氏申子曰 : "此爻與六二相反. 盱則不能介於石, 遲則不能不終日, 中正與不中正故也."

왕신자(王申子)[10]가 말했다. "이효와 육이효는 서로 반대이다. 우러러보면 절도가 돌과 같을 수 없고 지체하면 하루를 기다리지 않을 수 없으니 중정하거나 중정하지 못하기 때문이다."

---

10) 왕신자(王申子) : 자는 손경(巽卿)이다. 원나라 공주(邛州, 사천성 공래〈邛崍〉) 사람이다. 인종(仁宗) 황경(皇慶) 연간(1311~1320)에 무창로(武昌路) 남양서원(南陽書院)의 산장(山長)을 지냈다. 나중에 30여 년 동안 자리주(慈利州) 천문산(天門山)에 은거했다. 저서에 『춘추류전(春秋類傳)』, 『대역집설(大易集說)』, 『주례정의(周禮正義)』 등이 있다.

由豫大有得, 志大行也.

기쁨을 일으키는 원인이므로 크게 얻음이 있는 것은 뜻이 크게 행해지는 일이다.

程傳

由己而致天下於樂豫, 故爲大有得, 謂其志得大行也.

자신으로부터 말미암아 세상을 기쁨에 이르게 하므로 크게 얻음이 있는 것이니 그 뜻이 크게 시행됨을 말한다.

集說

● 喬氏中和曰 ; "剛應而志行, 蓋由四以陽剛爲群陰所應, 故其志得以大行也."

교중화(喬中和)[11]가 말했다. "굳셈이 호응하여 뜻이 행해졌으니 구사효가 양의 굳셈으로 여러 음에 의해 호응을 받았으므로 뜻을 얻어 크게 행해진다."

11) 교중화(喬中和) : 자는 환일(還一)이다. 명(明)대 순덕부(順德府) 내구(內丘) 사람으로, 숭정(崇禎) 연간에 등용되어 벼슬은 태원부(太原府) 통판(通判)에 이르렀다. 저서에 『설역(說易)』, 『설주(說疇)』, 『도서연(圖書衍)』, 『대역변통(大易通變)』, 『원운보(元韻譜)』 등이 있다.

六五貞疾, 乘剛也, 恒不死, 中未亡也.

육오효는 올바르되 병이 있는 것은 굳셈을 탔기 때문이고, 항상 앓지만 죽지는 않는 것은 중(中)을 잃지 않았기 때문이다.

程傳

貞而疾, 由乘剛爲剛所逼也. 恒不死, 中之尊位未亡也.

올바르되 병이 있는 것은 굳셈을 타고 굳셈에 의해 압박을 받기 때문이다. 항상 앓지만 죽지 않는 것은 중(中)의 존귀한 지위를 아직 잃지 않았기 때문이다.

集說

● 楊氏時曰 : "居豫之時, 無剛健之才, 逸於豫者也. 孟子曰, 入則無法家拂士, 出則無敵國外患者, 國常亡. 六五之乘剛, 有法家拂士敵國外患之謂也. 左右救正之, 故以正爲疾, 雖未能執其中而中未亡, 則不死於安樂矣, 故常不死."

양시(楊時)[12]가 말했다. "기쁨에 자리할 때 강건한 재능이 없이 기

12) 양시(楊時, 1053~1135) : 자는 중립(中立)이고 호는 구산(龜山)이며 시호는 문정(文靖)이다. 북송 장락(將樂 : 현 복건성 장락현) 사람이다. 관직은 고종(高宗) 때 용도각직학사(龍圖閣直學士)에 이르렀다. 정호(程

쁨에 빠진 자이다. 맹자는 '들어가면 법도 있는 집안과 보필하는 관리가 없고, 나오면 적국(敵國)과 외환(外患)이 없는 자는 나라가 항상 멸망한다'[13]고 했다. 육오효는 강함을 탔지만 법도 있는 집안과 보필하는 관리와 적국과 외환이 있는 것을 말한다. 좌우로 올바름을 구하려하므로 올바름으로 병이 있지만 중(中)을 잡을 수는 없을 지라도 중을 잃어버리지 않았으니 안락함에서 죽지 않으므로 항상 죽지 않는다."

● 鄭氏汝諧曰:"二與五皆不言豫. 二靜晦, 不爲豫也, 五乘剛, 不敢豫也. 若人得一固疾, 雖不快於已, 亦足以久其生者, 有戒心也, 是以終未亡而常存."[14]

정여해(鄭汝諧)가 말했다. "이효와 오효 모두 기쁨을 말하지 않았

顥)·정이(程頤) 형제에 사사(師事)했는데, 특히 형 정호의 신임을 받았다. 민학(閩學)의 창시자이자 정문 4대 제자 가운데 한 사람이다. 그는 오래 살면서 이정(二程:정호·정이)의 도학을 전하여 낙학(洛學:이정의 학파)의 대종(大宗)이 되었으며, 그 학계(學系)에서는 주희·장식(張栻)·여조겸(呂祖謙) 등 뛰어난 학자가 많이 배출되었다. 저서에 『구산집(龜山集)』, 『구산어록(龜山語錄)』, 『이정수언(二程粹言)』 등이 있다.

13) 『맹자』「고자하」:"사람은 항상 과실이 있은 뒤에 고치니, 마음에서 곤란하고 생각에서 거슬린 뒤에 분발하여 얼굴빛에 징험되고 음성에 드러난 뒤에 깨닫는 것이다. 들어가면 법도(法度) 있는 집안과 보필하는 관리가 없고, 나오면 적국(敵國)과 외환(外患)이 없는 자는 나라가 항상 멸망한다. 그런 뒤에야 사람은 우환(憂患)에서 살고 안락(安樂)에서 죽음을 알 수 있는 것이다.[人恒過然後, 能改, 困於心, 衡於慮而後, 作, 徵於色, 發於聲而後, 喩. 入則無法家拂士, 出則無敵國外患者, 國恒亡. 然後, 知生於憂患而死於安樂也.]"라고 하였다.

14) 정여해(鄭汝諧), 『역익전(易翼傳)』 상경 하(上經 下).

다. 이효는 고요하여 감추므로 기쁨이 되지 못하고 오효는 굳셈을 타서 감히 기뻐하지 못한다. 하나의 고질병을 얻으면 자신에게는 불쾌하지만 또한 그 삶을 오래 지속할 수 있는 것은 경계하는 마음이 있기 때문이니 그래서 결국에는 잃지 않고 항상 보존한다."

● 胡氏炳文曰: "豫最易以溺人, 六二柔中且正, 能不終日而去之. 六五陰柔不正, 未免溺於豫矣, 猶得不死者, 中未亡也. 人莫不生於憂患, 而死於逸樂, 以六五之中, 僅得不死. 然則初之鳴, 三之盱, 上之冥, 其不中者, 皆非生道矣."[15]

호병문(胡炳文)이 말했다. "기쁨은 가장 쉽게 사람을 빠지게 하지만 육이효는 부드러우면서 알맞고 또 올바르니 하루를 기다리지 않고 떠난다. 육오효는 음의 부드럽고 올바르지 못하여 기쁨에 빠지는 것을 면할 수 없는데 죽지 않을 수 있는 것은 중을 잃지 않아서이다. 사람은 우환 속에 살다 즐거움 속에 죽지 않을 수가 없는데 육오효의 알맞음은 죽지 않음을 얻는다. 그러나 초효의 소리내는 것과 삼효의 우러르는 것과 상효의 어두움은 알맞지 않은 것이니 모두 삶의 도가 아니다."

15) 호병문(胡炳文), 『주역본의통석(周易本義通釋)』 권1.

冥豫在上, 何可長也.

어두운 기쁨이 가장 위에 있으니, 어떻게 오래갈 수 있겠는가?

程傳

昏冥於豫. 至於終極, 災咎行及矣. 其可長然乎? 當速渝也.

기쁨에 혼미하게 빠져서 그 종극에 이르렀으니 재앙이 미친다. 그것이 오래 갈 수 있을 것인가? 마땅히 빨리 변해야 한다.

集說

● 胡氏瑗曰 : "何可長者, 言其悅豫過甚, 至於情蕩性冥而不知所止, 是何可長如此乎? 言能渝變, 則可以無咎也."[16]

호원(胡瑗)이 말했다. "어찌 오래갈 수 있느냐는 것은 기쁨이 너무 심해 정(情)이 방탕하고 성(性)에 어두워 그칠 줄 모르니 이렇게 해서 어찌 오래갈 수 있겠는가? 변화할 수 있다면 허물이 없을 수 있다는 말이다."

● 王氏申子曰 : "豫至於上極矣, 極則不可以久. 速渝可也."[17]

16) 호원(胡瑗), 『주역구의(周易口義)』 권4.
17) 왕신자(王申子), 『대역집설(大易緝說)』 권4.

왕신자(王申子)가 말했다. "기쁨이 위에서 궁극에 이르렀으니 궁극에 이르면 오래갈 수 없다. 속히 변하는 것이 좋다."

17. 수隨☱☳괘

澤中有雷, 隨. 君子以向晦入宴息.

연못 가운데 우레가 있는 것이 수괘의 모습이니, 군자는 이것을 본받아 어둠이 내리면 들어가 휴식을 취한다.

本義

雷藏澤中, 隨時休息.

우레가 연못 가운데 감춰 있으니 때에 따라 휴식하는 것이다.

程傳

雷震於澤中, 澤隨震而動, 爲隨之象. 君子觀象, 以隨時而動. 隨時之宜, 萬事皆然, 取其最明且近者言之. "君子以向晦入宴息", 君子晝則自強不息, 及向昏晦, 則入居於內, 宴息以安其身, 起居隨時, 適其宜也. 禮君子晝不居內, 夜不居外, 隨時之道也.

우레가 연못 가운데서 진동하니 연못이 우레를 따라 움직이는 것이 수괘의 모습이다. 군자는 이 모습을 관찰하여 때에 따라 움직인다. 때를 따르는 마땅함은 모든 일이 그러하지만, 가장 분명하고 비근한 것을 취하여 말했다. "군자는 이것을 본받아 어둠이 내리면 들어가 휴식을 취한다"는 것은 군자는 낮에는 쉬지 않고 스스로 힘쓰다가 어둠이 내리면 집에 들어가 휴식을 취하며 그 몸을 편안하게 하니 모든 행동거지를 때에 따라 마땅하고 적합하게 한다. 『예기』에 "군자는 낮에 집안에 거처하지 않고 밤에 집밖에 있지 않는다."[1]라 했으니 때를 따르는 도이다.

集說

● 翟氏玄曰 : "晦者冥也. 雷者陽氣, 春夏用事, 今在澤中, 秋冬時也. 故君子象之, 日出視事, 其將晦冥, 退入宴寢而休息也."[2]

적현(翟玄)이 말했다. "회(晦)는 어둠이다. 우레는 양의 기운으로 봄 여름에 일을 하는데 지금은 연못 속에 있으니 가을 겨울의 때이다. 그러므로 군자는 그것을 본받아 해가 나오면 일을 하고 어두워지면 물러나 잠자리에 들어 휴식을 취한다."

1) 『예기』「단궁상」 : "대저 낮에 집안에 있으면, 병이 들었느냐고 물을 수 있으며, 방에 밖에 나와 있으면 그를 조문할 수 있다. 그래서 군자는 큰 사고가 있지 않으면, 밖에서 자지 않으며, 치재(致齋)가 아니거나 병이 아니면 밤낮으로 집안에 있지 않는다.[夫晝居於內, 問其病, 可也, 夜居於外, 弔之可也. 是故君子非有大故, 不宿於外, 非致齋, 非疾也, 不晝夜居於內.]"라고 하였다.
2) 이정조(李鼎祚), 『주역집해(周易集解)』 권5.

● 『朱子語類』問 : “程子云澤隨雷動, 君子當隨時宴息, 是否?” 曰 : “旣曰雷動, 何不言君子以動作, 卻言宴息? 蓋其卦震下兌上, 乃雷入地中之象, 雷隨時伏藏, 故君子亦向晦入宴息.”[3]

『주자어류』에서 물었다. “정자(程子)가 연못을 따라 우레가 움직이니 군자는 마땅히 때에 따라 휴식을 취한다고 했습니까?”
대답했다. “우레가 움직였다고 말했으니 어찌 군자는 움직여 작위한다고 말하지 않고 오히려 휴식을 취한다고 말했는가? 그 괘가 진(震☳)괘가 아래에 있고 태(兌☱)괘가 위에 있어 우레가 땅속으로 들어가는 모습이라 우레가 때에 따라 잠복해 있으므로 군자 또한 어둠이 되면 휴식을 한다.”

3) 『주자어류』 70권 180조목.

官有渝, 從正吉也. 出門交有功, 不失也.

주장하면서 지킴에 변화가 있는 것이 올바름을 따르면 길하다. 문을 나가 교제하면 공이 있음은 과실이 없는 것이다.

程傳

既有隨而變, 必所從得正則吉也, 所從不正, 則有悔吝. 出門而交, 非牽於私, 其交必正矣. 正則無失而有功.

따르는 것이 있어 변화했는데 반드시 따르는 것이 올바름을 얻으면 길하고, 따르는 데 올바르지 못하면 후회와 유감이 있다. 문을 나서 교제함은 교제하는 데 사사로움에 얽매이지 않다는 것이니, 그 사귐이 반드시 올바르다. 올바르다면 과실이 없고 공이 있다.

集說

● 俞氏琰曰 : "卦以陽爻爲主, 爲主者故不當隨人, 而陽亦不當隨陰. 然以正從正, 則隨道之當然也."[4]

유염(俞琰)[5]이 말했다. "괘는 양효가 주효이고 주도하는 자이므로

4) 유염(俞琰), 『주역집설(周易集說)』 권21.

5) 유염(俞琰) : 자는 옥오(玉吾)이고, 호는 전양자(全陽子), 임옥산인(林屋山人), 석간도인(石澗道人) 등이다. 남송 말 원대 초기에 활동한 학자로

사람을 따르는 것은 마땅하지 않고 양 또한 음을 따르는 것은 마땅하지 않다. 그러나 올바름으로 올바름을 따르는 것은 도를 따르는 당연함이다."

송대 오군(吳郡 : 현 강소성 소주〈蘇州〉) 사람이다. 어려서 가학을 익히고 젊어서는 기서(奇書)를 즐겨 연구하다가, 뒤늦게 과거시험 준비를 했다. 남송이 멸망하고 원대 조정이 들어서자 과거응시를 포기하고 은거하여 역학 연구에 전념하였다. 역학 관련 저술이 특히 많았는데, 대표적인 것으로 『주역집설(周易集說)』, 『독역거요(讀易擧要)』, 『역외별전(易外別傳)』 등이 있다.

係小子, 不兼與也.

작은 사람과 엮이면 두 가지를 겸하여 함께 할 수 없다.

程傳

人之所隨, 得正則遠邪, 從非則失是, 無兩從之理. 二苟系初, 則失五矣, 弗能兼與也. 所以戒人從正當專一也.

사람들이 따르는 데 올바름을 얻으면 사특함을 멀리 하고 그른 것을 따르면 옳은 것을 잃게 되어 두 가지를 모두 따를 수 있는 이치는 없다. 육이효가 초구효와 관계하면 구오효를 잃게 되니, 두 가지를 겸하여 함께 할 수는 없다. 그래서 사람이 올바름을 따르는 데 마땅히 하나에 집중해야만 한다고 경계했다.

案

九五六二之應同也, 在比萃則吉, 在同人則吝, 在隨則系小子, 而吝亦可知矣. 所以然者, 皆因卦義而變, 卦義以剛下柔, 柔必系之, 故推之爻義, 而知其弗兼與也.

구오효와 육이효가 호응하여 같은 것은 비(比䷇)괘와 췌(萃䷬)괘는 길하고 동인(同人䷌)괘는 유감이 있고 수(隨䷐)괘는 작은 사람과 관계하여 유감이 있는 것 또한 알 수 있다. 그러한 이유는 모두 괘의 뜻에 따라 변하니 괘의 뜻이 굳셈으로 부드러움에 내려가 부드러움이 반드시 관계하므로 효의 뜻을 추론하여 두 가지를 함께 할 수 없음을 알 수 있다.

係丈失, 志舍下也.

장부와 엮이는 것은 뜻이 아래를 버리는 것이다.

程傳

旣隨於上, 則是其志舍下而不從也. 舍下而從上, 舍卑而從高也, 於隨爲善矣.

위를 따랐다면 그 뜻은 아래를 버리고 따르지 않는 것이다. 아래를 버리고 위를 따르며 낮은 것을 버리고 높은 것을 따르니, 뒤따르는 때가 최선의 행동이다.

集說

● 黃氏淳耀曰 : "人之取舍系乎志. 三志旣系於四, 則所舍必在於初矣. 在二則因系以明其弗兼, 在三則因舍以堅其所系."

황순요(黃淳耀)가 말했다. "사람이 취하고 버리는 일은 뜻에 달려 있다. 육삼효의 뜻은 구사효에 붙어 있으니 버리는 것은 반드시 초효에 있다. 이효에서는 붙어 있는 것을 따라 두 가지를 겸하여 함께 할 수 없는 점을 밝혔고 삼효에서는 버리는 것을 따라 그 붙어 있는 것을 견고하게 했다."

案

此爻何以知其志舍下? 以無剛來下之, 則必從上之剛矣, 四近而初遠故也. 卦義以剛下柔, 而此爻以柔從剛, 於時義則不合, 而不失乎陽唱陰隨之常理, 故聖人猶嘉其志焉.

이효는 어째서 그 뜻이 아래를 버리는 것을 알았는가? 굳셈이 아래로 내려오지 않으니 반드시 위의 굳셈을 좇는데 구사효가 가깝고 초효가 멀기 때문이다. 괘의 뜻은 굳셈이 부드러움으로 내려오나 이효는 부드러움이 굳셈을 따르니 때의 뜻에는 합치하지 않지만 양이 부르고 음이 따르는 정상적인 이치를 잃지 않았으므로 성인이 오히려 그 뜻을 가상하게 여겼다.

隨有獲, 其義凶也. 有孚在道, 明功也.

뒤따름에 얻음이 있는 것은 그 의리상 흉하다. 신뢰가 있고 도리에 있는 것은 밝은 공이다.

程傳

居近君之位而有獲, 其義固凶. 能有孚而在道則無咎, 蓋明哲之功也.

군주와 가까운 지위에 자리하면서 백성들의 마음을 얻게 되면 그 의리가 분명 흉하다. 신뢰가 있고 도리에 있을 수 있다면 허물이 없으니 이는 명철한 공이다.

集說

● 袁氏樞曰 : "其義凶者, 有凶之理也, 處得其道如下所云, 則無咎矣."

원추(袁樞)[6]가 말했다. "그 의리상 흉한 것은 흉할 수 있는 이치가

6) 원추(袁樞, 1131~1205) : 자는 기중(機仲)이다. 송대 건안(建安 : 현 복건성 구현〈甌縣〉) 사람으로 1163년 예부(禮部)의 과거시험에서 사부(詞賦)에 장원급제하여 태부승(太府丞)·공부시랑(工部侍郎)·국자감제주(國子監祭酒) 등을 역임하였다. 사마광의 『자치통감』을 특히 좋아하였다. 저서는 『통감기사본말(通鑑紀事本末)』, 『역전해의(易傳解義)·변이

있으니 처신함에 그 도리를 얻음이 아래와 같이 말한 것과 같다면 허물이 없다."

案

義者, 謂卦義也. 卦義剛下於柔, 而四剛爲柔隨, 且處近君之地, 尤有招納之嫌, 故曰其義凶也.

뜻은 괘의 뜻을 말한다. 괘의 뜻은 굳셈이 부드러움으로 내려가는 것인데 구사효는 굳셈으로 부드러움이 따르고 또 군주와 가까운 곳에 처하여 더욱 사람들을 불러모아 결집하려는 혐의가 있으므로 그 의리상 흉하다고 말했다.

(辯異)』, 『동자문(童子問)』등이 있다.

孚於嘉, 吉, 位正中也.

선에 대한 신뢰를 가지고 있으니 길한 것은 자리가 정중하기 때문이다.

程傳

處正中之位, 由正中之道, 孚誠所隨者正中也, 所謂嘉也, 其吉可知. 所孚之嘉謂六二也. 隨以得中爲善, 隨之所防者過也, 蓋心所說隨, 則不知其過矣.

정중(正中)의 자리에 처한 것은 정중(正中)의 도로 말미암으니 신뢰와 정성으로 따르는 것이 정중(正中)의 도이다. 그래서 선하다고 했으니 길함을 알 수 있다. 신뢰하고 있는 선함은 육이효를 말한다. 뒤따름은 알맞음을 얻을 때 최선으로 여기고 뒤따름에서 막아야 할 것은 지나침이니 마음이 기뻐하며 따르면 그 지나침을 알지 못한다.

案

當隨之時, 居尊位而有正中之德, 則所孚者皆善矣. 初五皆言吉, 而五尤吉, 以其正中故爾.

따름의 때를 당하여 존귀한 지위에 자리하고 정중(正中)의 덕을 가지고 있으니 믿는 것이 모두 선하다. 초효와 오효 모두 길하다고 말했는데 오효가 더욱 길한 것은 정중(正中)하기 때문이다.

拘系之, 上窮也.

붙잡아 엮어 놓는 것은 뒤따름의 궁극이다.

本義

窮, 極也.

궁(窮)은 극치이다.

程傳

隨之固如拘系維持, 隨道之窮極也.

뒤따름의 견고함이 마치 붙잡아 엮어 놓는 것과 같으니, 뒤따르는 도의 궁극이다.

案

上窮則有高亢之意, 在人如絶世離群, 往而不返者是也. 卦之陰爻皆云系, 至上六獨曰"拘系之", 故夫子發明其義, 以爲因上六之不易系也.

상효가 궁극이면 고상하고 오만한 뜻이 있어 사람에게서는 세상과 단절하고 무리에서 벗어나 돌아오지 않는 자가 그러하다. 괘의 음효는 모두 엮는다고 말하는데 상육효에 이르러 유독 붙잡아 엮는다고 했으므로 공자가 그 뜻을 밝혔으니 상육효의 바뀌지 않음을 따라서 엮는다고 여겼다.

18. 고蠱☶☴괘

山下有風, 蠱. 君子以振民育德.

산 아래에 바람이 있는 것이 고괘의 모습이니, 군자는 이것을 본받아 백성을 진작시키고 자신의 덕을 기른다.

本義

山下有風, 物壞而有事矣, 而事莫大於二者, 乃治己治人之道也.

산 아래에 바람이 있으니 사물이 파괴되어 일이 있는데 일은 이 두 가지보다 큰 것이 없으니, 바로 자신을 다스리고 남을 다스리는 도(道)이다.

程傳

山下有風, 風遇山而回, 則物皆散亂, 故爲有事之象. 君子觀有事之象, 以振濟於民, 養育其德也. 在己則養德, 於天下則濟民, 君子之所事, 无大於此二者.

산 아래에 바람이 있어 바람은 산을 만나 휘돌아 가면 만물이 모두 요란하게 흔들리므로, 일을 도모하는 모습이다. 군자는 일을 도모하는 모습을 관찰하여 백성들을 진작시키고 구제하며 자신의 덕을 함양한다. 자신에게서는 덕을 기르고 천하에서는 백성을 구제하니 군자가 하는 일 가운데 이 두 가지보다 큰 일은 없다.

集說

● 李氏舜臣曰 : "山下有風, 則風落山之謂. 山木摧落, 蠱敗之象. 飭蠱者, 必須有以振起之. 振民者, 猶巽風之鼓爲號令也. 育德者, 猶艮山之養成材力也. 『易』中育德多取於山, 故蒙亦曰果行育德."

이순신(李舜臣)[1]이 말했다. "산 아래 바람이 있으면 바람에 무너진 산을 말한다. 산의 나무들이 꺾이고 무너진 것이 썩어 부서져 무너진 모습이다. 썩은 것을 타일러 경계하는 것은 반드시 진작하여 일으키게 한다. 백성을 진작하는 일은 손(巽)괘에서 바람의 고동이 호령하는 것과 같고 덕을 기르는 일은 간(艮)괘에서 산의 기름이 재능을 완성하는 것과 같다. 『역』 가운데 덕을 기르는 일은 산에서

1) 이순신(李舜臣) : 송(宋)대 선정(仙井) 사람으로 자는 자사(子思)이고 호는 융산(隆山)이다. 건도(乾道) 2년(1166)에 진사에 급제하여 벼슬은 성도부교수(成都府教授)를 역임하였다. 『역』 연구에 전념하였는데, 특히 주자에게 수학한 적이 있는 풍의(馮椅)와 친밀히 교류하였다고 한다. 저술로는 『역본전(易本傳)』 32권이 있었다고 하는데 전해지지 않고, 풍의(馮椅)의 『후재역학(厚齊易學)』에 그의 글이 소개되고 있다.

취한 것이 많으므로 몽(蒙)괘 또한 과감하게 행하고 덕을 기르라고 말했다."

● 楊氏文煥曰 : "振萬物者莫如風, 育萬物者莫如山."

양문환(楊文煥)[2]이 말했다. "만물을 진작시키는 일은 바람만한 것이 없고 만물을 양육하는 것은 산만한 것이 없다."

● 李氏簡曰 : "山下有風, 振物之象也. 蠱之時, 民德敗矣. 敗而育之, 必振動之, 使離其故習可也. 猶風之撓物, 適所以養之也."[3]

이간(李簡)이 말했다. "산 아래에 바람이 있는 것이 사물을 진작시키는 모습이다. 고(蠱)의 때에 백성의 덕이 무너졌다. 무너졌지만 양육시키는 데 반드시 진작시켜야 하니 그 고질적인 악습에서 벗어나게 하는 것이 좋다. 마치 바람이 사물을 요동시키듯 하는 것이 바로 그것을 양육시키는 일이다."

● 俞氏琰曰 : "小畜之風在天上, 觀之風在地上, 渙之風在水上, 並無所阻, 故皆言行. 蠱之風則止於山下, 爲山所阻, 而不能條達, 故不言行而言有."[4]

---

2) 양문환(楊文煥) : 남송의 역학자로 태주사람이며, 자는 빈부(彬夫)이다. 저서로는 『오십가역해(五十家易解)』 42권이 있다.
3) 이간(李簡), 『학역기(學易記)』 권2.
4) 유염(俞琰), 『주역집설(周易集說)』 권11.

유염(兪琰)[5]이 말했다. "소축(小畜䷈)괘의 바람은 하늘 위에 있고 관(觀䷓)괘의 바람은 땅위에 있고 환(渙䷺)괘의 바람은 물 위에 있으니 모두 장애가 없으므로 행함을 말했다. 고(蠱䷑)괘의 바람은 산 아래에서 멈추니 산에 의해 막혀 조리 있게 통하지 못하므로 행한다고 말하지 않고 있다고 했다."

● 沈氏一貫曰 : "風遇山而回, 物皆擾亂, 是爲有事之象. 君子以振起民心而育其德, 作新民也."

심일관(沈一貫)이 말했다. "바람이 산을 에워싸고 돌아 사물이 모두 요란하니 이것이 일을 벌이는 모습이다. 군자가 민심을 진작시켜 그 덕을 양육하니 백성을 새롭게 만드는 일이다."

案

諸家以振民育德, 俱爲治人之事. 與『傳』『義』不同, 考其文意似爲得之. 蓋治己不應後於治人, 而蒙之"果行育德", 亦施於蒙者之事也. 若漸之"居賢德善俗", 爲治己治人, 則語次先後判然, 且居與育亦有別.

---

5) 유염(兪琰) : 자는 옥오(玉吾)이고, 호는 전양자(全陽子), 임옥산인(林屋山人), 석간도인(石澗道人) 등이다. 남송 말 원대 초기에 활동한 학자로 송대 오군(吳郡 : 현 강소성 소주〈蘇州〉) 사람이다. 어려서 가학을 익히고 젊어서는 기서(奇書)를 즐겨 연구하다가, 뒤늦게 과거시험 준비를 했다. 남송이 멸망하고 원대 조정이 들어서자 과거응시를 포기하고 은거하여 역학 연구에 전념하였다. 역학 관련 저술이 특히 많았는데, 대표적인 것으로 『주역집설(周易集說)』, 『독역거요(讀易擧要)』, 『역외별전(易外別傳)』 등이 있다.

여러 학자들은 백성을 진작시키고 덕을 양육한다는 것을 모두 사람을 다스리는 일로 여긴다. 이는 『정전』과 『주역본의』와는 다르지만 문장의 의미를 고찰하면 뜻을 얻은 듯도 하다. 자기를 다스리는 일은 사람을 다스리는 일보다 나중일 수 없기 때문이니 몽(蒙)괘의 "과감하게 행동하고 덕을 양육한다"는 말 또한 어리석은 자에게 베푸는 일이다. 점(漸)괘의 "현자의 덕에 자리하여 세속을 선하게 한다"는 말도 자신을 다스리는 일이면서 사람을 다스리는 일이니, 어순의 선후가 분명하고 또 자리한다는 것과 양육한다는 말 또한 분별이 있다.

幹父之蠱, 意承考也.

아버지의 무너진 일을 주관함은 그 뜻이 선친의 일을 계승하는 것이다.

程傳

子幹父蠱之道, 意在承當於父之事也, 故祇敬其事, 以置父於無咎之地, 常懷惕厲, 則終得其吉也. 盡誠於父事, 吉之道也.

아들이 아버지의 무너진 일을 주관하는 도리는 뜻이 아버지의 일을 계승하여 담당하는 데 있으므로 그 일을 공경하여 아버지가 허물이 없게 만드는 것이니, 항상 두려워하고 신중한 생각을 품으면 결국에는 길함을 얻는다. 아버지의 일에 정성을 다하는 것이 길한 방도이다.

集說

● 項氏安世曰: "幹父之蠱, 跡若不順, 意則承之也. 跡隨時而遷, 久則有敝, 何可承也. 孝子之於父, 不失其忠愛之意而已."[6]

항안세(項安世)[7]가 말했다. "아버지의 무너진 일을 주관하는 데 흔

6) 항안세(項安世), 『주역완사(周易玩辭)』 권4.

7) 항안세(項安世, 1129~1208) : 자는 평부(平父)이고, 호는 평암(平庵)이며, 송대 강릉(江陵 : 현 호북성 소속) 사람이다. 효종(孝宗) 순희(淳熙)

적이 불손하더라도 뜻은 따른다. 흔적은 때를 따라 바뀌므로 오래되면 병폐가 있게 되니 어찌 계승할 수 있겠는가? 효자는 아버지에 대해 충실하고 사랑하는 뜻을 잃지 않을 뿐이다."

● 楊氏簡曰 : "不得已而幹父之蠱, 其意未嘗不順承者也. 其意則承, 其事則不可得而承矣. 承其事則蠱不除, 乃所以彰父之惡, 非孝也."[8]

양간(楊簡)[9]이 말했다. "부득이하게 아버지의 무너진 일을 주관하

2년(1175) 진사에 급제하여 소흥부교수(紹興府教授)가 되었는데, 당시 절동제거(浙東提擧)를 맡고 있던 주희(朱熹)를 만나 서로 강론하였다. 주희가 간관(諫官)으로 조정에 추천한 적이 있으며, 비서성정자(秘書省正字), 교서랑(校書郞), 지주통판(池州通判) 등을 역임했다. 경원(慶元) 연간에 상소를 올려 주희(朱熹)를 유임하라고 했다가 탄핵을 받고 위당(僞黨)으로 몰려 파직되었다. 나중에 복직되어 여러 벼슬을 거쳤다. 저서에는 『주역완사(周易玩辭)』, 『항씨가설(項氏家說)』, 『평암회고(平庵悔稿)』 등이 있다.

8) 양간(楊簡), 『양씨역전(楊氏易傳)』 권7.

9) 양간(楊簡, 1141~1226) : 자는 경중(敬仲)이고, 호는 자호선생(慈湖先生)이며, 시호는 문원(文元)이다. 남송 명주 자계(明州慈溪 : 현 절강성 영파시〈寧波市〉) 사람으로 양정현(楊庭顯)의 아들이다. 효종(孝宗) 건도(乾道) 5년(1169)에 진사에 급제하여 부양주부(富陽主簿)에 올랐다. 이때 육구연(陸九淵)을 스승으로 섬겨 육씨심학파(陸氏心學派)의 대표적 인물이 되었다. 원섭(袁燮), 서린(舒璘), 심환(沈煥) 등과 함께 녹상사선생(甬上四先生), 사명사선생(四明四先生)으로 일컬어졌다. 육구연의 심학을 우주의 만물(萬物), 만상(萬象), 만변(萬變)이 모두 자신에게 속해 있다는 유아론(唯我論)으로 발전시켰다. 저서에 『자호시전(慈湖詩傳)』, 『양씨역전(楊氏易傳)』, 『계폐(啓蔽)』, 『선성대훈(先聖大訓)』, 『오

게 되면 그 뜻을 계승하지 않은 적이 없다. 그 뜻은 계승하고 그 일은 계승할 수 없다. 그 일을 계승하면 부패는 제거되지 않으니 아버지의 악이 드러나서 효도가 아니다."

● 張氏清子曰 : "不承其事而承其意, 此善繼父之志者也."

장청자(張清子)가 말했다. "그 일을 계승하지 않고 그 뜻을 계승하니 이것이 아버지의 뜻을 잘 계승하는 자이다."

● 楊氏啟新曰 : "前人以失而致蠱, 未必無悔過之心. 幹父之蠱, 乃承考之意, 而置之無過之地也. 此聖人以子之賢善, 歸之於父, 爲訓之義大矣."

양계신(楊啟新)이 말했다. "앞의 사람이 실수하여 무너짐에 이르면 반드시 과실을 후회하는 마음이 없지 않다. 아버지의 무너진 일을 주관하는 것이 바로 선친의 뜻을 계승하여 과실이 없는 곳에 놓는 일이다. 이것이 성인이 자신의 현명함과 선함을 아버지에게 돌리는 일이니 훈계하는 뜻이 크다."

案

意承考, 釋考所以無咎, 如楊氏之說.

그 뜻이 선친의 일을 계승하는 것은 선친이 허물이 없음을 해석했으니 양씨의 말과 같다.

고해(五誥解)』, 『자호유서(慈湖遺書)』 등이 있다.

幹母之蠱, 得中道也.

어머니의 무너진 일을 주관함은 중도를 얻은 것이다.

程傳

二得中道而不過剛, 幹母蠱之善者也.

구이효는 중도(中道)를 얻어 지나치게 강직하지 않으니 어머니의 무너진 일을 주관하는 데 선한 자이다.

集說

● 吳氏曰愼曰 : "爻曰不可貞, 所以戒占者. 『傳』曰得中道, 則是本爻象, 言其能不至於貞者也. 貞則非中道矣."

오왈신(吳曰愼)이 말했다. "효에서 곧아서는 안 된다고 하여 점치는 자를 경계한 것이다. 『정전』에서 중도를 얻었다는 것은 효의 모습에 근거하였으니 곧음에 이르지 않을 수 있다는 말이다. 곧으면 중도가 아니다."

幹父之蠱, 終無咎也.
아버지의 무너진 일을 주관하는 것은 결국에 허물이 없다.

程傳

以三之才, 幹父之蠱, 雖小有悔, 終無大咎也. 蓋剛斷能幹, 不失正而有順, 所以終無咎也.

구삼효의 재능으로 아버지의 무너진 일을 주관하면 작은 후회는 있지만 결국에 큰 허물은 없다. 굳세고 과감함으로 일을 주관할 수 있어 올바름을 잃지 않으면서 순종하니 결국에는 허물이 없다.

集說

● 蔡氏清曰 : "不曰無大咎, 而只曰無咎, 蓋不但無大咎也, 有進而勉之之意."[10]

채청(蔡清)이 말했다. "큰 허물이 없다고 말하지 않고 단지 허물이 없다고 말했으니 큰 허물이 없을 뿐 아니라 나아가 힘쓰는 뜻이 있기 때문이다."

10) 채청(蔡清), 『역경몽인(易經蒙引)』 권3상.

裕父之蠱, 往未得也.

아버지의 무너진 일을 여유롭게 함은 가서 얻지 못하는 것이다.

程傳

以四之才, 守常居寬裕之時則可矣, 欲有所往, 則未得也. 加其所任, 則不勝矣.

육사효의 재능으로 상도(常道)를 지키고 관대하고 여유로운 때 자리하면 좋지만 욕심을 부려 일을 해나가려고 하면 얻지 못한다. 거기에 자신의 소임을 덧붙이면 더욱더 감당하지 못한다.

集說

● 趙氏汝楳曰 : "謂重柔之往, 未得遂其有事之志, 斯其爲幹蠱者之吝."[11)]

조여매(趙汝楳)[12)]가 말했다. "거듭된 부드러움이 가면 그 일하는

11) 조여매(趙汝楳), 『주역집문(周易輯聞)』 권2.

12) 조여매(趙汝楳) : 조여매(趙汝楳)는 남송(南宋) 시대 학자로서 상왕원분(商王元份) 7세손이고 자정전대학사(資政殿大學士) 선상(善湘)의 아들이다. 이종(理宗) 대에는 호부시랑(戶部侍郞)까지 올랐다. 『주역집문(周易輯聞)』 6권이 있다. 『송사(宋史)』「조선상전(趙善湘傳)」에 따르면 조선상이 『역』에 대해 말한 책에는 『약설(約說)』 8권, 『혹문(或問)』 4권,

뜻을 수행하지 못함을 말하니 이는 무너진 일을 주관하는 자의 유감이 된다."

『지요(指要)』 4권, 『속문(續問)』 8권 등이 있는데 이 『역』을 연구한 것이 가장 오래되었다고 하니, 조여매는 가학(家學)을 이어서 이 『주역집문』을 지었을 것이다.

幹父用譽, 承以德也.

아버지의 무너진 일을 주관하여 명예를 얻은 것은 덕으로 계승했기 때문이다.

程傳

幹父之蠱, 而用有令譽者, 以其在下之賢, 承輔之以剛中之德也.

아버지의 무너진 일을 주관하여 아름다운 명예를 얻은 자는 아래에서 현명한 자가 굳세고 알맞은 덕으로 받들어 보좌했기 때문이다.

集說

● 項氏安世曰 : "六五得尊位, 行大中, 能以令名掩前人之蠱者也, 故曰幹父用譽, 承以德也, 言不以才幹, 而以德幹也."[13]

항안세(項安世)가 말했다. "육오효는 존귀한 지위를 얻어 큰 중도를 행하는 데 아름다운 명예로 이전 사람들의 과실을 덮을 수 있는 자이므로 아버지의 무너진 일을 주관하여 명예를 얻은 것은 덕으로 계승했기 때문이라고 말했으니, 재능으로 주관한 것이 아니라 덕으로 주관했다는 말이다."

13) 항안세(項安世), 『주역완사(周易玩辭)』 권4.

● 鄭氏維嶽曰:“旣曰蠱矣, 何德之可承? 夫使人不曰承敝而承德, 若不知其爲前人之蠱然者.”

정유악(鄭維嶽)이 말했다. “이미 무너졌다고 했는데 어떻게 덕으로 계승할 수 있는가? 사람들에게 부패를 계승했다고 하지 않고 덕을 계승했다고 했으니 이전 사람들의 과실을 알지 못하는 것과 같다.”

案

『程傳』謂九二承以剛中之德, 然凡言承者, 皆就父子之繼而言, 故初之意承考, 此之承以德, 文義相似也. 不以事承考, 而以意承考. 不承父以事, 而承父以德, 父之德著, 則譽亦彰矣. 承以德, 正釋用譽之意.

『정전』에서 구이효는 굳세면서 알맞은 덕으로 계승했다고 했는데, 계승이라고 한 것은 모두 아버지와 자식의 계승을 취하여 말한 것이므로, 초효에서는 뜻으로 선친을 계승했고 여기서는 덕으로 계승했으니 문장의 의미는 서로 유사하다. 일로 선친을 계승하지 않고 뜻으로 선친을 계승하거나 아버지를 일로 계승하지 않고 아버지를 덕으로 계승해서 아버지의 덕이 드러나면 명예 또한 드러난다. 덕으로 계승함은 바로 명예를 얻은 뜻으로 해석한 것이다.

不事王侯, 志可則也.

왕후의 일을 섬기지 않는 것은 그 뜻이 본받을 만하다.

程傳

如上九之處事外, 不累於世務, 不臣事於王侯, 蓋進退以道, 用舍隨時, 非賢者能之乎? 其所存之志, 可爲法則也.

상구효와 같이 일의 바깥에 처하여 세상일에 얽매이지 않고, 왕후의 일에 대해 신하로서 섬기지 않는 것은 도를 기준으로 나아가고 물러나며 때에 따라 등용되고 버리는 것이니 현명한 자가 아니라면 가능하겠는가? 가슴에 있는 뜻이 세상의 법칙이 될 만하다.

集說

● 陸氏銓曰 : "士何事? 尙志. 志可則也, 正是高尙事."

육전(陸銓)[14]이 말했다. "관리는 어떤 일을 일삼는가? 뜻을 숭고하게 한다.[15] 뜻이 본받을 만하다면 이것은 고상한 일이다."

14) 육전(陸銓) : 육전은 명나라 사람으로 자는 선지(選之)이다. 은현(鄞縣) 사람이다. 생졸연대는 분명하지 않다. 명나라 세종(世宗) 가정(嘉靖) 14년 전후 사람이다. 가정 2년(1523)에 진사가 되어 형부주사(刑部主事)에 제수받았다. 동생과 『과쟁대례(戈爭大禮)』를 편찬했다가 옥고를 치렀다. 후에 광서안찰사(廣西按察使)가 되었다.

15) 『맹자』「진심상」: "왕자점이 물었다. '관리는 무엇을 일삼습니까?' '뜻을 고상히 한다.' '뜻을 고상히 한다는 말이 무엇을 뜻합니까?' 맹자가 말했다. '인의(仁義)일 뿐이니, 한 사람이라도 무죄(無罪)한 사람을 죽임은 인(仁)이 아니며, 자기의 소유가 아닌데 취하는 것은 의(義)가 아니다. 거처하는 것은 어디에 있어야 하는가? 인(仁)이 이것이요, 길은 어디에 있어야 하는가? 의(義)가 이것이다. 인(仁)에 거처하고 의(義)를 따른다면 대인(大人)의 일이 구비된 것이다.[王子墊問曰, "士何事?" 孟子曰, "尙志." 曰, "何謂尙志?" 曰, "仁義而已矣. 殺一無罪非仁也, 非其有而取之非義也. 居惡在? 仁是也, 路惡在? 義是也. 居仁由義, 大人之事備矣.]"라고 하였다.

19. 임臨䷒괘

澤上有地, 臨. 君子以教思無窮, 容保民無疆.

연못 위에 땅이 있는 것이 임괘의 모습이니, 군자는 이것을 본받아 교화하려는 생각이 끝이 없고, 백성을 포용하고 보호하려는 마음이 드넓다.

本義

地臨於澤, 上臨下也, 二者皆臨下之事, 教之無窮者兌也, 容之無疆者坤也.

땅이 못 위에 임함은 윗사람이 아랫사람에게 임하는 것이니 이 두 가지는 다 아래에 임하는 일이다. 교화함에 끝이 없는 것이 태(兌☱)괘이고, 포용하기에 드넓은 것이 곤(坤☷)괘이다.

程傳

澤之上有地, 澤岸也, 水之際也. 物之相臨與含容, 無若水之在地, 故澤上有地爲臨也. 君於觀親臨之象, 則教思無窮, 親臨於民, 則有教導之意思也, 無窮, 至誠無斁也. 觀含容之象, 則有容保民之心, 無疆, 廣大無疆限也. 含容有廣大之意, 故爲無窮無疆之義.

못 위에 땅이 있으니, 못 위의 언덕은 물가이다. 사물이 서로 임하고 함께 포용함은 물이 땅에 있는 것만한 것이 없으므로 못 위에 땅이 있는 모습이 임괘이다.
군자가 친히 임하는 모습을 관찰하면 교화하려는 생각이 끝없으니, 백성에게 친히 임하는 것은 교화하여 인도하려는 뜻이 있어서이다. "끝이 없다"는 말은 지성으로 끝이 없다는 것이다. 포용하는 모습을 관찰하면 백성을 포용하고 보호하려는 마음이 있다. "드넓다"는 말은 광대하고 한계가 없다는 것이다. 포용하다는 것은 광대하다는 뜻이 있어 "끝이 없다"는 말과 "드넓다"는 뜻이 된 것이다.

集說

● 王氏弼曰 : "相臨之道, 莫若悅順. 不恃威制, 得物之誠, 故物無違也. 是以君子教思無窮, 容保民無疆."[1]

왕필(王弼)[2]이 말했다. "서로 임하는 도는 기쁘게 순종하는 것만한

1) 왕필(王弼), 『주역주(周易註)』 권2.
2) 왕필(王弼, 226~249) : 자는 보사(輔嗣)이고, 산양(山陽) 고평(高平 : 현 산동성 금향 현〈金鄕縣〉) 사람이다. 중국 삼국시대 위(魏)나라의 철학자이며, 상서랑(尙書郞)을 지냈다. 왕필은 24세의 나이로 죽을 때 이미 도가경전 『도덕경(道德經)』과 유교경전 『주역(周易)』의 탁월한 주석가였다. 이러한 주석서들을 통해 중국 사상에 형이상학을 소개하는 데 기여했으며, 유가와 도가가 회통할 수 길을 열었다. 저서로는 『주역주(周

것이 없다. 위압적인 제압에 의지하지 않고 사물의 진실을 얻으므로 사물과 어긋나지 않는다. 그래서 군자는 교화하려는 생각이 끝이 없고 백성을 포용하려는 마음이 드넓다."

● 劉氏牧曰:"岸高於澤, 俯臨之也."

유목(劉牧)[3]이 말했다. "언덕이 못보다 높으니 높은 사람이 아래에 임하는 것이다."

● 胡氏炳文曰:"不徒曰教, 而曰教思, 其意思如兌澤之深. 不徒曰保民, 而曰容保民, 其度量如坤土之大."[4]

호병문(胡炳文)[5]이 말했다. "교화라 말하지 않고 교화하려는 생각

易注)』, 『주역약례(周易略例)』, 『노자주(老子注)』·『노자지략(老子指略)』, 『논어역의(論語繹疑)』가 있다.

3) 유목(劉牧, 1011~1064年) : 자는 선지(先之) 혹은 목지(牧之)이고 호는 장민(長民)이다. 원래는 항주(杭州) 임안(臨安) 사람이었는데, 조부의 공적으로 인해 서안(西安 : 현 절강성 구현〈衢縣〉) 사람이 되었다. 범중엄(範仲淹)을 스승으로 모시고, 손복(孫複)에게서 『춘추』를 배웠으며, 석개(石介)와도 친분이 두터웠다. 역학방면으로는 범악창(範諤昌)의 역학을 이어받아 진단(陳搏)의 「하도」·「낙서」 상수학을 전승하였다. 벼슬은 범중엄과 부필(富弼) 등의 추천으로 연주(兗州) 관찰사를 거쳐 태상박사(太常博士)까지 역임하였다. 역학 방면의 저술에는 『괘덕통론(卦德通論)』, 『신주주역(新注周易)』, 『주역선유유론구사(周易先儒遺論九事)』, 『역수구은도(易數鉤隱圖)』 등이 있다.

4) 호병문(胡炳文), 『주역본의통석(周易本義通釋)』 권3.

5) 호병문(胡炳文, 1250~1333) : 원나라 휘주(徽州) 무원(婺源) 사람으로

이라고 말했으니 그 생각은 태(兌☱)괘에서 연못의 깊음과 같다. 백성을 보호한다고 말하지 않고 백성을 포용하고 보호한다고 했으니 그 도량은 곤(坤☷)괘에서 땅의 거대함과 같다."

● 俞氏琰曰 : "臨有二義. 以爻之陰陽言, 則爲大臨小, 以象之地澤言, 則爲上臨下."[6]

유염(俞琰)이 말했다. "임에는 두 가지 뜻이 있다. 효(爻)의 음과 양으로 말하면 큰 것이 작은 것에 임하고 상(象)의 땅과 연못으로 말하면 윗사람이 아랫사람에게 임하는 것이다."

● 蔡氏清曰 : "教思, 謂其一段教育成就人底意思也. 教人以善謂之忠, 味忠之一字, 方見此之所謂教思者."[7]

채청(蔡清)이 말했다. "교화하려는 생각은 가르치고 길러 성취하려는 사람의 생각을 말한다. 사람을 착함으로 가르치는 일을 충(忠)이라[8] 하니 충이라는 한 글자를 음미하면 이것이 교화하려는 생각

자는 중호(仲虎)고, 호는 운봉(雲峰)이다. 주희(朱熹)의 종손(宗孫)에게 『주역』과 『서경』을 배워 주자학에 잠심했으며, 특히 『주역』에 뛰어났다. 신주(信州) 도일서원(道一書院) 산장(山長)을 지내고, 난계주학정(蘭溪州學正)이 되었는데, 나가지 않았다. 저서에 『주역본의통석(周易本義通釋)』과 『서집해(書集解)』, 『춘추집해(春秋集解)』, 『예서찬술(禮書纂述)』, 『사서통(四書通)』, 『대학지장도(大學指掌圖)』, 『오경회의(五經會義)』, 『이아운어(爾雅韻語)』 등이 있다.

6) 유염(俞琰), 『주역집설(周易集說)』 권4.

7) 채청(蔡清), 『역경몽인(易經蒙引)』 권3하.

8) 『맹자』「등문공상」: "요(堯)는 순(舜)을 얻지 못함을 자기의 근심으로 삼

임을 알 수 있다."

● 又曰:"勞之來之, 匡之直之, 輔之翼之, 使自得之, 又從而振德之, 此可見君子教思之无窮. 民吾同胞, 以至鰥寡孤獨, 皆吾弟兄之顚連無告者也, 必使皆樂其樂而利其利, 可見君子之容保民无疆也."[9]

또 말했다. "'위로하고 오게 하며, 바로잡아주고 펴주며, 도와주고 도와주어 스스로 얻게 하고, 또 따라서 진작하고 은혜를 베풀어 준다'[10]고 하였으니, 여기서 군자가 교화하려는 생각이 끝없음을 알

으셨고, 순(舜)은 우(禹)와 고요(皐陶)를 얻지 못함을 자기의 근심으로 삼으셨으니, 백묘(百畝)가 다스려지지 못함을 자기의 근심으로 삼는 자는 농부(農夫)이다. 남에게 재물을 나누어줌을 혜(惠)라 이르고, 남에게 선(善)을 가르쳐 줌을 충(忠)이라 이르고, 천하 사람들을 위하여 인재를 얻음을 인(仁)이라 이른다. 이러므로 천하로써 남에게 주기는 쉽고, 천하를 위하여 인재를 얻기는 어려운 것이다.[堯, 以不得舜, 爲己憂, 舜, 以不得禹皐陶, 爲己憂, 夫以百畝之不易, 爲己憂者, 農夫也. 分人以財, 謂之惠, 敎人以善, 謂之忠, 爲天下得人者, 謂之仁. 是故以天下與人, 易, 爲天下得人, 難.]"라고 하였다.

9) 채청(蔡清), 『역경몽인(易經蒙引)』 권3하.

10) 『맹자』「등문공상」: "후직(后稷)이 백성들에게 가색(稼穡)을 가르쳐서 오곡(五穀)을 심고 가꾸게 하셨는데, 오곡(五穀)이 성숙(成熟)함에 인민(人民)이 잘 길러졌으니, 인간에게는 도리가 있는데, 배불리 먹고 따뜻이 옷을 입어서 편안히 거처하기만 하고 가르침이 없으면 금수(禽獸)와 가까워진다. 이 때문에 성인(聖人)이 이를 근심하시어, 설(契)에게 사도(司徒)를 삼아 인륜(人倫)을 가르치게 하셨으니, 부자(父子)간에는 친함이 있으며, 군신(君臣)간에는 의리가 있으며, 부부(夫婦)간에는 분별이 있으며, 장유(長幼)간에는 차례가 있으며, 붕우(朋友)간에는 믿음이 있는

수 있다. 우리 백성 동포에서 홀아비·과부·무의탁자·고아까지 모두는 우리 형제의 의지할 곳 없는 무고한 사람들이니 반드시 그 즐거움을 즐기고 이로움을 이롭게 하니 군자가 백성을 포용하고 보호하는 것이 드넓음을 알 수 있다."

案

臨者, 大也. 澤上有地. 澤之盛滿, 將與地平, 大之義也. 教思無窮, 容保無疆, 蓋言王澤之盛大, 所以淪浹之深, 而漸被之廣者.

임하는 것은 크다. 못 위에 땅이 있으니 못이 가득 차서 땅과 수평을 이루어 크다는 뜻이다. 교화하려는 생각이 끝없고 백성을 포용하고 보호함이 드넓다는 것은 왕의 은택이 성대하여 물들어감이 깊고 점차로 받는 것이 넓다는 말이다.

것이다. 방훈(放勳)이 말씀하기를 '위로하고 오게 하며, 바로잡아주고 펴주며, 도와주고 도와주어 스스로 〈본성(本性)을〉 얻게 하고, 또 따라서 진작하고 은혜를 베풀어준다.' 하셨으니, 성인(聖人)이 백성을 걱정함이 이와 같으시니, 어느 겨를에 밭을 갈겠는가.[后稷, 教民稼穡, 樹藝五穀, 五穀熟而民人育, 人之有道也, 飽食煖衣, 逸居而無教, 則近於禽獸, 聖人, 有憂之, 使契爲司徒, 教以人倫, 父子有親, 君臣有義, 夫婦有別, 長幼有序, 朋友有信. 放勳曰 勞之來之, 匡之直之, 輔之翼之, 使自得之, 又從而振德之. 聖人之憂民, 如此, 而暇耕乎.]"라고 하였다.

咸臨, 貞吉, 志行正也.

느껴서 임하니 바르게 하여 길함은 뜻이 올바름을 행하려는 것이다.

程傳

所謂貞吉, 九之志在於行正也. 以九居陽, 又應四之正, 其志正也.

바르게 하여 길하다는 말은 초구효의 뜻이 올바름을 행하려는 데 있다는 말이다. 구(九)로써 양에 자리하고 또 육사효의 올바름에 호응했으니, 그 뜻이 올바르다.

集說

● 吳氏曰愼曰 : "有守正, 有行正, 臨初正與屯同."

오왈신(吳曰愼)이 말했다. "올바름을 지키고 올바름을 행하니 임괘의 초효는 바로 준(屯)괘와 같다.[11]

11) 『주역』「준(屯)괘」「상전」: "주저하고 머뭇거리고 있지만 뜻은 올바름을 행하려 한다.[雖盤桓, 志行正也.]"라고 하였다.

咸臨, 吉無不利, 未順命也.

느껴서 임하니 길하여 이롭지 않음이 없음은 단지 명령에 순종하는 것만은 아니기 때문이다.

本義

未詳.

상세하지 않다.

程傳

未者非遽之辭. 孟子或問勸齊伐燕有諸, 曰, 未也. 又云, 仲子所食之粟, 伯夷之所樹與, 抑亦盜蹠之所樹與, 是未可知也. 史記侯嬴曰, 人固未易知. 古人用字之意皆如此. 今人大率用對己字, 故意似異, 然實不殊也. 九二與五感應以臨下, 蓋以剛德之長, 而又得中, 至誠相感, 非由順上之命也, 是以吉而無不利. 五順體而二說體, 又陰陽相應, 故象特明其非由說順也.

'미(未)'라는 것은 단적으로 확정할 수 없다는 말이다. 맹자는 어떤 사람이 연(燕)을 정벌해도 좋다고 권한 적이 있느냐는 물음에 "아니다"라고 대답했다.[12] 또 맹자는 "중자(仲子)가 먹은 곡식은 백이가 심은 것인가 아니면 도척이 심은 것인가. 이것을 알 수 없지 않는가!"[13]라고 했다. 『사기』에서 후영(侯嬴)이 말하기를 "사람은 진실로 알기가 쉽지 않다"라고 했다. 옛사람들이 사용하는 글자의 뜻은 모두 이와 같으나, 지금 사람들은 대체로 "이미 했다"는 뜻으로서 '이(已)'라는 글자와 상대하여 사용하므로, 뜻이 다른 듯하지만 실제로는 다르지 않다.

구이효는 육오효와 감응하여 아랫사람들에게 임하니, 강한 덕이 자

---

12) 『맹자』「공손추하」: "제(齊)나라 사람이 연(燕)나라를 정벌하자, 혹자가 묻기를 "제(齊)나라에게 연(燕)나라를 치도록 권하셨다 하니, 그런 일이 있었습니까" 하자, 맹자가 말했다. "아니다, 심동(沈同)이 '연(燕)나라를 정벌할 수 있습니까' 하고 묻기에 내 대답하기를 '가(可)하다' 하였더니, 저 사람이 옳게 여겨 정벌한 것이다. 저 사람이 만일 '누가 정벌할 수 있겠습니까' 하고 물었더라면, 나는 장차 대답하기를 '천리(天吏)가 되면 정벌할 수 있다.' 하였을 것이다. 지금에 살인한 자가 있는데, 혹자가 '그 사람을 죽일 수 있습니까' 하고 물으면, 나는 장차 대답하기를 '가(可)하다.'고 할 것이다. 저 사람이 만일 '누가 그를 죽일 수 있겠습니까' 하고 물으면, 나는 장차 대답하기를 '사사(士師)가 되면 죽일 수 있다.'고 할 것이다. 지금에는 연(燕)나라로써 연(燕)나라를 정벌하는 것이니, 내 어찌하여 권하였겠는가?[齊人, 伐燕, 或問曰勸齊伐燕, 有諸? 曰, 未也. 沈同, 問燕可伐與, 吾應之曰可, 彼然而伐之也. 彼如曰 孰可以伐之, 則將應之曰 爲天吏則可以伐之. 今有殺人者, 或問之曰 人可殺與, 則將應之曰 可. 彼如曰 孰可以殺之, 則將應之曰 爲士師則可以殺之. 今, 以燕伐燕, 何爲勸之哉!]"라고 하였다.

13) 『맹자』「등문공하」: "지렁이는 위로 마른 흙을 먹고 아래로 누런 물을 마시나니, 중자(仲子)가 거처하는 집은 백이가 건축한 것인가 아니면 도척이 건축한 것인가. 먹는 곡식은 백이가 심은 것인가 아니면 도척이 심은 것인가. 이것을 알 수 없구나![夫蚓, 上食槁壤, 下飮黃泉, 仲子所居之室, 伯夷之所築與, 抑亦盜之所築與. 所食之粟, 伯夷之所樹與, 抑亦盜之所樹與. 是未可知也.]"라고 하였다.

라나고 또 중도를 얻어 지극히 성실함으로 서로 감동하니 단지 윗사람의 명령에 순종하는 것만은 아니므로, 그래서 길하고 이롭지 않음이 없다. 육오효는 순종인 체(體)에 있고 구이효는 기쁨의 체에 있으므로, 「상전」에서는 특히 기쁘게 순종하기 때문만은 아니라는 점을 밝힌 것이다.

案

君子道長, 天之命也, 然命不於常, 故「彖」言八月有凶, 而「傳」言消不久. 君子處此, 唯知持盈若虛. 所謂大亨以正天之道者, 則順道而非順命矣. 以二爲剛長之主, 卽卦主也, 故特發此義, 以與「彖」意相應. 凡天之命, 消長焉而已. 方其長也, 則不順命, 不受命, 知盈不可久, 而進不可恃也. 及其消也, 則志不舍命, 知物不可窮, 而往之必復也. 『易』之大義, 盡在於斯.

군자의 도가 자라남이 하늘의 명령이지만 명령은 일정하지 않으므로 「단사」에서 8월에 흉함이 있다고 했고 「단전」에서 '오래지 않아 줄어든다'[14]고 했다. 군자는 여기에 처하여 오직 가득함을 잡는 것을 텅 빈 듯이 한다. '크게 형통하고 올바르니, 하늘의 도이다'[15]라는 것은 도를 따르는 것이지 명령을 따르는 것이 아니다.

14) 『주역』 임(臨)괘 「단전」: "'8월에 이르면, 흉함이 있다'는 것은 오래지 않아 줄어든다는 말이다.[至于八月有凶, 消不久也.]"라고 하였다.

15) 『주역』 임(臨)괘 「단전」: "임함은 강함이 점차로 나아가 자라나며, 기뻐하며 순종하고, 강하면서 중(中)을 이루어 호응하여, 크게 형통하고 올바르니, 하늘의 도이다.[臨, 剛浸而長, 說而順, 剛中而應, 大亨以正, 天之道也.]"라고 하였다.

이효는 강함이 자라나는 주체로서 괘의 주효이므로 이런 뜻을 특별히 말했으니 「단사」의 뜻과 서로 호응한다. 하늘의 명령은 줄어들고 늘어날 뿐이다. 늘어나려고 하면 명령을 따르지 않고 명령을 받지 않으니 가득함이 오래 갈 수 없음을 알 수 있으니 나아감에 자만할 수 없다. 소멸되려고 하면 뜻은 명을 버리지 않고 사물은 궁극에 이를 수 없음을 아니, 가면 반드시 회복한다. 『역』의 큰 뜻은 여기에서 다한다.

甘臨, 位不當也, 旣憂之, 咎不長也.

기쁜 낯으로 다가감은 지위가 합당하지 않은 것이고, 근심하고 있으므로 허물이 오래 가지 않는다.

程傳

陰柔之人, 處不中正, 而居下之上, 復乘二陽, 是處不當位也. 旣能知懼而憂之, 則必強勉自改, 故其過咎不長也.

음의 부드러운 사람이 처신하는 데 중정(中正)을 이루지 못하면서 하체에서 가장 위에 자리하고 다시 두 양을 탔으니 이는 합당하지 못한 지위에 처한 것이다. 그러나 두려워하면서 근심할 수 있다면 반드시 힘써 노력하며 고칠 것이므로 그 허물이 오래가지는 않는다.

集說

● 李氏簡曰 : "六三不中不正, 處不當位, 雖甘說此位, 亦安足以有臨乎? 能知而憂之, 強勉自改, 則過咎不長也."[16)]

이간(李簡)이 말했다. "육삼효는 알맞지 않고 바르지도 않아 처함에 합당하지 않은 지위지만 이 지위를 기뻐하더라도 또한 어찌 임함에 만족할 수 있겠는가? 이를 알고 근심하여 힘써 스스로 고칠

16) 이간(李簡), 『학역기(學易記)』 권2.

수 있다면 과오는 오래 가지 않는다."

案

三之爻位不當, 而四之爻位當, 故其德有善否? 然三之所處, 位高勢盛, 不可甘也, 而甘之, 此其所以爲不當也. 四之所處, 與下相親, 最切至也, 而能至焉, 此其所以爲當也. 是爲借爻位之當不當, 以明所處位之當不當, 『易』之例也.

삼효의 지위가 합당하지 못하고 사효의 지위는 합당하므로 그 덕에 선함이 있는가? 삼효가 대처한 것은 지위가 높고 세력이 성대하여 기쁠 수가 없는데 기뻐하니, 이것이 합당하지 않음이다. 사효가 대처한 것은 아래와 서로 친하여 가장 가깝게 이르는데 이를 수 있었으니, 이것이 합당함이다. 이는 효의 지위가 합당하고 부당함을 빌려 지위가 처함의 합당함과 부당함을 밝히는 것이니 『역』의 범례이다.

至臨, 無咎, 位當也.

지극한 임함이니 허물이 없는 것은 자리가 합당하기 때문이다.

程傳

居近君之位, 爲得其任, 以陰處四, 爲得其正, 與初相應, 爲下賢, 所以無咎, 蓋由位之當也.

군주와 가까운 지위에 있으면서 그 신임을 얻었고, 음(陰)으로 사(四)의 자리에 있으니 그 올바름을 얻었고 초구효와 서로 호응하여 현자에 대해 자신을 낮추기 때문에 허물이 없으니, 자리가 합당하기 때문이다.

集說

● 鄭氏汝諧曰 : "其位在上下之際, 臨之切至也. 凡上之臨下, 唯患其遠而不相通. 四旣近於下, 其所處之位至當, 是以無咎."[17]

정여해(鄭汝諧)[18]가 말했다. "그 자리가 위와 아래 사이에 있으니

17) 정여해(鄭汝諧), 『역익전(易翼傳)』 상경하(上經下)

18) 정여해(鄭汝諧, 1126~1205) : 자가 순거(舜擧)이고 호는 동곡거사(東谷居士)이다. 청전현성(青田縣城) 사람이다. 송나라 소흥(紹興) 27년(1157)에 진사가 되어 건도(乾道) 4년(1168) 양절(兩浙) 전운판관(轉運判官)

임함이 밀접하게 이른 것이다. 윗사람이 아래에 임함에 오직 소원하여 서로 통하지 않음만을 근심한다. 사효가 아래와 가깝고 그 처한 지위가 지극히 합당하므로 허물이 없다."

에 임명되었다. 여러 관직을 거쳐 고향으로 돌아가 석개서원(介石書院)을 세웠다. 개희(開禧) 원년(1205)에 죽었다. 『동곡역익전(東谷易翼傳)』, 『논어의원(論語意源)』, 『동곡집(東谷集)』 등이 있다.

大君之宜, 行中之謂也.

위대한 군주의 마땅함은 행함이 중도를 이룬 것을 말한다.

程傳

君臣道合, 蓋以氣類相求. 五有中德, 故能倚任剛中之賢, 得大君之宜, 成知臨之功, 蓋由行其中德也. 人君之於賢才, 非道同德合, 豈能用也.

군주와 신하의 도(道)가 합치하는 것은 기(氣)가 같은 부류로 서로 구했기 때문이다. 육오효가 알맞은 덕을 지니고 있으므로, 굳세고 알맞은 현자를 신임할 수 있어 위대한 군주의 마땅함을 이루었고 지혜로 임하는 공을 이룰 수 있었으니 이것은 그 알맞은 덕을 행했기 때문이다. 군주가 현명한 재능을 지닌 사람을 쓰는데 도가 같고 덕이 합치하지 않는다면 어떻게 등용할 수 있겠는가?

集說

● 沈氏該曰 : "能以其知行中者也."[19]

심해(沈該)[20]가 말했다. "충분히 그 지혜로 중도를 행할 수 있는

19) 심해(沈該), 『역소전(易小傳)』 권2 하.

20) 심해(沈該) : 남송 호주(湖州) 귀안(歸安) 사람으로 자는 수약(守約)이

자이다."

고, 심시승(沈時升)의 아들이다. 고종(高宗) 소흥(紹興) 8년(1138) 금나라 사람이 회사(淮泗)에서 사신을 보내 화친을 청하자 글을 올렸는데, 바로 불려갔다. 16년(1146) 양절전운판관(兩浙轉運判官)으로 임안(臨安)을 다스렸다. 다음 해 권예부시랑(權禮部侍郎)이 되고, 외직으로 나가 기주지주(夔州知州)가 되었다. 불려 참지정사(參知政事)에 오르고 좌복야(左僕射)에 오른 뒤 나이가 들어 퇴직을 청했다. 『주역』에 정통했다. 저서에 문집과 『역소전(易小傳)』, 『중흥성어(中興聖語)』가 있다.

敦臨之吉, 志在內也.

돈독하게 임함이니 길한 것은 뜻이 안에 있기 때문이다.

程傳

志在內, 應乎初與二也. 志順剛陽而敦篤, 其吉可知也.

뜻이 안에 있다는 말은 초구효와 구이효에 호응하려는 것이다. 뜻이 굳센 양에 순종하여 도탑고 성실하게 임하면 그 길함을 알 수 있다.

集說

● 張氏振淵曰 : "志在內, 卽萬物一體之意, 所以能敦. 若將天下國家置在度外, 雖有些小德澤, 終是淺薄."

장진연(張振淵)이 말했다. "뜻이 안에 있는 것은 만물과 하나의 몸이 되려는 의도이니, 그래서 돈독하게 할 수 있다. 만약 천하와 나라, 집안을 도외시한다면 작은 은택이 있더라도 결국에는 없어질 것이다."

案

此志在內, 當與泰初志在外反觀. 同是天下國家也, 自初言之則爲外, 自上言之則爲內. 伊尹躬耕, 而自任以天下之重, 可謂志在外矣. 堯舜耄期倦勤, 而念不忘民, 可謂志在內矣.

이 뜻이 안에 있으니 마땅히 태(泰)괘의 초효 「상전」의 '뜻이 밖에 있다'[21]는 말과 대비해서 보아야 한다. 모두 천하와 나라, 집안인데 초효에서 말하자면 밖이고 위에서 말하자면 안이다. 이윤(伊尹)이 몸소 밭을 갈다가 스스로 천하의 막중한 임무를 자임하니 뜻이 밖에 있다고 할 수 있다. 요순(堯舜)이 '늙어서 부지런히 해야 할 정사에 게으르다'[22]고 하여 생각에 백성을 잊지 않으니 뜻이 안에 있다고 할 수 있다.

---

21) 『주역』「태(泰)괘」「상전」: "띠 뿌리가 함께 뽑혀져 가니 길한 것은 뜻이 밖에 있기 때문이다.[拔茅征吉, 志在外也.]"라고 하였다.

22) 『서경』「우서 · 대우모(大禹謨)」: "제순(帝舜)이 말씀하였다. '이리 오라. 너 우(禹)야! 짐이 제위에 있은 지가 33년이니 늙어서 부지런히 해야 할 정사에 게으르니, 너는 태만히 하지 말아서 짐의 무리를 거느리라.'[帝曰, 格. 汝禹, 朕宅帝位, 三十有三載, 耄期倦于勤, 汝惟不怠, 總朕師.]"라고 하였다.

20. 관觀☴☷괘

風行地上, 觀, 先王以省方觀民設教.

바람이 땅 위에서 부는 것이 관괘의 모습이니, 선왕은 이를 본받아 지방을 살펴 백성을 보고 가르침을 베푼다.

本義

省方以觀民, 設教以爲觀.

지방을 살펴 백성을 보고 가르침을 베풀어 관(觀)이 되는 것이다.

程傳

風行地上, 周及庶物, 爲由歷周覽之象. 故先王體之, 爲省方之禮, 以觀民俗而設政教也. 天子巡省四方, 觀視民俗, 設爲政教, 如奢則約之以儉, 儉則示之以禮是也. 省方, 觀民也, 設教, 爲民觀也.

바람이 땅위에서 불어 모든 것에 두루 영향을 미치니 여러 곳을 경유하여 두루 둘러보는 모습이다. 선왕은 이 모습을 체득하여 지방을 살펴보는 예(禮)를 행하고 백성의 풍속을 관찰하고 정치와 가르침을 베푼다. 천자가 사방을 순행하여 백성의 풍속을 관찰하여 정치와 가르침을 베푸니, 사치하면 검소함으로 단속하고 검소하면 예(禮)를 보여줌이 바로 이것이다. 지방을 살핀다는 것은 백성을 보는 일이고 가르침을 베푼다는 것은 백성을 위해 보여주는 일이다.

集說

● 『九家易』曰:"風行地上, 草木必偃, 故以省察四方, 觀視民俗, 而設其教也."[1]

『구가역』에서 말했다. "바람이 땅위에서 불면 초목이 반드시 쓰러지므로 사방을 살피고 백성의 풍속을 보며 가르침을 세운다."

● 劉氏牧曰:"風行地上, 無所不至, 散采萬國之聲詩, 省察其俗, 有不同者, 教之使同."

유목(劉牧)[2]이 말했다. "바람이 땅위에 불어 이르지 않은 곳이 없

---

1) 이정조(李鼎祚), 『주역집해(周易集解)』 권5.

2) 유목(劉牧, 1011~1064) : 자는 선지(先之) 혹은 목지(牧之)이고 호는 장민(長民)이다. 원래는 항주(杭州) 임안(臨安) 사람이었는데, 조부의 공적으로 인해 서안(西安 : 현 절강성 구현〈衢縣〉) 사람이 되었다. 범중엄(範仲淹)을 스승으로 모시고, 손복(孫復)에게서 『춘추』를 배웠으며, 석개(石介)와도 친분이 두터웠다. 역학방면으로는 범악창(範諤昌)의 역학을 이어받아 진단(陳摶)의 「하도」·「낙서」 상수학을 전승하였다. 벼슬은

으니 온갖 나라의 노래를 모으고 그 풍속을 살펴 다른 것이 있으면 가르쳐서 같게 한다."

범중엄과 부필(富弼) 등의 추천으로 연주(兗州) 관찰사를 거쳐 태상박사(太常博士)까지 역임하였다. 역학 방면의 저술에는 『괘덕통론(卦德通論)』, 『신주주역(新注周易)』, 『주역선유유론구사(周易先儒遺論九事)』, 『역수구은도(易數鉤隱圖)』 등이 있다.

初六, 童觀, 小人道也.

초육효에서 어린아이가 봄이라는 것은 소인의 도이다.

程傳

所觀不明如童稚, 乃小人之分, 故曰小人道也.

보는 바가 밝지 못한 것이 유치한 어린아이와 같으니, 그것이 소인의 한계이므로 소인의 도라고 했다.

集說

● 王氏申子曰 : "卑下而無遠見, 在凡民爲可恕, 在君子爲可羞."[3]

왕신자(王申子)[4]가 말했다. "자신을 낮추어 멀리 내다보는 식견이 없으면, 백성의 경우에는 용서할 만하지만 군자에게서는 부끄러울 만하다."

---

3) 왕신자(王申子), 『대역집설(大易緝說)』 권5.

4) 왕신자(王申子) : 원나라 공주(邛州, 사천성 邛崍) 사람으로 자는 손경(巽卿)이다. 인종(仁宗) 황경(皇慶) 연간에 무창로(武昌路) 남양서원(南陽書院)의 산장(山長)을 지냈다. 나중에 30여 년 동안 자리주(慈利州) 천문산(天門山)에 은거했다. 저서에 『춘추류전(春秋類傳)』과 『대역집설(大易集說)』, 『주례정의(周禮正義)』 등이 있다.

窺觀女貞, 亦可醜也.

문틈으로 엿보는 것이 여자의 올바름이니 또한 부끄러울 만하다.

本義

在丈夫則爲醜也.

장부(丈夫)에게서는 추함이 된다.

程傳

君子不能觀見剛陽中正之大道, 而僅窺覘其仿佛, 雖能順從, 乃同女子之貞, 亦可羞醜也.

군자가 굳센 양과 중정(中正)의 큰 도를 볼 수 없고, 그와 유사한 것만을 엿본다면 순종할 수 있지만, 이는 여자의 올바름과 같으니 또한 부끄럽고 추할 수 있다.

集說

● 郭氏忠孝曰 : "男女吉凶不同, 故恒卦曰, 婦人吉, 夫子凶, 則知利女貞者, 固爲男之醜也."[5]

곽충효(郭忠孝)[6]가 말했다. "남녀의 길흉은 다르므로 항(恒)괘에서는 부인은 길하고 장부는 흉하다[7]고 했으니 여자의 올바름이 이롭다는 것을 알 수 있지만 분명 남자의 추함이다."

5) 곽옹(郭雍), 『곽씨전가역설(郭氏傳家易說)』 권2.

6) 곽충효(郭忠孝, ?~1128) : 자는 입지(立之)이고 하남(河南) 낙양(洛陽) 사람이다. 신종(神宗) 원풍(元豊) 연간에 진사(進士)가 되었고 휘종(徽宗) 선화(宣和) 연간에 하동로제거(河東路提擧)가 되었다. 금(金)나라와의 화친에 반대했다. 금나라가 침입해 왔을 때 사망했다. 정이(程頤)의 제자이다.

7) 『주역』「항(恒)괘」: "육오효는 그 덕을 오래도록 지속하면, 올바르니, 부인의 경우는 길하고, 장부의 경우는 흉하다.[六五, 恒其德, 貞, 婦人吉, 夫子凶.]"라고 하였다.

觀我生進退, 未失道也.

내가 내는 것을 보고 나아가고 물러남은 도를 잃는 데까지 이르지는 않는다.

程傳

觀己之生, 而進退以順乎宜, 故未至於失道也.

자신이 행한 모든 것을 보고 나아가고 물러나는 데 마땅함에 순종하므로 도를 잃는 데까지 이르지는 않는다.

案

道, 卽進退之道. 量而後入, 則不失乎進退之道矣.

도는 나아가고 물러나는 도이다. 헤아린 뒤에 들어가면 나아가고 물러나는 도를 잃지 않는다.

觀國之光, 尙賓也.

나라의 빛남을 본 것은 손님이 되려는 뜻을 숭상하기 때문이다.

程傳

君子懷負才業, 志在乎兼善天下, 然有卷懷自守者, 蓋時無明君, 莫能用其道, 不得已也! 豈君子之志哉! 故孟子曰, 中天下而立, 定四海之民, 君子樂之. 旣觀見國之盛德光華, 古人所謂非常之遇也, 所以志願登進王朝, 以行其道. 故云"觀國之光尙賓也". 尙, 謂志尙, 其志意願慕賓於王朝也.

군자가 재능과 학문을 가슴에 품는 것은 뜻이 천하를 모두 좋게 만들려는 데 있기 때문이지만 가슴속에 품고 스스로 지키는 것은 처한 때 현명한 군주가 없어 그 도를 사용할 수 없으니 부득이 한 것이다! 어찌 그것이 군자의 뜻이겠는가! 그래서 맹자가 "세상의 중심에 서서, 사해의 백성을 안정시키는 것을 군자는 즐거워한다"[8]고 했다. 국가의 성대한 덕과 화려한 빛을 보았다는 것은 옛 사람들이 말하는 매우 흔치 않은 기회이므로 그 뜻이 왕조에 등용되어 그 도

8) 『맹자』「진심상」: "영토를 넓히고 백성을 많게 하는 것은 군자가 욕심내는 것이지만, 그가 즐거움으로 삼는 것에는 들어가지 않는다. 천하의 중심에 서서, 사해의 백성을 안정시키는 것을 군자는 즐거워하지만, 그 자신의 본래 성(性)에는 들어가지 않는다.[廣土衆民, 君子欲之, 所樂不存焉. 中天下而立, 定四海之民, 君子樂之, 所性不存焉.]"라고 하였다.

를 행하기를 원한다. 그래서 "나라의 빛남을 본 것은 손님이 되려는 뜻을 숭상하는 것이다"라고 했다. '상(尙)'이란 뜻은 숭상한다는 말이니 그 뜻이 왕조에서 벼슬하기를 원하고 바라는 것이다.

集說

● 楊氏簡曰 : "言其國貴尙賓賢, 可以進也."[9]

양간(楊簡)[10]이 말했다. "그 나라의 고귀한 빈객으로 나아갈 수 있다는 말이다."

---

9) 양간(楊簡), 『양씨역전(楊氏易傳)』 권8.

10) 양간(楊簡, 1141~1226) : 남송 명주(明州) 자계(慈溪) 사람으로 자는 경중(敬仲)이고, 호는 자호선생(慈湖先生)이며, 시호는 문원(文元)이다. 양정현(楊庭顯)의 아들이다. 효종(孝宗) 건도(乾道) 5년(1169) 진사(進士)가 되고, 부양주부(富陽主簿)에 올랐다. 이때 육구연(陸九淵)을 스승으로 섬겨 육씨심학파(陸氏心學派)의 대표적 인물이 되었다. 원섭(袁燮), 서린(舒璘), 심환(沈煥) 등과 함께 녹상사선생(甬上四先生), 사명사선생(四明四先生)으로 일컬어졌다. 육구연의 심학을 우주의 만물(萬物), 만상(萬象), 만변(萬變)이 모두 자신에게 속해 있다는 유아론(唯我論)으로 발전시켰다. 저서에 『자호시전(慈湖詩傳)』과 『양씨역전(楊氏易傳)』, 『계폐(啓蔽)』, 『선성대훈(先聖大訓)』, 『오고해(五誥解)』, 『자호유서(慈湖遺書)』 등이 있다.

觀我生, 觀民也.

자신이 행한 것을 보는 일은 백성을 보는 것이다.

本義

此夫子以義言之, 明人君觀己所行, 不但一身之得失, 又當觀民德之善否, 以自省察也.

이는 공자가 의리(義理)로 말하여 군주가 자기가 행한 바를 봄에 단지 일신(一身)의 득실(得失) 뿐만 아니라 또 마땅히 백성의 덕이 선한지의 여부를 보아 스스로 성찰해야 함을 밝힌 것이다.

程傳

我生出於己者. 人君欲觀己之施爲善否, 當觀於民, 民俗善則政化善也. 王弼云, 觀民以察己之道是也.

자신이 행한 것이란 자기로부터 나온 일이다. 군주가 자신이 시행한 것이 선한지의 여부를 보고 싶다면 백성을 보아야 하니, 백성의 풍속이 아름답다면 정치와 교화가 아름다운 것이다. 왕필이 "백성을 보아 자신의 도를 본다"고 한 말이 바로 이것이다.

集說

● 胡氏瑗曰 : "觀流則可以知源, 觀影則可以知表, 觀民則可以知己政之得失也."[11]

호원(胡瑗)[12]이 말했다. "흐름을 보면 근원을 알 수 있고 그림자를 보면 표면을 알 수 있고 백성을 보면 자신의 정치의 득실을 알 수 있다."

11) 호원(胡瑗), 『주역구의(周易口義)』 권4.

12) 호원(胡瑗, 993~1059) : 자는 익지(翼之)이고 시호는 문소(文昭)로, 북송시대 태주 해릉(泰州海陵 : 현 강소성 태주시) 사람이다. 13살에 오경(五經)을 통독하고, 20세에 손복(孫復)과 석개(石介)를 산동성 태산(泰山) 서진관(棲眞觀)에서 배알하고 10년 동안 사사하였다. 30세에 귀향하여 7번 과거에 응시했으나 낙방하여, 안정서원(安定書院)을 짓고 후학 배양에 힘썼다. 이에 세칭 안정선생으로 불렸다. 42세에 범중엄(范仲淹)의 천거로 교서랑(校書郎)이 되고, 태자중사(太子中舍), 광록시승(光祿寺丞), 천장각시강(天章閣侍講), 태상박사(太常博士) 등을 역임하였다. 특히 관직 생활 중에도 강학에 힘을 쏟아 손복(孫復)·석개(石介)와 함께 송초삼선생(宋初三先生)으로 추숭되어 송대 리학의 선구가 되었다. 저서에 『주역구의(周易口義)』, 『홍범구의(洪範口義)』, 『춘추구의(春秋口義)』, 『논어설(論語說)』 등이 있다.

觀其生, 志未平也.
자신에게서 나온 것을 보는 일은 뜻이 편안하지 않기 때문이다.

本義

志未平, 言雖不得位, 未可忘戒懼也.

뜻이 편안하지 않다는 것은 비록 지위는 얻지 못했으나 경계하고 두려워하는 일을 잊어서는 안 됨을 말한 것이다.

程傳

雖不在位, 然以人觀其德, 用爲儀法, 故當自愼省. 觀其所生, 常不失於君子, 則人不失所望而化之矣, 不可以不在於位, 故安然放意無所事也. 是其志意未得安也, 故云志未平也. 平, 謂安寧也.

비록 지위에 자리하고 있지는 않지만 사람들이 그 덕을 우러러보고 모범으로 삼을 수 있으므로 스스로 신중하게 살펴 자신에게서 나온 것을 보되 항상 군자다움을 잃지 않는다면 사람들이 실망하지 않고 교화되니, 지위에 있지 않다고 하여 편안히 여기면서 방심하고 아무런 일도 도모하지 않아서는 안 된다. 이는 그 뜻이 안녕치 못하기 때문이므로, "뜻이 편안하지 않기 때문이다"라고 했다. '평(平)'이란 안녕함을 말한다.

集說

● 陸氏希聲曰 : "民之善惡, 由我德化, 其志未平, 憂民之未化也."

육희성(陸希聲)[13]이 말했다. "백성의 선악은 나의 덕이 교화되는 것으로 말미암으니 그 뜻이 편안하지 못한 것은 백성이 교화되지 않았음을 근심하기 때문이다."

13) 육희성(陸希聲, ?~905) : 자는 홍경(鴻磬)이고, 호는 군양둔수(君陽遁叟) 혹은 단양도인(君陽道人)이며, 당나라 소주(蘇州) 오현(吳縣) 사람이다. 의흥(義興)에 은거했다가 천거되어 벼슬은 우습유(右拾遺), 합주자사(歙州刺史), 급사중(給事中), 호부시랑(戶部侍郎), 동중서문하평장사(同中書門下平章事) 등을 역임했다. 『역(易)』, 『춘추(春秋)』, 『도덕경(道德經)』에 정통했고, 문장을 잘 지었다. 저서에 『춘추통례(春秋通例)』, 『도덕경전(道德經傳)』이 있다.

21. 서합噬嗑☲☳괘

雷電, 噬嗑. 先王以明罰勑法.

우레와 번개가 서합괘이니, 선왕은 이것을 본받아 형벌을 밝히고 법을 정돈했다.

本義

雷電當作電雷.

뇌전(雷電)은 마땅히 전뢰(電雷)가 되어야 한다.

程傳

象無倒置者, 疑此文互也. 雷電相須並見之物, 亦有嗑象, 電明而雷威. 先王觀雷電之象, 法其明與威, 以明其刑罰, 飭其法令. 法者, 明事理而爲之防者也.

상(象)이 도치된 것은 없으니[1], 아마도 이 글은 바뀌어 쓴 것 같다.

우레와 번개는 서로 이어져 함께 드러나는 것이니 또 합치하는 모습이 있고 번개는 밝고 우레는 위엄이 있다. 선왕은 우레와 번개의 모습을 관찰하여 그 밝은 빛과 위엄을 본받아 그 형벌을 분명하게 하고 법령을 엄격히 갖추었다. 법은 일의 이치를 밝혀 미리 예방하기 위해 있는 것이다.

集說

● 侯氏行果曰:"雷所以動物, 電所以照物. 雷電震照, 則萬物不能懷邪, 故先王則之, 明罰敕法, 以示萬物也."[2]

후행과(侯行果)[3]가 말했다. "우레는 사물을 움직이는 사물이고 번개는 사물을 비추는 사물이다. 우레와 번개가 진동하고 비추면 만물은 사특함을 감출 수 없으므로 왕이 그것을 본받아 벌을 밝히고 법을 정돈하여 만물에게 보인다."

---

1) 상(象)이 도치된 것은 없으니 : 서합괘는 화뢰서합(火雷噬嗑)으로 먼저 번개인 화(火)를 말했는데 「상전」에서는 먼저 우레를 말했으니 도치된 것이다.

2) 이정조(李鼎祚), 『주역집해(周易集解)』 권5.

3) 후행과(侯行果) : 일명 후과(侯果)라고 하며, 당(唐)대 상곡(上谷 : 현 하북성 장가구시〈張家口市〉) 사람이다. 당 중엽 유명한 18학사(十八學士) 가운데 한 사람으로, 벼슬은 국자사업(國子司業), 대황태자독(待皇太子讀) 등을 역임하였다. 『역(易)』과 노장학 연구에 뛰어났다고 하는데, 저술은 이미 전해지지 않고 이정조(李鼎祚)의 『주역집해(周易集解)』에 그의 글이 보인다. 또 황석(黃奭)의 『황씨일서고(黃氏逸書考)』 가운데 『후과역주(侯果易注)』 한 권이 실려 있다.

● 項氏安世曰 : "陰陽相噬而有聲則爲雷, 有光則爲電. 二物因噬而嗑, 故曰雷電噬嗑."[4]

항안세(項安世)가 말했다. "음과 양이 서로 부딪쳐 소리가 나면 우레이고 빛이 있으면 번개이다. 두 가지가 서로 부딪쳐 합해지므로 우레와 번개가 만나 서합(噬嗑)이 된다."

● 徐氏幾曰 : "明罰者, 所以示民而使之知所避, 勅法者, 所以防民而使之知所畏. 此先王忠厚之意也. 未至折獄致刑處, 故與豐象異."

서기(徐幾)[5]가 말했다. "벌을 밝히는 것은 백성에게 보여 피해야 함을 알게 하고 법을 정돈하는 것은 백성을 예방하여 두려워해야 함을 알게 하는 일이다. 이것이 선황의 진실하고 두터운 뜻이다. 아직 '소송을 판결하고 형벌을 집행하는[6]' 데 이르지 않았으므로 풍(豐)괘의 상과는 다르다."

4) 항안세(項安世), 『주역완사(周易玩辭)』 권5.

5) 서기(徐幾) : 자는 자여(子與)이고, 호는 진재(進齋)이다. 송대 숭안(崇安 : 현 복건성 무이산시〈武夷山市〉) 사람이다. 송 리종(理宗) 경정(景定) 5년(1264)에 적공랑(迪功郎)에 천거되고, 건녕부교수(建寧府教授) 겸 건안서원산장(建安書院山長) 겸 숭정전설서(崇政殿說書)를 제수 받았다. 박학다재(博學多才)하였고 특히 역학에 정통하여 『역집(易輯)』, 『역의(易義)』 등을 저술하였다.

6) 『주역』「풍(豐)괘」「상전」 : "우레와 번개가 함께 이른 것이 풍괘의 모습이니, 군자는 이것을 본받아 소송을 판결하고 형벌을 집행한다.[雷電皆至, 豐, 君子以折獄致刑.]"라고 하였다.

● 張氏清子曰 : "蔡邕『石經』本作電雷."

장청자(張清子)가 말했다. "채옹(蔡邕)의 『석경(石經)』에는 본래 전뢰(電雷)로 되어 있다."

● 蔡氏清曰 : "先王以明罰敕法, 此以立法言, 故曰先王. 若豐折獄致刑, 以用法言, 則曰君子矣."[7]

채청(蔡清)[8]이 말했다. "선왕이 벌을 밝히고 법을 정돈하니, 이는 법을 세우는 것으로 말했으니, 선왕이라고 했다. 풍(豐)괘에서 소송을 판결하고 형벌을 집행할 때 법을 사용하는 것으로 말하고 군자라고 한 것과 같다."

● 薛氏瑄曰 : "噬嗑·賁·豐·旅四卦論用刑, 皆離火之用. 以是見用法貴乎明. 噬嗑豐以火雷雷火交互爲體, 用法貴乎威明並濟, 賁旅以山火火山交互爲體, 用法貴乎明愼並用."[9]

7) 채청(蔡清), 『역경몽인(易經蒙引)』 권3.

8) 채청(蔡清, 1453~1508) : 명(明)대 진강(晉江) 사람으로, 자는 개부(介夫)이고 별호는 허재(虛齋)이다. 31세에 진사에 급제하여 벼슬은 남경문선랑중(南京文選郎中)·강서제학부사(江西提學副使) 등을 역임하였다. 명대의 저명한 이학가(理學家)로서 주로 이정(二程)과 주희(朱熹)의 저술 연구를 통해 그들의 사상을 계승하였다. 특히 천주(泉州) 개원사(開元寺)에서 역학연구단체를 결성하여 90여 책을 출간하면서 청원학파(清源學派)를 이루었다. 이정기(李廷機)·장악(張嶽)·임희원(林希元)·진침(陳琛) 등의 학자들이 그 학파의 주요 구성원이었다. 저술로는 『사서몽인(四書蒙引)』·『역경몽인(易經蒙引)』·『허재문집(虛齋文集)』 등이 있다.

설선(薛瑄)[10]이 말했다. "서합(噬嗑䷔)괘 · 비(賁䷕)괘 · 풍(豐䷶)괘 · 여(旅䷷)괘는 모두 이(離☲)괘인 불을 사용한다. 이것으로 법을 사용하는 데 밝음이 귀함을 알 수 있다. 서합괘와 풍괘는 불과 우레 · 우레와 불이 서로 교호하는 것을 본체로 하여 법을 사용하는 데 위엄과 밝음이 함께 쓰이는 것을 귀하게 여기고, 비괘와 여괘는 산과 불 · 불과 산이 서로 교호하는 것을 본체로 하여 법을 사용하는 데 밝음과 신중함이 함께 작용하는 것을 귀하게 여긴다."

9) 설선(薛瑄), 『독서록(讀書錄)』 권4.

10) 설선(薛瑄, 1389~1464) : 자는 덕온(德温)이고 호는 경헌(敬軒)이다. 명(明)대 하진(河津) 사람으로, 하동학파(河東學派)의 창시자이다. 세칭 설하동(薛河東)이라 불렸다. 벼슬은 통의대부(通議大夫), 예부좌시랑 겸 한림원학사(禮部左侍郎兼翰林院學士)를 지냈다. 시호는 문청(文清)이고, 후세에 설문청(薛文清)이라 불렸다. 저서에 『설문청공전집(薛文清公全集)』이 있다.

屨校滅趾, 不行也.

차꼬[11]를 채워 발을 손상시킴은 가지 못하게 하는 것이다.

本義

滅趾, 又有不進於惡之象.

발을 손상시키는 것은 또 악(惡)에 나아가지 못하게 하는 모습이 있다.

程傳

屨校而滅傷其趾, 則知懲誡而不敢長其惡, 故云不行也. 古人制刑, 有小罪則校其趾, 蓋取禁止其行, 使不進於惡也.

차꼬를 채워 발을 손상시키면 징계 당한 것을 알고 감히 그 악행을 키우지 못하므로 가지 못하게 한다고 했다. 옛 사람이 형벌을 제정할 때 작은 죄가 있으면 발에 차꼬를 채웠으니 행하는 것을 금지하여 더 큰 악행을 행하지 못하게 하였다.

11) 차꼬 : 착고(着庫)라고도 하고, 족가(足枷), 질(桎), 고랑틀이라고도 하는데 죄수들을 움직이지 못하게 매어 두는 형벌 도구이다. 쇠로 만든 것도 있고 나무로 만든 것도 있었다.

集說

● 胡氏炳文曰 : "下卦爲震, 滅趾使其不敢如震之動也, 動則進於惡矣."[12)]

호병문(胡炳文)이 말했다. "하괘는 진(震☳)이니 발을 손상시켜 그가 감히 우레의 움직임처럼 하지 못하게 하였다. 움직이면 악으로 나아간다."

12) 호병문(胡炳文), 『주역본의통석(周易本義通釋)』 권3.

噬膚滅鼻, 乘剛也.

피부를 깨물되, 코가 빠질 정도인 것은 굳센 자를 탔기 때문이다.

程傳

深至滅鼻者, 乘剛故也. 乘剛乃用刑於剛強之人, 不得不深嚴也, 深嚴則得宜, 乃所謂中也.

심함이 코가 푹 빠질 정도에 이르는 것은 굳센 사람을 탔기 때문이다. 굳센 사람을 탔다는 것은 굳세고 강한 사람에게 형벌을 사용하는 일이니, 매우 엄격하게 하지 않을 수 없다. 매우 엄격하게 하면 마땅함을 얻으니, 그것이 바로 알맞은 바가 된다.

集說

● 孔氏穎達曰 : "乘剛者, 釋噬膚滅鼻之義, 以其乘剛, 故用刑深也."[13]

공영달(孔穎達)이 말했다. "굳셈을 탔다는 것은 피부를 물되 코가 빠질 정도라는 뜻을 해석한 말이니 그가 굳셈을 탔으므로 형벌을 사용함이 깊다."

13) 공영달(孔穎達), 『주역주소(周易注疏)』 권4.

遇毒, 位不當也.

독을 만난 것은 지위가 합당하지 않기 때문이다.

程傳

六三以陰居陽, 處位不當. 自處不當, 故所刑者難服, 而反毒之也.

육삼효는 음으로 양에 자리하여 자리에 처함이 합당하지 않다. 자처함이 합당하지 않으므로 형벌을 받는 사람을 복종시키기 어려워 도리어 해독을 입는다.

案

此亦借爻位之不當, 以明其所處之難爾, 非其所行有不當也. 若所行有不當, 則施之刑獄, 其失大矣, 安得無咎, 又豈獨小吝而已乎!

이 효 또한 효가 차지한 자리의 부당함을 빌려 그 처신함의 어려움을 밝힌 것뿐이지 행하는 일이 합당하지 않음이 있는 것은 아니다. 행함이 합당하지 않았다면 형벌을 시행하는 데 과실이 크니, 어찌 허물이 없겠는가? 또 조금의 부끄러움이 있을 뿐이겠는가!

利艱貞吉, 未光也.

어렵게 생각하여 올바름을 지켜야 이롭고 길함은 아직 빛나지 못한 것이다.

程傳

凡言未光, 其道未光大也. 戒於利艱貞, 蓋其所不足也, 不得中正故也.

아직 빛나지 못하다고 한 것은 그 도리가 아직 크게 빛나지 못함을 말한다. 어렵게 생각하고 올바름을 지키라는 말은 부족한 것이니 중정(中正)을 얻지 못했기 때문이다.

集說

● 方氏應祥曰: "慮聽訟者之心有所未光, 故以利艱貞爲戒."

방응상(方應祥)이 말했다. "송사를 깊이 생각하고 듣는 마음이 빛나지 못했으므로 어려움을 알고 올바름을 지키라고 경계했다."

貞厲無咎, 得當也.

올바름을 지키고 위태롭게 여기면 허물이 없다는 것은 합당함을 얻었기 때문이다.

程傳

所以能無咎者, 以所爲得其當也. 所謂當, 居中用剛, 而能守正慮危也.

허물이 없을 수 있는 이유는 그 행함이 마땅함을 얻었기 때문이다. 마땅함은 가운데 자리하면서 굳셈을 쓰고 정도(正道)를 지키면서 위태로움을 염려할 수 있는 것이다.

集說

● 趙氏汝楳曰 : "釋「彖」言不當位, 此言得當者, 釋「彖」以位言, 此以事言. 六五以柔用獄, 行以正厲, 其無咎者, 得用獄之當者也."[14]

조여매(趙汝楳)[15]가 말했다. "「단전」에서 자리가 합당하지 않았다

14) 조여매(趙汝楳), 『주역집문(周易輯聞)』 권2.

15) 조여매(趙汝楳) : 송(宋)대 종실(宗室)로서, 명주(明州) 은현(鄞縣 : 현 절강성 영파시〈寧波市〉)에서 살았고, 조선상(趙善湘)의 아들이다. 이종

고 하고 여기서는 합당함을 얻었다고 하니, 「단전」의 해석은 자리로 말한 것이고 여기서는 일로 말했다. 육오효는 부드러움으로 송사를 사용하는 데 올바름과 위태로움을 행했으니 허물이 없는 것은 송사를 사용함에 마땅함을 얻은 것이다."

● 林氏希元曰 : "得當, 卽是得用刑之道, 不就爻位說. 若果是說位得中, 當以解得黃金, 不宜以解貞厲無咎矣."16)

임희원(林希元)17)이 말했다. "마땅함을 얻음은 형벌을 사용하는 도를 얻음이니 효의 자리로 말한 것이 아니다. 만약 자리가 알맞음을 얻었다고 말했다면 마땅히 황금을 얻었다는 뜻으로 해석해야지 올바름을 지키고 위태롭게 여기면 허물이 없다는 뜻으로 해석하는 것은 마땅하지 않다."

(理宗) 보경(寶慶) 2년(1226) 진사에 급제하고, 호부시랑(戶部侍郞), 강회안무제치사(江淮安撫制置使) 등을 역임했다. 천수군공(天水郡公)에 봉해졌다. 역상(易象)에 정통했다. 저서에 『주역집문(周易輯聞)』, 『역아(易雅)』, 『역서총서(易敍叢書)』, 『서종(筮宗)』 등이 있다.

16) 임희원(林希元), 『역경존의(易經存疑)』 권4.

17) 임희원(林希元, 1481~1565) : 명(明)대 동안 신점(同安新店) 사람으로, 자는 무정(茂貞)이고 호는 차애(次崖)이다. 명(明) 정덕(正德)11년(1516)에 진사에 급제하여 남경대리사평사(南京大理寺評事), 광서사주판관(廣西泗州判官), 흠주지주(欽州知州) 등을 역임했다. 학문으로는 정주학과 채청(蔡清)의 『역경몽인(易經蒙引)』을 중시했다. 특히 『주역』을 다른 경전에 비해 극히 높게 평가하여, 오경 가운데 『역경』을 뺀 나머지는 강물과 같고 『역경』은 바다와 같다고 했다. 저술로는 『역경존의(易經存疑)』, 『사서존의(四書存疑)』, 『임차애선생문집(林次崖先生文集)』 등이 있다.

何校滅耳, 聰不明也.

차꼬를 목에 차서 귀를 손상시킨다는 것은 귀가 밝지 못하기 때문이다.

本義

滅耳, 蓋罪其聽之不聰也. 若能審聽而早圖之, 則無此凶矣.

귀를 손상시킴은 그 들음이 밝지 못함을 벌한 것이다. 자세히 듣고 일찍 도모할 수 있었다면 이러한 흉함이 없을 것이다.

程傳

人之聾暗不悟, 積其罪惡以至於極. 古人制法, 罪之大者, 何之以校, 爲其無所聞知, 積成其惡. 故以校而滅傷其耳, 誡聰之不明也.

사람이 귀먹고 어리석어 깨닫지 못하여 그 죄악을 쌓아 극한에까지 이른 것이다. 옛사람들이 법을 제정할 때 죄가 큰 자는 차꼬를 목에 씌웠으니 이는 듣고 아는 바가 없어 그 죄악이 쌓였기 때문이다. 그래서 차꼬를 가지고 그 귀를 손상시킨 것이니 귀가 밝지 못함을 경계한 것이다.

集說

● 胡氏炳文曰 : "上卦爲離, 滅耳, 言其不能如離之明也."[18)]

호병문(胡炳文)이 말했다. "상괘는 이(離☲)괘이니 귀를 손상시키는 것은 이괘의 밝음과 같을 수 없음을 말하였다."

● 林氏希元曰 : "聽字單言則包明, 與明並言, 則聽又爲體, 而明爲用."[19)]

임희원(林希元)이 말했다. "총(聽)이라는 글자는 홀로 말하면 명(明)을 포괄하고 명(明)과 함께 말하면 총이 또 본체가 되고 명이 작용이 된다."

---

18) 호병문(胡炳文), 『주역본의통석(周易本義通釋)』 권3.
19) 임희원(林希元), 『역경존의(易經存疑)』 권4.

22. 비賁☲괘

山下有火, 賁, 君子以明庶政, 無敢折獄.

산 아래에 불이 있는 모습이 비괘이니, 군자는 이것을 본받아 여러 정치를 밝히되 감히 송사를 판결하지 않는다.

本義

山下有火, 明不及遠. 明庶政, 事之小者, 折獄, 事之大者. 內離明而外艮止, 故取象如此.

산 아래에 불이 있어 밝음이 먼 곳에 미치지 못한다. 여러 정치를 밝히는 것은 작은 일이고, 송사를 결단하는 것은 큰 일이다. 안은 이(離☲)괘이므로 밝고 밖은 간(艮☶)괘라 멈추므로 상을 취함이 이와 같다.

程傳

山者, 草木百物之所聚生也, 火在其下而上照, 庶類皆被其光明, 爲賁飾之象也. 君子觀山下有火, 明照之象, 以修明其庶政, 成文明之治, 而無敢果於折獄也. 折獄者, 人君之所致愼也, 豈可恃其明而輕自用乎? 乃聖人之用心也, 爲戒深矣. 象之所取, 唯以山下有火, 明照庶物, 以用明爲戒, 而賁亦自有無敢折獄之義, 折獄者專用情實, 有文飾則沒其情矣, 故無敢用文以折獄也.

산은 풀과 나무 등 온갖 사물이 모여 사는 곳이니 불이 그 아래에서 위로 비추면 여러 부류가 모두 밝은 불을 받게 되어 꾸민 장식의 모습이다. 군자는 산 아래에 불이 있어 밝게 비추는 모습을 관찰하여 여러 정치를 닦고 밝혀 문명(文明)한 정치를 이루되 송사를 판결하는 데 과감하지 않다. 송사를 판결하는 일은 군주가 신중하게 다루어야 것이니 어찌 밝은 지혜만을 믿고 경솔하게 제멋대로 사용할 수 있겠는가? 이것이 성인의 마음 씀이니 그 경계함이 깊다.
상을 취한 것은 오직 산 아래에 불이 있는 모습이니 여러 사물을 밝게 비추는 일이고 밝음을 사용하는 것을 경계로 삼았지만, 장식으로 꾸미는 일에도 원래 송사를 과감하게 판결하지 않는다는 뜻이 있다. 송사를 판결하는 일은 오로지 실정을 가지고 판단해야지 겉으로 꾸미는 것이 있으면 그 실정을 없애버릴 수 있으므로, 꾸밈을 사용하여 송사를 판단해서는 안 된다.

集說

● 王氏弼曰 : "處賁之時, 止物以文明, 不可以威刑, 故君子以明庶政, 而無敢折獄."

왕필(王弼)이 말했다. "꾸밈에 처한 때 문명(文明)으로 사물을 그쳐야지 위엄과 형벌로 해서는 안 되므로 군자는 여러 정사를 밝히되 감히 송사를 판결하지 않는다."

● 『朱子語類』問 : "明庶政, 無敢折獄." 曰 : "此與旅卦都說刑獄事, 但爭艮與離之在內外, 故其說相反. 止在外, 明在內, 故明政而不敢折獄. 止在內, 明在外, 故明謹用刑而不敢留獄. 如今州縣治獄, 禁勘審覆, 自有許多節次, 過乎此而不決, 便是留獄. 不及乎此而決, 便是敢於折獄. 尙書要囚至於旬時, 它須有許多時日. 與周禮秋官同意."[1]

『주자어류』에서 "여러 정사를 밝히고 감히 송사를 판결하지 않는다."는 말의 뜻을 물었다.
대답했다. "이것과 여(旅䷷)괘는 모두 형벌을 다루는 일을 말하는데 다만 간(艮☶)괘와 리(離☲)괘가 안과 밖에서 다투므로 그 설명이 상반된다. 그침이 밖에 있고 밝음이 안에 있으므로 정사를 밝혀 감히 송사를 판결해서는 안 된다. 그침이 안에 있고 밝음이 밖에 있으므로 형벌을 신중하게 쓰는 것을 밝게 하여 감히 송사의 판결을 유보해서는 안 된다. 예를 들어 오늘날 주현(州縣)에서 옥사를 다스리는 일에는 가두거나 심문하는 등의 허다한 절차가 있지만 이것에서 벗어나면 결정하지 않는데, 이는 곧 판결을 유보하는 것이다. 여기에 미치지 못했는데 판결하는 것은 곧 감히 옥사를 판결하는 행위이다. 『서경』에서 '옥사를 결정하는 일을 열흘에 이른다'[2]

1) 『주자어류』 71권, 12조목.
2) 『서경』「주서·강고」: "요수(要囚)를 5~6일 동안 가슴속에 두고 생각하며, 열흘이나 한 철에 이르러서 요수(要囚)를 크게 결단하라.[要囚, 服念

고 했으니 반드시 많은 시간이 필요하다. 이는 『주례』「추관」과 같은 의미이다.

● 蔡氏淵曰 : "有山之材, 而照之以火, 則光彩外著, 賁之象也. 明庶政, 離明象, 政者治之具, 所當文飾也. 無敢折獄, 艮止象, 折獄貴乎情實, 賁則文飾而沒其情矣."[3]

채연(蔡淵)[4]이 말했다. "산에 있는 재목들을 불로 비추면 광채가 밖으로 드러나니 꾸밈의 모습이다. 정사를 밝히는 일은 이(離☲)괘의 밝은 상이고, 정사는 다스림의 도구이므로 마땅히 꾸며 장식한다. 감히 송사를 판결하지 않는 것은 간(艮☶)괘의 그치는 상이니, 송사를 판결하는 것은 정황의 사실을 귀하게 여겨 불로 비추면 꾸며서 그 정황이 없어진다."

● 何氏楷曰 : "呂刑曰 : 非佞折獄, 惟良折獄, 苟恃其明察, 而緣飾以沒其情, 民且有含冤矣. 故言刻覈者曰深文, 言鍛煉者曰文致, 法曰文網, 弄法者曰舞文. 治獄之多冤, 未有不起於文者, 此皆敢心誤之也."

五六日, 至于旬時, 丕蔽要囚.]"라고 하였다.

3) 채연(蔡淵), 『주역괘효경전훈해(周易卦爻經傳訓解)』 권상.

4) 채연(蔡淵, 1156~1236) : 자는 백정(伯靜)이고, 호는 절재(節齋)이다. 송대 건양(建陽 : 현 복건성 건양) 사람으로 채원정의 맏아들이다. 부친의 뜻을 이어 주경야독하여, 특히 『역』에 조예가 깊었고 그에 관한 저술이 많다. 저서는 『주역훈해(周易訓解)』, 『역상의언(易象意言)』, 『괘효사지(卦爻辭旨)』 등이 있다.

하해(何楷)가 말했다. "여형이 '말 잘하는 자가 옥사를 판결할 것이 아니라 선량한 자가 옥사를 판결해야 한다'[5]고 했으니 밝게 살피는 것을 믿고 꾸며 그 실정을 없애면 백성은 또 원통함을 품는다. 그래서 말이 엄격한 것을 심문(深文)이라 하고 말이 단련된 것을 문치(文致)라 하며 법(法)을 문강(文綱)이라고 하고 법을 곡해하는 것을 무문(舞文)이라고 한다. 송사를 다스리는 데 일어나는 많은 원한은 문(文)에서 일어나지 않음이 없으니 이는 모두 감히 마음을 함부로 해서 오독하는 것이다."

5) 『서경』「주서 · 여형」: "벌금으로 징계함이 죽는 것은 아니나 사람들이 지극히 괴로워하니, 말 잘하는 자가 옥사를 결단할 것이 아니라 선량한 자가 옥사를 결단하여야 중(中)에 있지 않음이 없을 것이다. 말을 어긋남에 살펴 따르려 하지 않으면서 따르며 가엾게 여기고 공경하여 옥사를 결단하며 형서(刑書)를 밝게 열어 서로 점쳐야 모두 거의 중정(中正)할 것이다. 형과 벌을 살펴서 능하게 하여야 옥사가 이루어짐에 백성들이 믿으며, 위로 올림에 군주가 믿을 것이니, 형벌을 결단한 내용을 갖추어 올리되 두 형벌을 겸하여 올려라.[罰懲非死, 人極于病, 非佞, 折獄, 惟良, 折獄, 罔非在中. 察辭于差, 非從惟從, 哀敬折獄, 明啓刑書, 胥占, 咸庶中正, 其刑其罰, 其審克之, 獄成而孚, 輸而孚, 其刑, 上備, 有幷兩刑.]"라고 하였다.

舍車而徒, 義弗乘也.
수레를 버리고 걷는 것은 의리상 탈 수 없기 때문이다.

本義

君子之取舍, 決於義而已.

군자가 취하고 버리는 일은 의(義)로 결단할 뿐이다.

程傳

舍車而徒行者, 於義不可以乘也. 初應四正也, 從二非正也, 近舍二之易, 而從四之難, 舍車而徒行也. 君子之賁, 守其義而已.

수레를 버리고 걷는 것은 의리에서 볼 때 탈 수 없어서이다. 초구효는 육사효와 호응 관계를 갖는 것이 올바르고, 육이효를 따르는 것은 올바르지 않다. 가까운 육이효의 쉬운 길을 버리고 멀리 육사효의 어려운 길을 따르는 것이 수레를 버리고 걷는 일이다. 군자의 꾸밈은 그 마땅함을 지킬 뿐이다.

賁其須, 與上興也.

수염을 꾸민 것은 위와 더불어 일어나는 일이다.

程傳

以須爲象者, 謂其與上同興也. 隨上而動, 動止唯系所附也. 猶加飾於物, 因其質而賁之, 善惡在其質也.

수염을 상징으로 삼은 것은 위의 턱과 함께 일어나는 일을 말한다. 위의 턱에 따라 움직이니, 움직임과 멈춤이 수염이 붙어 있는 턱에 달려있다. 사물에 장식을 가하는 것은 그 본바탕을 따라 꾸미는 일이니 선과 악은 그 본바탕에 있다.

集說

● 候氏行果曰 : "自三至上, 有頤之象. 二在頤下, 須之象也. 上無其應, 三亦無應, 若能上承於三, 與之同德, 雖俱無應, 可相與而興起也."[6]

후행과(候行果)[7]가 말했다. "삼효에서 상효까지 턱의 상이 있다.

6) 이정조(李鼎祚), 『주역집해(周易集解)』 권5.

7) 후행과(候行果) : 일명 후과(候果)라고 하며, 당(唐)대 상곡(上谷 : 현 하북성 장가구시〈張家口市〉) 사람이다. 당 중엽 유명한 18학사(十八學

이효는 턱 아래에 있어 수염의 모습이다. 상효는 그 호응이 없어 삼효 또한 호응이 없다. 상효가 삼효를 이어 덕을 함께 하면 모두 호응이 없더라도 서로 함께 하여 일어날 수 있다."

● 袁氏樞曰:"陰不能以自明也, 得陽而後明, 柔不能以自立也, 得剛而後立, 下不能以自興也, 得上而後興也."

원추(袁樞)가 말했다. "음(陰)은 스스로 밝힐 수 없어 양을 얻은 뒤에 밝고, 유함은 스스로 설 수 없어 강함을 얻은 뒤에 서며 아래는 스스로 일어날 수 없고 위를 얻은 뒤에 일어난다."

● 沈氏一貫曰:"上無正應, 而從乎三, 故曰與上興, 貴從陽也."

심일관(沈一貫)이 말했다. "상효는 올바르게 호응함은 없지만 삼효를 따르므로 위와 함께 일어난다고 했으니 양을 따르는 것이 귀하다."

士) 가운데 한 사람으로, 벼슬은 국자사업(國子司業), 대황태자독(待皇太子讀) 등을 역임하였다. 『역(易)』과 노장학 연구에 뛰어났다고 하는데, 저술은 이미 전해지지 않고 이정조(李鼎祚)의 『주역집해(周易集解)』에 그의 글이 보인다. 또 황석(黃奭)의 『황씨일서고(黃氏逸書考)』 가운데 『후과역주(侯果易注)』 한 권이 실려 있다.

永貞之吉, 終莫之陵也.

오래도록 유지하고 올바름을 지키면 길한 것은 결국 아무도 능멸하지 않는다.

程傳

飾而不常且非正, 人所陵侮也, 故戒能永正則吉也. 其賁旣常而正, 誰能陵之乎?

꾸미고서 오래도록 지속하지 못하고 또 올바르지 않으면 사람들이 능멸하고 무시하므로, 오래도록 유지하고 올바름을 지키면 길하다고 경계했다. 그 꾸밈이 오래도록 지속하면서 올바르다면 누가 능멸할 수 있겠는가?

集說

● 蔡氏淵曰 : "陵, 侮也. 三能永貞, 則二柔雖比己而濡如, 然終莫之陵侮, 而不至陷溺也."

채연(蔡淵)이 말했다. "능(陵)은 모독하는 것이다. 삼효가 오래 지속하고 올바를 수 있다면 이효의 부드러움이 자기에게 친밀하고 베풀어 주니 윤택하더라도 결국에는 능멸하지 못하고 위험에 빠지지 않는다."

● 沈氏一貫曰："下三爻皆取離義, 至三而文明極矣, 有溺質之象. 唯永貞則濟之以艮止, 故吉而莫之陵."

심일관(沈一貫)이 말했다. "아래 세 효는 모두 이(離☲)괘의 뜻을 취했는데 삼효에 이르러 문명(文明)이 지극하여 본바탕이 없어지는 상이 있다. 오직 오래 지속하고 올바르면 간(艮☶)괘의 멈춤에 의해 구제되므로 길하여 능멸하지 못한다."

六四, 當位疑也, 匪寇婚媾, 終無尤也.

육사효는 당면한 지위가 의심스러운데, 도적이 아니라면 청혼하는 것이 결국 근심이 없다.

本義

當位疑, 謂所當之位可疑也. 終無尤, 謂若守正而不與, 亦無它患也.

'당위의(當位疑)'는 당면한 지위가 의심스러울 만하다는 뜻이다. '종불우(終不尤)'는 정도(正道)를 지키고 더불어 함께 하지 않으면 또한 다른 근심이 없다는 말이다.

程傳

四與初相遠, 而三介於其間, 是所當之位爲可疑也, 雖爲三寇仇所隔, 未得親於婚媾, 然其正應, 理直義勝, 終必得合, 故云終無尤也. 尤, 怨也. 終得相賁, 故無怨尤也.

육사효와 초구효는 서로 멀리 있고, 구삼효가 그 사이에 개입하고 있으니, 이것이 당면하고 있는 위치가 의심스러울 만한 일이다. 비록 원수인 구삼효에 의해 가로 막혀 있어 혼인할 사람과 친할 수 없지만, 올바르게 호응하는 관계는 이치가 올바르고 의리(義理)가 우세하여 결국 반드시 합치하게 되므로 결국 근심할 것이 없다고 했다. '우(尤)'라는 말은 원망한다는 것이니, 결국에는 서로 꾸며주게 되므로 원망할 것이 없게 된다.

集說

● 朱氏震曰 : "純白無僞, 誰能間之? 始疑而終合, 故曰終無尤也."[8]

주진(朱震)이 말했다. "순수하게 밝아 거짓이 없으면 누가 이간질할 수 있겠는가? 시작은 의심하였지만 결국 합치하므로 결국 허물이 없다고 했다."

● 郭氏雍曰 : "四雖自飾, 亦有皤如之質, 猶丘園之賁, 虛己待物之象也. 初飾其趾而來, 翰如之馬也. 以剛下柔而來, 應匪寇也, 婚媾之道也. 四雖懷疑, 終何尤哉?"

곽옹(郭雍)이 말했다. "사효는 스스로 장식하니 또한 흰 듯한 바탕이 있어 언덕을 꾸민 것 같아 자기를 비우고 사물을 대하는 모습이다. 초효는 발을 꾸미고 와서 흰 것처럼 보이는 말[馬]이다. 굳셈이 부드러움으로 내려 와서 도적이 아닌 것에 호응하니 혼인하는 도이다. 사효가 의심을 품었지만 결국에는 어찌 허물이 있겠는가?"

8) 주진(朱震), 『한상역전(漢上易傳)』 권3.

六五之吉, 有喜也.
육오효의 길함은 기쁨이 있다.

程傳

能從人以成賁之功, 享其吉美, 是有喜也.

사람을 따라 꾸밈의 공을 이루어 길함과 아름다움을 누릴 수 있으니, 이것이 기쁨이 있음이다.

集說

● 方氏應祥曰: "於文勝之時, 而爲丘園之賁, 豈不甚可喜乎? 非自喜也, 爲世道喜也."

방응상(方應祥)이 말했다. "꾸미는 일이 번성할 때에 가정의 정원 꾸미는 일이 어찌 기뻐하지 않을 수 있는 일이겠는가? 스스로 기쁨은 아니지만 세상의 도리가 기쁨을 이끈다."

案

『傳』於五位多言有慶, 慶大而喜小也. 此爻居尊而返樸崇儉, 亦可以易俗移風, 而但曰有喜者, 且就一身無過言爾. 如無妄五損四兌四之例, 皆以無疾爲喜. 若推其用, 則化成天下, 慶在其中矣.

『전(傳)』에서 오효의 자리는 경사가 있다는 말이 많은데, 경사는 크고 기쁨은 작다. 이 효는 존귀함에 자리하지만 소박함으로 돌아가고 검소함을 숭배하니, 또한 풍속을 바꿀 수 있지만 기쁨이 있다고 한 것은 일신에 허물이 없음을 말했을 뿐이다. 무망(無妄)괘의 오효[9]와 손(損)괘의 사효[10]와 태(兌)괘의 사효[11]의 사례와 같으니, 모두 질병이 없는 것이 기쁨이다. 그 작용을 추론하면 천하를 변화해 완성하니 경사는 그 가운데 있다.

9) 『주역』「무망(無妄)괘」: "구오효는 진실무망함의 질병은 약을 쓰지 않으면, 기쁜 일이 있다.[九五, 無妄之疾, 勿藥, 有喜.]"라고 하였다.

10) 『주역』「손(損)괘」: "육사효는 그 병을 덜어내되, 신속하게 하면 기쁨이 있어, 허물이 없게 된다.[六四, 損其疾, 使遄有喜, 无咎.]"라고 하였다.

11) 『주역』「태(兌)괘」: "구사효는 헤아리면서 기쁘게 해서 편안하지 못한 것이니, 절도를 지켜서 미워하면 기쁜 일이 있다.[九四, 商兌未寧, 介疾有喜.]"라고 하였다.

白賁無咎, 上得志也.

꾸밈을 희게 하면 허물이 없는 것은 위에서 뜻을 얻었기 때문이다.

程傳

白賁無咎, 以其在上而得志也. 上九爲得志者, 在上而文柔, 成賁之功, 六五之君, 又受其賁, 故雖居無位之地, 而實屍賁之功, 爲得志也. 與它卦居極者異矣. 旣在上而得志, 處賁之極, 將有華僞失實之咎, 故戒以質素則無咎, 飾不可過也.

꾸밈을 희게 하면 허물이 없다는 것은 상구효가 가장 위에 있으면서도 뜻을 얻었기 때문이다. 상구효가 뜻을 얻은 것은 가장 높은 자리에 있으면서 약함을 꾸며주어 꾸밈의 공을 이루고, 육오효의 군주가 또 그 꾸밈을 받았으므로 비록 지위가 없는 자리에 있지만 꾸미는 공을 실현하여 뜻을 얻은 것이다. 다른 괘에서 가장 끝의 자리에 있는 것과는 다르다. 가장 높은 자리에서 뜻을 얻고 꾸밈의 극한에 처하여 거짓을 화려하게 꾸며 진실을 잃는 허물이 있을 수 있으므로 질박한 바탕으로 하면 허물이 없다고 경계한 것이니, 꾸미는 데 과도해서는 안 된다.

集說

● 『朱子語類』問 : "何謂得志?" 曰 : "居卦之上, 在事之外, 不假文飾, 而有自然之文. 便是優遊自得也."[12]

『주자어류』에서 물었다. "어째서 뜻을 얻었다고 했는가?"
대답했다. "괘의 끝에 자리함은 일의 밖에 있는 것이니 꾸밈의 장식을 빌리지 않고서도 자연스런 문양이 있다. 이는 유유자적하는 것이다."

● 項氏安世曰 : "六二柔來而文剛, 主內卦之文者也. 內卦以文爲文, 故曰賁其須, 須之麗於身, 最爲虛文也. 然陽氣不盛, 不足以賁其須, 故曰與上興也. 二與上交而成卦, 二以上爲主, 猶須以陽爲主也. 深明文之與質, 未嘗相離, 故不言吉凶, 吉凶系於質也, 上九分剛上而文柔, 主外卦之文者也, 外卦以質爲文, 故曰白賁. 白本非所以爲文也. 然文之初興, 必自質始, 則白固在衆采之先, 文之旣極, 必以質終, 則白又在衆采之後. 是則白者賁之所成終而所成始也. 故曰上得志也. 以其在卦之終, 主賁之成, 是以得遂其篤實之志. 深明質之與文, 未嘗相悖, 故言无咎, 蓋行與時違, 疑於有咎也."[13]

항안세(項安世)가 말했다. "육이효는 부드러움이 와서 굳셈을 꾸미니 내괘(內卦)의 꾸밈을 주도하는 자이다. 내괘는 꾸밈으로 꾸밈이 되므로 수염을 꾸민다고 했다. 수염은 몸에 붙어 있으니 가장 헛된 꾸밈이다. 그러나 양기(陽氣)가 성대하지 않아 수염을 꾸미기에 부족하므로 위와 함께 일어난다고 했다. 육이효와 상구효가 교류하여 괘를 이루어 이효가 상효를 주된 것으로 여기니 반드시 양이 주된

12) 『주자어류』 71권, 20조목.
13) 항안세(項安世), 『주역완사(周易玩辭)』 권5.

것으로 된다. 꾸밈은 바탕과 서로 떨어질 수 없음을 깊이 밝혔으므로 길흉을 말하지 않고 길흉이 바탕과 관계되어 있다고 했다. 그러나 꾸밈은 처음에는 흥하므로 반드시 바탕으로부터 시작하면 흰 것은 여러 색채에 우선하여 있고, 반드시 바탕으로 끝맺으면 흰 것 또한 여러 색채의 나중에도 있다. 이 말이 흰 것이 꾸밈의 끝을 이루고 시작을 이루는 것이다. 그러므로 위에서 뜻을 이루었다고 했다. 괘의 끝에서 꾸밈의 완성을 주도하니, 그래서 그 돈독하고 성실한 뜻을 이룬다. 바탕은 꾸밈과 서로 어긋날 수 없음을 깊이 밝혔으므로 허물이 없다고 말했으니 행함이 때와 어긋나면 허물이 있을 것을 의심했기 때문이다."

案

項氏以與上興爲上九, 不如指九三言爲當.

항씨[항안세]는 육이효「상전」의 위와 더불어 일어난다는 것을 상구효로 여겼는데, 구삼효를 가리켜 합당하다고 말하는 것만 못하다.

23. 박剝☷☶괘

山附於地, 剝, 上以厚下安宅.

산이 땅에 붙어 있는 것이 박괘의 모습이니, 윗사람은 그것을 본받아 아래를 두텁게 하고 집을 안정시킨다.

程傳

艮重於坤, 山附於地也. 山高起於地而反附著於地, 圮剝之象也. 上, 謂人君與居人上者, 觀剝之象, 而厚固其下, 以安其居也. 下者上之本, 未有基本固而能剝者也. 故上之剝必自下, 下剝則上危矣. 爲人上者, 知理之如是, 則安養人民, 以厚其本, 乃所以安其居也. 書曰民唯邦本, 本固邦寧.

간(艮☶)괘가 곤(坤☷)괘에 중첩되어 있으니 산이 땅에 붙어버린 모습이다. 산은 땅보다 높이 솟아 있는 것인데 도리어 땅에 붙어 있으니 무너져 내린 모습이다.
윗사람이란 군주가 백성과 더불어 살며 위에 자리한 사람을 말하니 박괘의 모습을 관찰하여 그 아래를 두텁고 견고하게 해서 그 거처를 안정시킨다. 아래란 위의 근본이니 토대의 뿌리가 견고한데 그것을 무너뜨릴 수 있는 경우는 없다.
그래서 위가 무너지는 것은 반드시 아래부터 시작되니 아래가 깎이면 위가 위태롭다. 백성 위에 있는 자가 이러한 이치를 안다면 아래에 있는 백성을 안정시키고 길러서 그 근본을 두텁게 할 것이니, 이것이 자신의 거처를 안정시키는 일이다. 『서경』에서 "백성은 나라의 근본이니, 근본이 견고하면 나라가 편안하다"[1]고 했다.

集說

● 虞氏翻曰 : "山高絕於地, 今附地者, 明被剝矣. 君當厚錫於下, 然後得安其居."[2]

우번(虞翻)[3]이 말했다. "산은 땅 높이 솟았는데 지금 땅에 붙어있으니 무너져내린 것이 분명하다. 군주는 마땅히 아래 백성에게 두텁게 베풀어 준 뒤에 그 거처를 편안하게 한다."

● 劉氏牧曰 : "山以地爲基, 厚其地, 則山保其高. 君以民爲本, 厚其下, 則君安於上."

유목(劉牧)[4]이 말했다. "산은 땅을 기반으로 하여 그 땅을 두텁게

---

1) 『서경』「하서(夏書) · 오자지가(五子之歌)」.
2) 이정조(李鼎祚), 『주역집해(周易集解)』 권5.
3) 우번(虞翻, 164~233) : 중국 후한 말기~삼국시대의 인물로, 자는 중상(仲翔)이며 양주(楊州) 회계군(會稽郡) 여요현(餘姚縣) 출신이다. 『역경(易經)』에 밝은 학자이다.

하면 산은 그 높음을 보장받는다. 군주는 백성을 기반으로 하여 그 아래를 두텁게 하면 군주는 위를 안정시킨다."

● 司馬氏光曰:"基薄則牆頹, 下薄則上危, 故君子厚其下者, 所以自安其居也."

사마광(司馬光)[5]이 말했다. "터가 얇으면 담장이 무너지고 아래가 얇으면 위가 위태로우므로 군자는 그 아래를 두텁게 하니 그 거처를 스스로 편안하게 하는 것이다."

---

4) 유목(劉牧, 1011~1064) : 자는 선지(先之) 혹은 목지(牧之)이고 호는 장민(長民)이다. 원래는 항주(杭州) 임안(臨安) 사람이었는데, 조부의 공적으로 인해 서안(西安 : 현 절강성 구현〈衢縣〉) 사람이 되었다. 범중엄(範仲淹)을 스승으로 모시고, 손복(孫複)에게서 『춘추』를 배웠으며, 석개(石介)와도 친분이 두터웠다. 역학방면으로는 범악창(範諤昌)의 역학을 이어받아 진단(陳摶)의 「하도」·「낙서」 상수학을 전승하였다. 벼슬은 범중엄과 부필(富弼) 등의 추천으로 연주(兗州) 관찰사를 거쳐 태상박사(太常博士)까지 역임하였다. 역학 방면의 저술에는 『괘덕통론(卦德通論)』, 『신주주역(新注周易)』, 『주역선유유론구사(周易先儒遺論九事)』, 『역수구은도(易數鉤隱圖)』 등이 있다.

5) 사마광(司馬光, 1019~1086) : 자는 군실(君實)이고, 호는 우부(迂夫), 우수(迂叟)이며, 시호는 문정(文正)이다. 세칭 사마태사(司馬太師)·온국공(溫國公)·속수선생(涑水先生)이라 한다. 송대 하현 속수향(夏縣 涑水鄕 : 현 산서성 하현〈夏縣〉) 사람으로 한림시독(翰林侍讀)·권어사중승(權御使中丞)·문하시랑(門下侍郎) 등을 역임하였다. 왕안석의 신법에 반대하여 퇴출되었다가 재상으로 복직하여 신법을 폐지하였다. 저서는 『문집』과 『자치통감(資治通鑑)』·『계고록(稽古錄)』·『역설(易說)』·『잠허(潛虛)』 등이 있다.

● 『朱子語類』云 : “唯其地厚, 所以山安其居而不搖, 人君厚下以得民, 則其位亦安而不搖, 猶所謂本固邦寧也.”[6]

『주자어류』에서 말했다. “오직 그 땅이 두터워야 산이 그 거처를 편안하게 하여 흔들리지 않는다. 군주가 아래를 두텁게 하여 백성을 얻으면 그 지위 또한 편안하고 흔들리지 않으니 근본이 견고하면 나라가 편안하다[7]는 말이다.”

6) 『주자어류』 71권, 23조목.

7) 『서경』「하서(夏書) · 오자지가(五子之歌)」.

剝床以足, 以滅下也.

침상을 깎되 다리로부터 하는 것은 아래로부터 없애는 일이다.

程傳

取床足爲象者, 以陰侵沒陽於下也. 滅, 沒也, 侵滅正道, 自下而上也.

침상의 다리를 취하여 상징한 것은 음이 아래에서 양을 침범하여 없애버리기 때문이다. '멸(滅)'이란 없앤다는 말이다. 정도(正道)를 침해하여 없애 아래로부터 올라가는 것이다.

集說

● 虞氏翻曰 : "床所以安人, 在下故稱足. 先從下剝, 漸及於上, 故曰以滅下也."[8]

우번(虞翻)이 말했다. "침상은 사람이 편안하게 거처하는 곳인데 아래에 있으므로 다리라고 칭했다. 먼저 아래부터 없애 점차 위로 미치므로 아래로부터 없앤다고 했다."

8) 이정조(李鼎祚), 『주역집해(周易集解)』 권5.

剝床以辨, 未有與也.

침상을 깎되 침상의 뼈대까지 이른 것은 함께 하는 사람이 없다는 말이다.

本義

言未大盛.

아직 크게 성대하지 못한 것이다.

程傳

陰之侵剝於陽, 得以益盛, 至於剝辨者, 以陽未有應與故也. 小人侵剝君子, 若君子有與, 則可以勝小人, 不能爲害矣. 唯其無與, 所以被蔑而凶. 當消剝之時, 而無徒與, 豈能自存也? 言未有與, 剝之未盛, 有與, 猶可勝也, 示人之意深矣.

음이 양을 침범하여 없애고 더욱 성대해져 침상의 위와 아래가 나뉘는 곳을 깎아 없애는 지경에까지 이른 것은 양에 호응하여 도와주는 자가 없기 때문이다. 소인이 군자를 침해하여 없앨 때 군자에게 호응하여 도와주는 자가 있다면 소인을 이겨서 해를 당하지 않는다. 오직 도와주는 사람이 없기 때문에 피해를 당하여 흉한 것이다. 깎아 없애버리는 때 도와주는 사람이 없다면 어떻게 스스로 보존할 수 있겠는가? 함께 하는 사람이 없다고 한 것은 깎아 없애버리는 형세가 아직 성대하지 않을 때 함께 하여 도와주는 사람이 있다면 이길 수 있기 때문이니 사람들에게 보여준 뜻이 깊다.

集說

● 崔氏憬曰 : "辨當在第足之間, 是床梐也. 未有與者, 言至三則應, 故二未有與也."[9]

최경(崔憬)[10]이 말했다. "변(辨)은 다리 사이에 해당하니 침상의 다리이다. 함께 하는 사람이 없는 것은 삼효에 이르면 호응이 있으므로 이효에서는 함께 하는 사람이 없다."

● 吳氏澄曰 : "若六三之剝之, 唯其有與也."[11]

오징(吳澄)[12]이 말했다. "만약 육삼효가 깍이는 것이라면 그 함께

9) 이정조(李鼎祚), 『주역집해(周易集解)』 권5.
10) 최경(崔憬) : 당(唐)대 역학가로서 그 생졸연대는 공영달의 뒤 이정조(李鼎祚)의 앞이다. 그의 역학은 역상(易象)과 역수(易數)를 중시하여, 왕필(王弼)의 『주역주(周易注)』를 묵수하지 않고 의리와 상수를 함께 다루었다. 순상(荀爽)·우번(虞翻)·마융(馬融)·정현(鄭玄)의 역학에도 조예가 깊었다. 공영달의 『주역정의(周易正義)』가 관학으로서 학계를 지배할 때 그의 역학은 독창적으로 새로운 의의가 있다고 칭송되었으며, 특히 이정조(李鼎祚)에게 추앙받았다. 이로써 그의 역학은 한(漢)대 역학에서 송(宋)대 역학으로 옮겨가는 선구가 되었다고 평가받는다. 저작으로는 『주역탐현(周易探玄)』이 있었다고 하는데 전해지지 않고, 이정조(李鼎祚)의 『주역집해(周易集解)』에 그의 주장이 많이 보인다.
11) 오징(吳澄), 『역찬언(易纂言)』 권5.

함이 있다.”

● 龔氏渙曰 : “六二陰柔中正, 使上有陽剛之與, 則必應之助之, 而不爲剝矣. 唯其無與, 所以雜於群陰之中而爲剝, 若三則有與, 故雖不如二之中正而得無咎.”

공환(龔渙)[13]이 말했다. “육이효는 음의 부드러움으로 중정(中正)하니 위로 양의 굳셈이 함께 했다면 반드시 호응하여 도와서 깎이지 않았을 것이다. 오직 함께 하는 사람이 없어 여러 음(陰)의 무리에 섞여 깎였다. 육삼효의 경우는 함께 하는 사람이 있으므로 육이효의 중정(中正)만 못하지만 허물이 없음을 얻었다.”

12) 오징(吳澄, 1249~1333) : 자는 유청(幼淸)이고, 세칭 초려선생(草廬先生)이라 한다. 송원(宋元)교체기 숭인(崇仁 : 현 강서성 소속) 사람으로 국자감사업(國子監司業)·한림학사(翰林學士)를 역임하였다. 시호는 문정(文正)이다. 그의 학문은 주로 주희와 육구연의 사상을 절충하는 경향이 있으며, 특히 주희 이래의 도통(道統)을 은연중에 자임하고 있다. 저서는 『학기(學基)』, 『학통(學統)』, 『서·역·춘추·예기찬언(書·易·春秋·禮記纂言)』, 『오문정공집(吳文正公集)』, 『효경장구(孝經章句)』 등이 있고, 『황극경세서(皇極經世書)』, 『노자(老子)』, 『장자(莊子)』, 『태현경(太玄經)』, 『팔진도(八陣圖)』, 『곽박장서(郭璞葬書)』를 교정했다.

13) 공환(龔煥) : 자는 유문(幼文)이고, 천봉선생(泉峯先生)이라고 불렸다. 원(元)대 임천(臨川)사람이다. 요응중(饒應中)에게 사사하여 본체를 밝히고 실천에 옮기는 데 힘썼다. 당시 아직 과거제도가 시행되지 못했는데, 시행되면 반드시 정자와 주자의 학문을 법식으로 삼아야 한다고 주장했다. 과연 뒤에 그의 말대로 시행되었다.

案

崔氏吳氏龔氏之說, 皆得文意. 六三不中正而辭優於二, 故聖人以未有與失上下明之.

최씨[최경]와 오씨[오징]와 공씨[공환]의 말이 모두 문장의 뜻을 얻었다. 육삼효는 중정(中正)하지 못하지만 그 말이 육이효보다 좋으므로 성인은 사람들이 함께 하지 않는다는 말과 위와 아래를 잃었다는 말로 밝혔다.

剝之無咎, 失上下也.

깎아 없애는 때 허물이 없는 것은 위와 아래를 잃었기 때문이다.

本義

上下, 謂四陰.

위와 아래는 네 음을 말한다.

程傳

三居剝而無咎者, 其所處與上下諸陰不同. 是與其同類相失, 於處剝之道爲無咎, 如東漢之呂強是也.

육삼효가 깎이는 때 자리하지만 허물이 없는 것은 그 처신이 위와 아래의 여러 음효들과 다르기 때문이다. 이는 그 같은 부류들과 서로 잃는다는 뜻이다. 깎이는 때 처신하는 방도에 허물이 없는 것이니 예를 들어 동한(東漢) 시대의 여강(呂强)[14]과 같은 경우가 그러하다.

---

14) 여강(呂强, ?~184) : 동한 시대 하남성 사람으로 자는 한성(漢盛)이다. 후한을 망하게 한 대규모의 반란은 황건적(黃巾賊)의 반란이다. 그때 환관(宦官)들 가운데 황건적과 밀통하면서 나라를 망하게 했던 무리들이 있었고, 영제(靈帝)도 탐욕스런 정치로 나라를 망하게 했다. 환관 가운데 황건적과 내통한 사람이 드러났을 때, 환관들은 엎드려 사죄하면서도 죄를 다른 사람에게 미루고 특히 여강(呂强)이 당인(黨人)들과 내통하면서 음

集說

● 王氏弼曰："三上下各有二陰，而三獨應於陽，則失上下也."

왕필(王弼)이 말했다. "삼효는 위와 아래 각각 두 음효가 있는데 삼효는 홀로 양효와 호응하니 위와 아래를 잃은 것이다."

● 邱氏富國曰："上謂四五，下謂初二，違去四陰而獨從剛，故曰失上下也."

구부국(邱富國)[15]이 말했다. "위는 사효와 오효를 말하고 아래는 초효와 이효를 말하니 네 음을 버리고 홀로 강함을 따랐으므로 위와 아래를 잃는다고 했다."

모를 꾸민다고 모함했다. 영제(靈帝)가 그를 불렀을 때 화가 나서 자살했다고 한다.

15) 구부국(丘富國) : 자는 행가(行加)이고, 남송 건안(建安 : 현 복건성 건구〈建甌〉) 사람이다. 주자의 문인으로 주자의 역학 사상을 주로 계승 발전시켰다. 이종(理宗) 순우(淳祐) 7년(1247)에 진사에 급제하여 벼슬은 단주첨판(端州僉判)을 역임했다. 남송이 망하자 은거하고 벼슬하지 않았다. 저서에는 『주역집해(周易輯解)』, 『역학설약(易學說約)』, 『경세보유(經世補遺)』가 있다.

剝床以膚, 切近災也.

침상을 깎되 피부에까지 이름은 재앙이 매우 가까운 것이다.

程傳

五爲君位, 剝已及四, 在人則剝其膚矣. 剝及其膚, 身垂於亡矣, 切近於災禍也.

육오효는 군주의 지위인데 깎아 없어지는 것이 육사효까지 이르렀으니 사람에게서는 피부를 깎는 일이다. 깎여 없어지는 것이 피부에까지 미쳐 몸이 거의 망하는 데 이르렀으니 재앙이 매우 가깝다.

以宮人寵, 終無尤也.

궁인들이 총애를 받듯이 하여 결국에는 허물이 없다.

程傳

群陰消剝於陽, 以至於極, 六五若能長率群陰, 騈首順序, 反獲寵愛於陽, 則終無過尤也. 於剝之將終, 復發此義, 聖人勸遷善之意, 深切之至也.

여러 음효들이 양효를 깎아 없애버리는 것이 극한에 이르렀으니, 육오효가 만약 여러 음효들을 통솔하여 머리를 나란히 하듯이 이치를 따르고 질서를 이루게 하여 도리어 양효에게서 총애를 얻는다면, 결국에는 허물이 없게 된다. 깎임의 때가 끝나려고 하므로 이러한 의미를 다시 발했으니, 성인이 개과천선하기를 권면하는 뜻이 매우 깊고도 간절하다.

案

五以陰居尊, 取後妃之象, 而爲貫魚以宮人寵, 則豈有妬害瀆亂, 以剝其君之尤哉?

오효는 음으로 존귀한 지위에 자리했으니 후비(後妃)의 상을 취하고 물고기를 꿰듯이 하여 궁인(宮人)이 총애를 받는다고 했으니, 어찌 질투의 피해와 모독의 혼란이 있어 군주를 깎아버리는 잘못이 있겠는가?

君子得輿, 民所載也, 小人剝廬, 終不可用也.

군자가 수레를 얻는 것은 백성들이 받들어 모시는 일이고, 소인이 그 집을 없앤 것은 결국에는 쓸 수 없는 일이다.

程傳

正道消剝旣極, 則人復思治, 故陽剛君子, 爲民所承載也. 若小人處剝之極, 則小人之窮耳, 終不可用也. 非謂九爲小人, 但言剝極之時, 小人則是也.

정도(正道)가 사그라들고 무너지는 때가 극한에 이르면 사람들은 다시 다스림을 생각하므로 양의 굳센 군자를 백성들이 받들어 모시게 된다. 그러나 소인은 무너지는 때의 극한에 처하면 궁색해질 뿐이니, 결국에는 쓸 수 없게 된다. 상구효가 소인이라는 말이 아니라 무너지는 극한의 때에 소인이 이렇다는 점을 말하였다.

集說

● 『朱子語類』云 : "唯君子乃能覆蓋小人, 小人必賴君子以保其身. 今小人欲剝君子, 則君子亡, 而小人亦無所容其身, 如自剝其廬也. 且看自古小人欲害君子, 到害得盡後, 國破家亡, 其小人曾有存活得者否? 故聖人於「象」曰 : 君子得輿, 民所載也, 小人剝廬, 終不可用也."[16]

『주자어류』에서 말했다. "오직 군자만이 소인들을 막을 수 있고 소인은 반드시 군자에 의지하여 그 몸을 보존할 수 있다. 지금 소인은 군자를 깎아내려고 하니 군자가 망하여 소인 역시 그 몸을 용납할 곳이 없어 마치 스스로 그 집을 없애는 것과 같다. 또한 옛날부터 소인은 군자를 해치려 하여 해를 끼친 뒤에 나라가 무너지고 집안이 망하니 그 소인인들 살아남은 자가 있겠는가? 그러므로 성인은 「상전」에서 '군자가 수레를 얻는 것은 백성들이 받들어 모시는 일이고, 소인이 그 집을 없앤 것은 결국에는 쓸 수 없는 일이다'라고 했다.

16) 『주자어류』 66권, 23조목.

24. 복復䷗괘

雷在地中, 復. 先王以至日閉關, 商旅不行, 後不省方.

우레가 땅 속에 있는 것이 복괘의 모습이니, 선왕은 이것을 본받아 동짓날에 모든 문을 걸어 잠그고, 상인과 여행자들이 다니지 못하게 했으며, 군주는 사방을 시찰하지 않는다.

本義

安靜以養微陽也. 月令, 是月齋戒掩身以待陰陽之所定.

편안하고 고요하여 미세한 양(陽)을 기르는 것이다. 『예기(禮記)』「월령(月令)」에 "이 달에 재계(齋戒)하고 몸을 가려 음양(陰陽)이 정해지기를 기다린다"고 하였다.

程傳

雷者, 陰陽相薄而成聲, 當陽之微, 未能發也. 雷在地中, 陽

始復之時也. 陽始生於下而甚微, 安靜而後能長. 先王順天道, 當至日陽之始生, 安靜以養之, 故閉關使商旅不得行, 人君不省視四方, 觀復之象而順天道也. 在一人之身亦然, 當安靜以養其陽也.

우레란 음과 양이 서로 부딪쳐 소리를 내는 것이니 양이 미약할 때 소리를 낼 수 없다. 우레가 땅 속에 있는 것은 양이 비로소 회복하려는 때이다. 양이 아래에서 처음 생겨났지만 매우 미약하여 안정과 고요를 이룬 뒤에 자라날 수가 있다.
선왕(先王)은 천도(天道)에 순종하여 동짓날 양이 처음 생길 때 안정과 고요를 이루어 길러야 하므로 모든 문을 걸어 잠그고 상인과 여행자들이 들어오지 못하게 하고 군주는 사방을 시찰하지 않으니, 이는 복괘의 모습을 보고 천도(天道)에 순응하는 것이다. 한 사람의 몸에서도 또한 마찬가지이니 마땅히 안정과 고요를 이루어 그 양을 길러야 한다.

集說

● 劉氏蛻曰 : "雷在地中, 殷殷隆隆, 陽來而復, 復來而天下昭融乎."

유세(劉蛻)가 말했다. "우레가 땅 속에 있다가 성대하게 양이 와서 회복하니, 회복하여 천하에 밝게 자라는구나!"

● 蘇氏舜欽曰 : "復, 其見天地之心乎, 王弼解云, 復者反本之謂. 天地以本爲心, 寂然至無, 是其本也, 故動息地中, 乃天地之心見矣. 予竊惑焉, 夫復也者, 以一陽始生而得名也. 「象」曰剛反, 又曰剛長, 安得謂寂然至無耶, 安得謂動息耶? 「象」曰雷在地中, 復, 雷者陽物也, 動物也, 今在地中, 則是有陽動之象也. 輔嗣昧擧卦之體, 乃以寂然至無爲復, 斯失之矣! 又云冬至陰之復, 夏至陽之復, 何冬夏陰陽之不辨耶!"

소순흠(蘇舜欽)이 말했다. "복(復)에서 천지의 마음을 본다고 했는데 왕필은 '복(復)이란 근본으로 돌아오는 것을 말한다. 천지는 근본을 마음으로 삼아 고요하고 아무것도 없는 듯 하니, 이것이 그 근본이므로 움직임이 땅 속에서 멈추는 가운데 천지의 마음이 드러난다'고 했다. 내가 의심하건대 복(復)이란 하나의 양이 비로소 생겨나 이름한 것이다. 「단전」에서 굳셈이 돌아간다고 하고 또 굳셈이 자라난다고 했으니 어떻게 고요하고 아무것도 없는 것이겠으며 어찌 움직임이 멈춘다고 할 수 있겠는가? 「상전」에서 우레가 땅속에 있는 것이 복이라고 했으니 우레는 양(陽)의 사물이고 움직이는 사물인데 지금 땅 속에 있으니, 이는 양의 움직이는 모습이 있다. 왕보사는 괘의 본체에 어두워 고요하고 아무도 없는 것을 복이라고 여겼으니 이것은 잘못이다! 또 '동지는 음의 복(復)이고 하지는 양의 복이다'라고 했는데 어찌 동지와 하지의 음양을 분별하지 않는가!"

● 『朱子語類』問 : "陽始生甚微, 安靜而後能長, 故復之「象」曰 : 先王以至日閉關, 人善端之萌亦甚微, 須莊敬持養, 然後能大. 不然復亡之矣."
曰 : "然."[1]

1) 『주자어류』 71권, 70조목.

『주자어류』에서 물었다. "양이 처음 생겨났을 때는 매우 미약하여 안정되고 고요한 뒤에 자라날 수 있으므로, 복괘의 「상전」에서 '선왕은 이것을 본받아 동짓날에 모든 문을 걸어 잠근다'고 했으니, 사람이 지니고 있는 선단(善端)의 맹아 또한 매우 미약하여 반드시 장엄과 공경[2]으로 지키고 기른 뒤에 커질 수 있다. 그렇지 않으면 다시 없어진다."
대답했다. "그렇다."

● 問:"純坤之月, 可謂至靜. 然昨日之靜, 所以養成今日之動. 一陽之復, 乃是純陰養得出來, 在人則主靜而後善端始復." 曰:"固有此意, 但不是此卦大義. 「大象」所謂至日閉關者, 正是於已動之後, 要以安靜養之."[3]

물었다. "순수한 곤(坤)의 달은 지극히 고요하다고 할 수 있다. 그러나 어제의 고요함이 오늘의 움직임을 기르고 완성한다. 하나의 양이 다시 나오는 것은 순수한 음에서 길러져 나온 것이니 사람에게는 고요함을 주로 한 뒤에 선단(善端)이 비로소 회복한다."
대답했다. "분명 이런 뜻은 있지만 이 괘의 큰 뜻은 아니다. 「대상전」에서 말하는 동짓날에 문을 잠그는 것은 바로 이미 움직인 뒤에 안정과 고요함으로 길러야 한다는 말이다."

---

2) 장엄과 공경:『예기(禮記)』「악기(樂記)」, "예를 배워 몸이 다스려지면 장엄하고 공경하게 되고, 장엄하고 공경하게 되면 위엄과 권위가 느껴진다.[致禮以治躬則莊敬, 莊敬則嚴威.]"라고 했는데, 공영달은 "장엄하여 공경할 수 있으면 엄숙하고 위엄스러워 무겁게 된다.[若能莊嚴而恭敬, 則嚴肅威重也.]"라고 주석하였다.

3)『주자어류』 71권, 44조목.

● 楊氏啟新曰 : "閉關, 靜以養陽. 施命, 動以制陰. 王者於姤復, 用意深矣."

양계신(楊啟新)이 말했다. "문을 걸어 잠그고 고요함으로 양을 기른다. 명령을 시행하여[4] 움직임으로 음을 제어한다. 왕의 경우 구(姤)괘와 복(復)괘에서 생각해야 할 사안이 깊다."

4) 『주역』「구(姤)괘」「상전」: "하늘 아래에 바람이 부는 것이 구괘의 모습이니, 군주는 이것을 본받아 명령을 시행하여 사방(四方)에게 알린다.[天下有風, 姤, 后以施命誥四方.]"라고 하였다.

不遠之復, 以修身也.

멀리 가지 않고 회복하는 일로 자신을 수양하는 것이다.

程傳

不遠而復者, 君子所以修其身之道也. 學問之道無它也, 唯其知不善, 則速改以從善而已.

멀리 가지 않고 회복하는 것은 군자가 자신을 수양하는 도이다. 학문의 도란 다른 것이 아니라, 오직 착하지 않음을 알았다면 즉시 고쳐 착함을 따르는 일일 뿐이다.

集說

● 王氏弼曰 : "所以不遠速復者, 以能修正其身, 有過則改故也."

왕필(王弼)이 말했다. "멀리 가지 않고 속히 회복하는 것은 그 몸을 고쳐 바로잡는 일이니 과실이 있으면 고치기 때문이다."

休復之吉, 以下仁也.

아름다운 회복이 길함은 착한사람에게 낮추는 것이다.

程傳

爲復之休美而吉者, 以其能下仁也. 仁者天下之公, 善之本也. 初復於仁, 二能親而下之, 是以吉也.

회복의 아름다움을 이루어 길한 것은 그가 인(仁)한 자에게 낮출 수 있기 때문이다. 인(仁)이란 천하의 공정함이고 선함의 근본이다. 초구효는 스스로 인(仁)으로 회복했고 육이효는 그와 친밀한 관계를 맺으면서 자신을 낮추었기 때문에 길하다.

集說

● 孔氏穎達曰 ; "陽爲仁行. 已在其上, 附而順之, 是降下於仁, 所以吉也."[5]

공영달(孔穎達)이 말했다. "양은 인자함으로 행한다. 이미 윗자리에 있으면 사람들이 기대어 따르니 인자한 자에게 내려가서 길하다."

5) 공영달(孔穎達), 『주역주소(周易注疏)』 권5.

● 張氏栻曰 : "『易』三百八十四爻未嘗言仁, 此獨言之, 蓋有深旨. 克己復禮爲仁, 克其私心, 復其天理, 所以爲仁. 二去初未遠, 上無系應, 能從初而復, 所以爲下仁也. 至四但言從道, 而不謂之仁, 蓋道者擧其大凡, 不若仁爲至切也."

장식(張栻)[6]이 말했다. "『역』 384효에서 인(仁)을 말하지 않은 적이 없지만 여기서는 유독 그것을 말했으니 깊은 뜻이 있다. 자기를 극복하여 예로 돌아감이 인이 된다고 했는데 그 사심(私心)을 극복하고 천리(天理)를 회복하는 것이 인이다. 육이효는 초효와 멀지 않고 위로 얽혀 응하는 것이 없어 초효를 따라 회복할 수 있으니 인자한 사람에게 낮추는 일이다. 사효에 이르러 단지 도를 따른다고 말하고 인자한 사람이라고 말하지 않았으니, 도(道)는 그 큰 것을 거론한 것이므로 인자한 자가 매우 절실한 것만 못하다."

● 兪氏琰曰 : "仁者心之德, 善之本., 初九修身而反本復善, 可以爲仁矣. 二之吉, 蓋以親近初九而吉也."[7]

유염(兪琰)[8]이 말했다. "인(仁)은 마음의 덕이고 착함의 근본이다.

6) 장식(張栻, 1133~1180) : 사천(四川) 면죽인(綿竹人)으로 자는 경부(敬夫)이고 또 다른 자는 낙재(樂齋)이고 호는 남헌(南軒)이다. 남송 시대 유명한 유학자이고, 악록서원(岳麓書院)의 창시자이다. 승상 장준(張浚)의 아들이고, 어려서부터 호굉(胡宏)으로부터 사사를 받고 이학을 전수받았다. 후에 장사(長沙)의 성남서원(城南書院)과 악록서원을 오랫동안 맡고서 주희와 여조겸과 함께 '동남삼현'(東南三賢)이라고 칭해진다. 우문전수찬(右文殿修撰)을 지냈으며 저서에 『남헌전집(南軒全集)』이 있다.

7) 유염(兪琰), 『주역집설(周易集說)』 권22.

초구효는 몸을 수양하여 근본으로 돌아가 착함을 회복했으니 인자하다고 할 수 있다. 이효의 길함은 초구효를 친근하게 따라서 길한 것이다."

8) 유염(兪琰) : 자는 옥오(玉吾)이고, 호는 전양자(全陽子), 임옥산인(林屋山人), 석간도인(石澗道人) 등이다. 남송 말 원대 초기에 활동한 학자로 송대 오군(吳郡 : 현 강소성 소주〈蘇州〉) 사람이다. 어려서 가학을 익히고 젊어서는 기서(奇書)를 즐겨 연구하다가, 뒤늦게 과거시험 준비를 했다. 남송이 멸망하고 원대 조정이 들어서자 과거응시를 포기하고 은거하여 역학 연구에 전념하였다. 역학 관련 저술이 특히 많았는데, 대표적인 것으로 『주역집설(周易集說)』, 『독역거요(讀易擧要)』, 『역외별전(易外別傳)』 등이 있다.

頻復之厲, 義無咎也.

자주 회복하는 위태로움은 그 의리상 허물은 없다.

程傳

頻復頻失. 雖爲危厲, 然復善之義則無咎也.

자주 회복하고 또 자주 실패하여 비록 위태롭지만 착함을 회복하려는 의리에는 허물이 없다.

中行獨復, 以從道也.

가운데서 행하지만 홀로 회복하는 것은 그 뜻이 도를 따르기 때문이다.

程傳

稱其獨復者, 以其從陽剛君子之善道也.

홀로 회복함을 칭찬한 것은 양의 굳센 군자가 착한 도를 따르기 때문이다.

集說

● 郭氏雍曰 : "剝六三乃復六四反對, 其義相類. 在剝取其失上下以應乎陽, 在復則取其獨復以從道."[9)]

곽옹(郭雍)[10)]이 말했다. "박(剝)괘 육삼효는[11)] 복괘 육사효의 반대

9) 곽옹(郭雍), 『곽씨전가역설(郭氏傳家易說)』 권3.

10) 곽옹(郭雍, 1091~1187) : 자는 자화(子和)이고, 호는 백운선생(白雲先生)이다. 남송 낙양(洛陽 : 현 하남성 낙양시) 사람이다. 정이(程頤)의 제자인 곽충효(郭忠孝)의 둘째 아들로 가학을 계승했다. 벼슬길에 나아가지 않고 평생 섬주(陝州) 장양산(長楊山)에 은거하면서 역학과 의학에 정통했다고 한다. 『주역(周易)』에 대해서는 정이(程頤)의 학설을 계승·발전시켰다. 저서에 『곽씨전가역설(郭氏傳家易說)』, 『괘사지요(卦

이지만 그 뜻은 서로 유사하다. 박괘에서는 위와 아래를 잃어버리고 양에 호응했다는 의미를 취했고 복괘에서는 홀로 회복하여 도를 따랐다는 뜻을 취했다."

辭指要)』, 『시괘변의(蓍卦辨疑)』 등이 있고, 순희(淳熙) 초에 학자들이 곽씨 두 부자와 이정(二程), 장재(張載), 유초(游酢), 양시(楊時) 등 칠가(七家)의 설을 모아 『대역수언(大易粹言)』을 편집했다.

11) 『주역』「박(剝)괘」: "육삼효는 깎아 없애는 때에 허물이 없다.[六三, 剝之無咎.]"라고 하였다.

敦復無悔, 中以自考也.

돈독한 회복이니 후회가 없음은 중도로 스스로 이루는 것이다.

本義

考, 成也.

'고(考)'는 이룸이다.

程傳

以中道自成也. 五以陰居尊, 處中而體順, 能敦篤其志, 以中道自成, 則可以無悔也. 自成, 謂成其中順之德.

중도(中道)로 스스로 이룬다. 육오효는 음(陰)으로 존귀한 지위에 자리하고 가운데 처했으며 그 체질이 유순하니 그 뜻을 근면하고 돈독하게 할 수 있어 중도(中道)로 스스로 이루면 후회가 없을 수 있다. 스스로 이룬다는 것은 그 알맞고 유순한 덕을 이룬다는 말이다.

集說

● 王氏安石曰 : "能以中道自考, 則動作不離於中."

왕안석(王安石)[12]이 말했다. "중도(中道)로 스스로 이루면 동작이 알맞음에서 벗어나지 않는다."

● 丘氏富國曰 "二四待初而復, 故曰下仁, 曰從道. 五不待初而復, 故曰自考.

구부국(丘富國)[13]이 말했다. "이효와 사효는 초효를 기대하며 회복했으므로 인자한 사람에게 낮추었다고 했고 도를 따른다고 했다. 오효는 초효를 기대하지 않고 회복했으므로 스스로 이루었다고 했다."

12) 왕안석(王安石, 1021~1086) : 북송(北宋)시대 사상가, 정치가, 문필가로서 임천(臨川 : 현 강서성 무주시 임천구〈撫州市臨川區〉) 사람이다. 자는 개보(介甫)이고 호는 반산(半山)이다. 1042년 진세에 급제하여 벼슬은 양주첨판(揚州簽判), 은현지현(鄞縣知縣), 서주통판(舒州通判) 등을 역임하고, 1069년참지정사(參知政事)가 되어 변법(變法) 즉 신법(新法)을 주도하였으나. 구당파의 반대로 1074년 파직되었다. 1년 뒤 송 신종(神宗)이 재상에 재임용하여 신법(新法)을 시행하였으나, 또 파직되어 1086년 마침내 신법이 폐지되었다. 문학으로는 당송팔대가의 한 사람으로서, 특히 그의 시(詩)는 왕형공체(王荊公體)라는 하나의 문체를 이루었다. 경학(經學) 방면으로도 당시에 통유(通儒)라고 불릴 정도로 경전에 두루 해박하였으며, 특히 북송대의 의경변고학풍(疑經變古學風)을 촉진하는 데에 기여하였다. 저서로 『왕임천집(王臨川集)』, 『임천집습유(臨川集拾遺)』가 전해지고 있다.

13) 구부국(丘富國) : 자는 행가(行加)이고, 남송 건안(建安 : 현 복건성 건구〈建甌〉) 사람이다. 주자의 문인으로 주자의 역학사상을 주로 계승 발전시켰다. 이종(理宗) 순우(淳祐) 7년(1247)에 진사에 급제하여 벼슬은 단주첨판(端州僉判)을 역임했다. 남송이 망하자 은거하고 벼슬하지 않았다. 저서에는 『주역집해(周易輯解)』, 『역학설약(易學說約)』, 『경세보유(經世補遺)』가 있다.

● 李氏簡曰 : "中以自考, 非自有降衷之性, 則亦不能成此德也."[14)]

이간(李簡)이 말했다. "중도로 스스로 이루었으나 스스로 선을 베푼[15)] 본성이 아니라면 또한 이 덕을 이룰 수 없다."

● 梁氏寅曰 : "中以自考, 言以其有中德, 故能自考其善不善也."[16)]

양인(梁寅)[17)]이 말했다. "중도(中道)로 스스로 이루었다는 것은 그가 알맞은 덕을 가지고 있으므로 스스로 그 착함과 착하지 않음을 이룰 수 있다는 말이다."

14) 이간(李簡), 『학역기(學易記)』 권3.

15) 선을 베푼 : 강충(降衷)을 번역한 말이다. 『서경』「탕고(湯誥)」, "오직 상제께서 백성에게 선을 베풀었다.[惟皇上帝, 降衷于下民.]"라고 하였다.

16) 양인(梁寅), 『주역참의(周易參義)』 권5.

17) 양인(梁寅, 1309~1390) : 원말명초 강서(江西) 신유(新喩) 사람으로 자는 맹경(孟敬)이고, 호는 양오경(梁五經) 또는 석문선생(石門先生)이다. 대대로 농사를 지어 가난했다. 스스로 배우기를 게을리 하지 않아 오경(五經)에 정통했고, 백가(百家)의 학설을 두루 익혔다. 여러 차례 과거에 응시했지만 떨어졌다. 원나라 말에 일찍이 집경로유학훈도(集慶路儒學訓導)로 부름을 받아 2년 동안 있다가 사직하고 은거하여 학생들을 가르쳤다. 명나라 초기에 명유(名儒)로 불려 예국(禮局)에서 각종 예제(禮制)에 대해 토론했는데, 논리가 정확하고 예리해 여러 학자들이 탄복했다. 예악서(禮樂書)를 찬수하고 벼슬을 내렸지만 사양하고 귀향하여 석문산(石門山)에서 학문을 강론했다. 저서에 『예서연의(禮書演義)』, 『주례고주(周禮考注)』, 『춘추고서(春秋考書)』 등이 있었지만 전해지지 않고, 『석문집』과 『주역참의(周易參義)』, 『시연의(詩演義)』만 남아 있다.

迷復之凶, 反君道也.

혼미한 회복이 흉함은 군주의 도와 상반되기 때문이다.

程傳

復則合道, 旣迷於復, 與道相反也, 其凶可知. 以"其國君凶", 謂其反君道也. 人君居上而治衆, 當從天下之善, 乃迷於複, 反君之道也. 非止人君, 凡人迷於復者, 皆反道而凶也.

회복하면 도와 합치되지만 회복하는 도에 미혹되었으니, 도와 서로 반대되어 그 흉함을 알 수 있다. "나라를 다스리게 되면 군주는 흉하게 된다"는 말은 군주의 도에 상반된다는 것이다. 군주는 위의 자리에 있으면서 군중을 다스리는 데 마땅히 세상의 착함을 따라야 하는데 회복하는 도에 혼미하면 군주의 도에 상반된다. 군주만이 그러한 것이 아니라 모든 사람들이 회복의 도에 혼미하게 되면 모두 도에 반하여 흉하다.

集說

● 楊氏啟新曰 : "心爲天君, 唯君能役群動, 而反以群動役, 與心之道相背弛者也."

양계신(楊啟新)이 말했다. "마음은 천군(天君)이니 오직 군주가 여러 움직임을 부릴 수 있고 반대로 여러 움직임에 의해 부리게 되면 마음의 도와 서로 배치된다."

25. 무망無妄䷘괘

天下雷行, 物與無妄, 先王以茂對時育萬物.

하늘 아래 우레가 쳐서 사물마다 진실무망함을 주니, 선왕이 이를 본받아 때에 맞추어 성대하게 만물을 양육한다.

本義

天下雷行, 震動發生, 萬物各得其性命, 是物物而與之以無妄也. 先王法此以對時育物, 因其所性而不爲私焉.

하늘 아래에 우레가 쳐서 진동하고 발생하여 만물이 각기 성명(性命)을 바르게 하니, 이는 사물마다 진실무망함을 주는 것이다. 선왕(先王)이 이를 본받아 때에 맞추어 만물을 길러 그 본성을 따르고 사사롭게 하지 않는다.

程傳

雷行於天下, 陰陽交和, 相薄而成聲, 於是驚蟄藏, 振萌芽,發生萬物, 其所賦與, 洪纖高下, 各正其性命, 無有差妄, 物與無妄也. 先王觀天下雷行發生賦與之象, 而以茂對天時, 養育萬物, 使各得其宜, 如天與之無妄也. 茂, 盛也. 茂對之爲言, 猶盛行永言之比. 對時, 謂順合天時. 天道生萬物, 各正其性命而不妄, 王者體天之道, 養育人民, 以至昆蟲草木, 使各得其宜, 乃對時育物之道也.

우레가 천하에서 일어나 음과 양이 교류하고 화합하여 서로 부딪쳐 소리를 이루니, 이에 숨고 동면하는 것들을 놀라게 하고 맹아를 진작시켜 만물을 발생하게 만드니, 만물에게 부여한 것이 큰 것이건 작은 것이건 높은 것이건 낮은 것이건 모두 각각 그 성명(性命)을 바르게 하여 어그러지고 거짓된 점이 없으므로, 사물에 진실무망함을 부여한 것이다.
선왕이 천하에 우레가 발생하여 사물에게 부여하는 모습을 관찰하여 천시(天時)에 맞추고 만물을 양육해서 각각 그 마땅함을 얻게 하니, 하늘이 사물에 신실무방함을 부여하는 것과 같다. '무(茂)'란 성대함이니, '무대(茂對)'라는 말은 '성행(盛行)'이나 '영언(永言)'에 비할 수 있다. '대시(對時)'라는 말은 천시에 순종하여 부합한다는 말이다.
천도(天道)가 만물을 낳아 각각 그 성명을 바르게 하여 거짓되지 않게 하듯이, 왕은 하늘의 도를 체득해서 백성들을 양육하여 곤충과 초목에 이르기까지 각각 그 마땅함을 얻게 하니, 이것이 바로 천시에 순종하고 부합하여 만물을 양육하는 도이다.

集說

● 『九家易』曰 : "天下雷行, 陽氣普遍, 無物不與, 故曰物與也."[1]

『구가역』에서, 말했다. "천하에 우레가 치고 양기(陽氣)가 두루 퍼져 함께 하지 않는 사물이 없으므로 사물이 함께 한다고 했다."

● 『朱子語類』問 : "物與無妄衆說不同. 文蔚曰是各正性命之意." 曰 : "然. 一物與它一個無妄."[2]

『주자어류』에서 말했다. "'물여무망(物與無妄)'에 대해 여러 학설이 다릅니다. 문위(文蔚)의 경우 '각각 그 성명(性命)을 바르게 한다는 뜻이다'라고 했습니다."
대답했다. "그렇다. 하나의 사물에 하나의 진실무망함을 부여했다."

● 俞氏琰曰 : "天有是時, 先王非能先後之也, 對而循之耳. 物有是生, 先王非能損益之也, 育而成之耳. 『中庸』之所謂誠, 卽『易』之所謂無妄也. 『中庸』云唯天下至誠爲能盡其性, 能盡其性, 則能盡人之性, 能盡人之性, 則能盡物之性, 能盡物之性, 則可以贊天地之化育, 可以贊天地之化育, 則可以與天地參矣, 子思之說, 蓋本於此."[3]

유염(俞琰)[4]이 말했다. "하늘에 이 때가 있지만 선왕이 먼저하고

1) 이정조(李鼎祚), 『주역집해(周易集解)』 권6.
2) 『주자어류』 71권, 84조목.
3) 유염(俞琰), 『주역집설(周易集說)』 권12.
4) 유염(俞琰) : 자는 옥오(玉吾)이고, 호는 전양자(全陽子), 임옥산인(林屋

뒤로 할 수 있는 것이 아니라 때에 맞추어 따를 뿐이다. 사물에는 이 생(生)이 있지만 선왕이 덜고 덧붙일 수 있는 것이 아니라 양육하여 이룰 뿐이다. 『중용』에서 말하는 성(誠)이 『역』에서 말하는 무망(無妄)이다. 『중용』에서 '오직 천하의 지극히 성실함만이 그 본성을 다할 수 있고 그 본성을 다하면 사람의 본성을 다할 수 있고 사람의 본성을 다할 수 있다면 사물의 본성을 다할 수 있고 사물의 본성을 다하면 천지의 화육(化育)에 참여할 수 있고 천지의 화육에 참여할 수 있다면 천지와 함께 셋이 될 수 있다'[5]고 했으니, 자사(子思)의 말은 여기에 근본하기 때문이다."

● 蔡氏清曰："物與無妄者, 萬物各正其性命也, 對時育物者, 因其所性而不爲私, 乃聖人盡物之性也."[6]

채청(蔡清)이 말했다. "사물에 무망을 부여한다는 것은 만물이 각각 그 성명(性命)을 바르게 한다는 말이고, 때에 맞추어 만물을 기른다는 것은 그 본성에 따라서 사사롭게 하지 않는다는 뜻이니, 성인이 사물의 본성을 다한다는 것이다."

山人), 석간도인(石澗道人) 등이다. 남송 말 원대 초기에 활동한 학자로 송대 오군(吳郡 : 현 강소성 소주〈蘇州〉) 사람이다. 어려서 가학을 익히고 젊어서는 기서(奇書)를 즐겨 연구하다가, 뒤늦게 과거시험 준비를 했다. 남송이 멸망하고 원대 조정이 들어서자 과거응시를 포기하고 은거하여 역학 연구에 전념하였다. 역학 관련 저술이 특히 많았는데, 대표적인 것으로 『주역집설(周易集說)』, 『독역거요(讀易擧要)』, 『역외별전(易外別傳)』 등이 있다.

5) 『중용』 22장.

6) 채청(蔡清), 『역경몽인(易經蒙引)』 권4상.

無妄之往, 得志也.

진실무망함으로 가는 것은 뜻을 이룬다.

程傳

以無妄而往, 無不得其志也. 蓋誠之於物, 無不能動, 以之修身, 則身正, 以之治事, 則事得其理, 以之臨人, 則人感而化, 無所往而不得其志也.

진실무망함으로 가면 그 뜻을 이루지 못함이 없다. 사물을 지성으로 대하면 감동하지 않을 수 없고, 그것으로 몸을 수양하면 자신의 몸이 바르게 되며, 그것으로 일을 다스리면 그 일 처리에 이치를 얻고, 그것으로 사람을 대하면 그 사람이 감동하여 변화하게 되니, 가서 그 뜻을 이루지 못함이 없다.

不耕獲, 未富也.

밭을 갈지 않았는데도 거두는 것은 부자가 되기를 미리 계산하지 않은 것이다.

本義

富, 如非富天下之富, 言非計其利而爲之也.

부(富)는 천하를 탐해서가 아니라고 할 때의 부(富)자와 같으니, 그 이익을 계산하여 하는 것이 아님을 말한다.

程傳

未者, 非必之辭. 臨卦曰未順命是也. 不耕而穫, 不菑而畬, 因其事之當然, 旣耕則必有穫, 旣菑則必成畬, 非必以穫畬之富而爲也. 其始耕菑, 乃設心在於求穫畬, 是以其富也, 心有欲而爲者則妄也.

'미(未)'란 반드시 그렇지 않다는 말이다. 임(臨)괘에서 "명을 반드시 따르지는 않는다"[7]라는 구절이 이것이다. 밭을 갈지 않고서 수

7) 『주역』 임(臨)괘 「상전」, "감동시켜 다가감이니 길하여 이롭지 않음이 없는 것은 단지 명령에 순종하는 것만은 아니기 때문이다.[象曰, 咸臨吉無不利, 未順命也.)

확하고 밭을 1년 묵이지 않고 3년 묵은 밭이 되는 것은 그 일의 당연함을 따라서 그렇게 된 것이니, 밭을 갈았다면 반드시 수확이 있고 밭을 1년 묵었다면 반드시 3년 묵은 밭이 되는 것이지, 반드시 수확과 3년 묵은 비옥한 땅이라는 풍부함을 얻을 것을 의식하고 행한 것은 아니다. 그 처음에 밭을 갈고 밭을 1년 묵히려고 할 때부터 수확과 비옥한 땅을 구하려고 마음먹었다면, 이는 그러한 풍부함을 얻으려고 계산한 것이니 마음속에 욕심이 있으면서 행하면 망령스럽게 된다.

集說

● 豐氏寅初曰:"未, 猶非也. 富, 謂利也. 不於力耕之際, 遽有望獲之心, 乃仁人不計功謀利, 而天德全矣, 其行之所以利也."

풍인초(豐寅初)가 말했다. "미(未)는 아니다와 같다. 부(富)는 이로움을 말한다. 힘써 밭 갈지 않을 때 성급하게 수확을 얻으려는 마음이 있는 것이니, 인자한 사람은 공을 계산하거나 이로움을 도모하지 않고 천덕(天德)이 온전하여 그 행함이 이롭다."

行人得牛, 邑人災也.

지나가는 행인이 소를 얻은 것은 마을 사람들의 재앙이다.

程傳

行人得牛, 乃邑人之災也. 有得則有失, 何足以爲得乎?

지나가는 행인이 소를 얻는 것이 바로 마을 사람들의 재앙이다. 소득이 있으면 손실이 있으니, 어찌 이득이라고 생각할 수 있겠는가?

集說

● 豐氏寅初曰: "邑人之災, 所謂無妄之災. 然無故被誣者, 反己無怍, 君子求其無妄而已. 禍福聽之於天, 悉置度外也."

풍인초(豐寅初)가 말했다. "마을 사람의 재앙은 무망의 재앙이라는 것이다. 그러나 무고하게 모함을 받은 자는 자기를 돌이켜 부끄러움이 없으니 군자는 그 무망함을 구할 뿐이다. 화와 복은 하늘에 달린 것으로 모두 도외시한다."

可貞無咎, 固有之也.

올바를 수 있어 허물이 없는 것은 굳게 지키고 있기 때문이다.

本義

有, 猶守也.

유(有)는 지킨다는 것과 같다.

程傳

貞固守之, 則無咎也.

곧게 올바름을 지킬 수 있으면 허물이 없다.

集說

● 蘇氏軾曰 : "固有之者, 生而性之, 非外掠而取之也."[8)]

소식(蘇軾)[9)]이 말했다. "진실로 갖고 있다는 것은 태어나서 본성으

8) 소식(蘇軾), 『동파역전(東坡易傳)』 권3.

9) 소식(蘇軾, 1037~1101) : 자는 자첨(子瞻), 화중(和仲)이고, 호는 동파거사(東坡居士), 설당(雪堂), 단명(端明), 미산적선객(眉山謫仙客), 소염

로 되어 밖에서 빼앗아 취하게 되는 것이 아니다."

● 王氏宗傳曰:"正者人之性也, 非外鑠我者, 我固有之也. 因其固有而不失之, 故曰可貞無咎."

왕종전(王宗傳)[10]이 말했다. "올바름이 인간의 본성이니 밖에서 나에게 녹아 들어온 것이 아니라 내가 본래 지닌 것이다.[11] 그 본래

경(笑髯卿), 적벽선(赤壁仙) 등이며, 북송 미주 미산(眉州眉山 : 현 사천성 미산〈眉山〉) 사람이다. 소순(蘇洵)의 아들이고 소철(蘇轍)의 형으로 대소(大蘇)라고도 불렸다. 송대 저명한 문필가로 당송팔대가(唐宋八大家)의 한 사람이다. 북송 인종(仁宗) 가우(嘉祐) 2년(1057) 진사에 급제하여, 벼슬은 중서사인(中書舍人), 한림학사겸시독(翰林學士兼侍讀), 한림승지(翰林承旨), 예부상서(禮部尙書) 등을 역임했다. 저서에 『동파칠집(東坡七輯)』, 『동파역전(東坡易傳)』, 『동파서전(東坡書傳)』, 『동파악부(東坡樂府)』, 『논어설(論語說)』 등이 있다.

10) 왕종전(王宗傳) : 자는 경맹(景孟)이고, 송대 영덕(寧德 : 현 복건성 영덕시) 사람이다. 1181년에 진사에 급제하여 소주교수(韶州教授)를 역임하였다. 왕필의 의리역학을 추종하여 상수역학을 배척하였다. 저서에는 『동계역전(童溪易傳)』이 있다.

11) 『맹자』「고자상」: "측은지심(惻隱之心)을 사람마다 다 가지고 있으며, 수오지심(羞惡之心)을 사람마다 다 가지고 있으며, 공경지심(恭敬之心)을 사람마다 다 가지고 있으며, 시비지심(是非之心)을 사람마다 다 가지고 있으니, 측은지심(惻隱之心)은 인(仁)이요, 수오지심(羞惡之心)은 의(義)요, 공경지심(恭敬之心)은 예(禮)요, 시비지심(是非之心)은 지(智)이니, 인(仁)·의(義)·예(禮)·지(智)가 밖으로부터 나를 녹여서 들어오는 것이 아니요, 나에게 고유(固有)한 것이지만 사람들이 생각하지 못할 뿐이다. 그러므로 말하기를 '구하면 얻고, 버리면 잃는다.' 하는 것이니, 혹은 거리가 서로 배(倍)가 되고, 다섯 배가 되어 계산 할 수 없는 것은 그 재질(材質)을 다하지 못했기 때문이다.[惻隱之心, 人皆有之, 羞惡之

지닌 것을 따라 잃지 않았으므로 올바를 수 있어 허물이 없다."

心, 人皆有之, 恭敬之心, 人皆有之, 是非之心, 人皆有之, 惻隱之心, 仁也, 羞惡之心, 義也, 恭敬之心, 禮也, 是非之心, 智也, 仁義禮智非由外鑠我也, 我固有之也, 弗思耳矣. 故, 曰求則得之, 舍則失之, 或相倍而無算者, 不能盡其才者也.]"라고 하였다.

無妄之藥, 不可試也.

진실무망함의 약은 쓸 수가 없다.

本義

旣已無妄, 而復藥之, 則反爲妄而生疾矣. 試, 謂少嘗之也.

이미 무망(無妄)인데 다시 약을 쓰면 도리어 망령스럽게 되어 병이 생긴다. 시(試)는 조금 시험함을 말한다.

程傳

人之有妄, 理必修改. 旣無妄矣, 復藥以治之, 是反爲妄也, 其可用乎, 故云不可試也. 試, 暫用也, 猶曰少嘗之也.

사람에게 망령됨이 있다면 이치상 반드시 고쳐야 한다. 그러나 이미 진실무망한데 또 다시 약으로 다스리면 이것은 도리어 망령된 것이니 어떻게 쓸 수 있겠는가? 그래서 "쓸 수가 없다"고 했다. '시(試)'란 잠시 쓰는 것이니, 조금 맛본다는 말과 같다.

集說

● 林氏希元曰 : "旣無妄, 而復藥, 則爲以無妄之疾, 試無妄之藥, 反爲妄而生疾矣. 然則所處旣當於理, 豈可因非意之事而改圖乎."[12]

임희원(林希元)[13]이 말했다. "이미 진실무망한데 다시 약을 쓰면 무망의 병에 무망의 약을 써서 도리어 망령되어 병이 생긴다. 그렇다면 처신함이 이미 이치에 합당한데 어찌 의도하지 않은 일을 따라 고쳐 도모하겠는가?"

● 錢氏志立曰:"九五陽剛中正, 本無致疾之道而有疾焉, 此無妄之疾也. 唯守正安常以處之, 疾且自去. 而試之藥焉, 則必以吾之常者爲非, 而悉反其道, 斯紛紛召疾之方至矣, 故曰無妄之藥, 不可試也."

서지립(錢志立)이 말했다. "구오효는 양의 굳셈으로 중정(中正)하여 본래 병에 이를 도가 없었는데 병이 있으니 이것이 무망의 병이다. 오직 올바름을 지키고 상도(常道)에 편안하여 처신하면 병 또한 저절로 없어진다. 그런데 약을 쓰면 반드시 나의 상도가 잘못되어 도에 반하게 되니, 이것이 병을 불러오는 방도에 이르므로 무망의 약은 쓸 수 없다고 했다."

12) 임희원(林希元), 『역경존의(易經存疑)』 권4.

13) 임희원(林希元, 1481~1565) : 명(明)대 동안 신점(同安新店) 사람으로, 자는 무정(茂貞)이고 호는 차애(次崖)이다. 명(明) 정덕(正德)11년(1516)에 진사에 급제하여 남경대리사평사(南京大理寺評事), 광서사주판관(廣西泗州判官), 흠주지주(欽州知州) 등을 역임했다. 학문으로는 정주학과 채청(蔡清)의 『역경몽인(易經蒙引)』을 중시했다. 특히 『주역』을 다른 경전에 비해 극히 높게 평가하여, 오경 가운데 『역경』을 뺀 나머지는 강물과 같고 『역경』은 바다와 같다고 했다. 저술로는 『역경존의(易經存疑)』, 『사서존의(四書存疑)』, 『임차애선생문집(林次崖先生文集)』 등이 있다.

無妄之行, 窮之災也.

진실무망함에서 더 나아가는 것은 궁색함의 재앙이다.

程傳

無妄旣極, 而復加進, 乃爲妄矣, 是窮極而爲災害也.

진실무망함이 극한에 달했는데 다시 더 나아가면 망령됨이 되니, 이는 궁색함이 극한에 이르러 재앙과 해가 되는 것이다.

集說

● 趙氏玉泉曰 : "無妄之行, 宜無災矣. 但處時之窮, 則有其德而無其時, 故有災也."

조옥천(趙玉泉)이 말했다. "진실무망함을 행함은 마땅히 재앙이 없다. 때의 궁극에 처하면 그 덕이 있으나 때가 없으므로 재앙이 있다."

● 何氏楷曰 : "無妄之行, 猶「彖傳」所云無妄之往, 上九乾之窮, 與乾亢龍義同, 故二小象亦同, 以其意於行, 故曰眚, 以其時位使然, 故曰災."[14]

14) 하해(何楷), 『고주역정고(古周易訂詁)』 권3.

하해(何楷)[15]가 말했다. "진실무망함을 행함은 「단전」에서 무망의 나아감이라 한 것과 같고, 상구효에서 건(乾☰)의 궁극과 건(乾䷀)괘에서 항용(亢龍)의 뜻과 같으므로 두 「소상전」 또한 같다[16]. 행함에 뜻을 두므로 재앙[眚]이라 하고 그 때와 위치가 그렇게 하는 것이므로 재앙[災]이라 했다.[17]"

15) 하해(何楷) : 자는 현자(玄子)이고 호는 황여(黃如)이다. 명말청초 때 장주 진해위(漳州鎭海衛 : 현 복건성 용해시〈龍海市〉) 사람이다. 천계(天啓) 5년(1625)에 진사에 급제하여 벼슬은 호부주사(戶部主事), 공과급사중(工科給事中), 호부상서(戶部尙書) 등을 역임했다. 직언과 직간으로 유명했는데, 말년에 정성공(鄭成功)의 부친인 정지룡(鄭芝龍)과 뜻이 어긋나서 사직하고 귀향했다. 저서에는 『고주역정고(古周易訂詁)』, 『시경세본고의(詩經世本古義)』 등이 있다.

16) 『주역』「건(乾)괘」「상전」: "너무 높이 올라간 용이니 후회가 있다"는 것은 궁지에 몰린 재앙이다.[亢龍有悔, 窮之災也.]"라고 하였다.

17) 정이천은 수(需)괘 구이효에서 "재는 근심과 어려움의 통칭이니 생과 짝하여 말하면 구분이 있다.[災, 患難之通稱, 對眚而言則分也.]"고 하여 구분하고 있다. 호원은 '생(眚)'과 '재(災)'를 이렇게 구분하고 있다. "밖으로부터 온 것은 재이고 스스로 자초한 것이 '생'이다.[自外來謂之災自已召謂之眚災.]"라고 하였다.

26. 대축大畜☶☰괘

天在山中, 大畜, 君子以多識前言往行, 以畜其德.

하늘이 산 가운데 있는 것이 대축인데, 군자가 그것으로 이전의 말씀과 지나간 행실을 많이 알아 그 덕을 기른다.

本義

天在山中, 不必實有是事, 但以其象言之耳.

하늘이 산 가운데 있다는 것은 반드시 실제로 이러한 일이 있음이 아니고, 괘의 상(象)을 가지고 말했을 뿐이다.

程傳

天爲至大而在山之中, 所畜至大之象. 君子觀象以大其蘊畜. 人之蘊畜, 由學而大, 在多聞前古聖賢之言與行, 考跡以觀其用, 察言以求其心, 識而得之, 以畜成其德, 乃大畜之義也.

하늘은 지극히 큰 것이지만 산 가운데 있으니 축적함이 매우 큰 모습이다. 군자는 이 모습을 관찰하여 축적한 것을 크게 한다. 사람의 축적함은 배움으로부터 커지니 옛 성현의 말과 행함을 많이 듣고 그들의 행적을 살펴 쓰임을 관찰하고, 그들의 말을 살펴 그들의 마음을 구하여 깨닫고 체득하여 그 덕을 축적해 나가는 것이 대축괘의 뜻이다.

集說

● 楊氏時曰 : "君子多識前言往行, 非徒資聞見而已, 所以畜德也. 畜德則所畜大矣. 世之學者, 誇多鬥靡以資見聞而已, 亦烏用學爲哉."

양시(楊時)[1]가 말했다. "군자가 이전의 말과 행함을 많이 배우는 것은 견문(見聞)에 그칠 뿐 아니라 덕을 축적하는 일이다. 덕을 축적하면 축적한 것이 커진다. 세상의 학자들은 견문을 바탕으로 많

1) 양시(楊時, 1053~1135) : 자는 중립(中立)이고, 호는 구산(龜山)이며, 시호는 문정(文靖)이다. 북송 검남 장락(劍南將樂 : 현 복건성 장락현) 사람이다. 신종(神宗) 희령(熙寧) 9년(1076)에 진사에 급제하였지만, 관직에 나가지 않고 10년 동안 칩거하다가 형주교수(荊州教授), 우간의대부(右諫議大夫), 국자감좨주(國子監祭酒), 공부시랑(工部侍郎), 용도각직학사(龍圖閣直學士) 등을 역임하였다. 정호(程顥)·정이(程頤) 형제에게 사사(師事)했는데, 특히 형 정호의 신임을 받았다. 민학(閩學)의 창시자로서, 유초(游酢), 여대림(呂大臨), 사량좌와 함께 정문사선생(程門四先生)으로 불렸다. 그의 학문 계통에서 주희·장식(張栻)·여조겸(呂祖謙) 등 뛰어난 학자가 많이 배출되었다. 저서에 『구산집(龜山集)』, 『구산어록(龜山語錄)』, 『이정수언(二程粹言)』 등이 있다.

이 아는 것을 과시하고 아름다운 문장을 쓰는 일을 경쟁할 뿐이니 또한 어찌 배움을 가지고 할 짓인가!"

● 邱氏富國曰 : "大畜言畜德, 小畜言懿文德, 畜德雖同, 而文德則德之小者也."

구부국(邱富國)[2]이 말했다. "대축(大畜)은 덕을 쌓는 일이고 소축(小畜)은 문덕(文德)을 흠모하는 것이니 덕을 쌓는 일은 비록 같지만 문덕은 덕의 작은 것이다."

● 張氏淸子曰 : "天在山中, 畜其氣也. 凡山中有雷雨雲風之氣, 皆天也."

장청자(張淸子)가 말했다. "하늘이 산 가운데 있으니 그 기(氣)가 길러진다. 산 가운데 우레와 비와 구름과 바람의 기운이 있으니 모두 하늘이다."

---

2) 구부국(丘富國) : 자는 행가(行加)이고, 남송 건안(建安 : 현 복건성 건구〈建甌〉) 사람이다. 주자의 문인으로 주자의 역학사상을 주로 계승 발전시켰다. 이종(理宗) 순우(淳祐) 7년(1247)에 진사에 급제하여 벼슬은 단주첨판(端州僉判)을 역임했다. 남송이 망하자 은거하고 벼슬하지 않았다. 저서에는 『주역집해(周易輯解)』, 『역학설약(易學說約)』, 『경세보유(經世補遺)』가 있다.

有厲利已, 不犯災也.

위태로움이 있으니 멈춤이 이로운 것은 재앙을 범하지 않아서이다.

程傳

有危則宜已, 不可犯災危而行也. 不度其勢而進, 有災必矣.

위태로움이 있으면 마땅히 멈춰야 하니 재앙과 위험을 침범하면서 행해서는 안 된다. 그 형세를 헤아리지 않고 나아간다면 재난은 반드시 있다.

輿說輹, 中無尤也.

바퀴통이 빠진 것은 중도를 이루어 허물이 없다는 뜻이다.

程傳

輿說輹而不行者, 蓋其處得中道, 動不失宜, 故無過尤也. 善莫善於剛中, 柔中者, 不至於過柔耳, 剛中, 中而才也. 初九處不得中, 故戒以有危宜已. 二得中, 進止自無過差, 故但言輿說輹, 謂其能不行也. 不行則無尤矣. 初與二, 乾體剛健而不足以進, 四與五, 陰柔而能止. 時之盛衰, 勢之強弱, 學『易』者所宜深識也.

바퀴통이 빠져 가지 않는 것은 그 처신함에 중도를 얻어 움직이는 데 마땅함을 잃지 않았으므로 과실과 허물이 없다. 선한 것 가운데 굳세어 알맞은 일 보다 좋은 것은 없으니, 부드러워 알맞음은 지나친 나약함에 이르지 않았을 뿐이지만 굳세어 알맞은 일은 중도(中道)를 얻었으면서도 재능이 있는 것이다.

초구효는 처신함에 중도를 얻지 못했으므로 위태로우니 그치는 것이 마땅할 뿐이라고 경계했다. 구이효는 중도를 얻어 나아가고 멈춤에 스스로 과실과 오차가 없으므로, 다만 수레에 바퀴통이 빠졌다고 말했으니, 행할 수 없음을 말했다. 행하지 않으면 허물이 없다. 초구효와 구이효는 건(乾☰)괘의 본체에 속하여 강건하지만 아직 나아가기에는 부족하고 육사효와 육오효는 음의 부드러움이므로 저지할 수 있다. 때의 흥성하고 쇠락하며 세력이 강하고 약해지는 것을 『역』을 배우는 자는 마땅히 깊게 깨달아야 한다.

集說

● 呂氏祖謙曰 : "二以剛而居中, 能度其宜, 見其不可, 自說其輿輹而不行也, 故曰中無尤."

여조겸(呂祖謙)[3]이 말했다. "구이효는 굳셈으로 가운데 자리하여 그 마땅함을 헤아릴 수 있고 불가함을 보아 그 수레의 바퀴통이 저절로 빠져도 행하지 않으므로 중도를 이루어 허물이 없다고 했다."

---

3) 여조겸(呂祖謙, 1137~1181) : 자는 백공(伯恭)이고, 호는 동래선생(東萊先生)이다. 남송(南宋)대 무주(婺州 : 현 절강성 금화〈金華〉시) 사람이다. 주희(朱熹), 장식(張栻)과 더불어 동남삼현(東南三賢)으로 일컬어진다. 저명한 이학(理學)의 대가로 무학(婺學)을 창립했는데, 당시에 가장 영향력이었던 학파(學派)였다. 융흥(隆興) 1년(1163)에 진사에 급제하여 벼슬은 장사랑(將仕郞), 적공랑(迪功郞), 감담주남악묘(監潭州南嶽廟), 우적공랑(右迪功郞), 태학박사(太學博士), 국사원편수관(國史院編修官), 실록원검토관(實錄院檢討官), 비서성비서랑(秘書省秘書郞) 등을 역임했다. 저서에는 『좌전설(左傳說)』, 『동래좌씨박의(東萊左氏博議)』, 『역대제도상설(歷代制度詳說)』, 『송문감(宋文鑑)』 등이 있고, 주희(朱熹)와 더불어 『근사록(近思錄)』을 편집했다.

利有攸往, 上合志也.

나아갈 바를 둠이 이로운 것은 윗사람과 뜻을 합했기 때문이다.

程傳

所以利有攸往者, 以與在上者合志也. 上九陽性上進, 且畜已極, 故不下畜三, 而與合志上進也.

갈 바를 둠이 이로운 것은 위에 있는 자와 뜻을 합하기 때문이다. 상구효는 양의 성질로 위로 나아가려 하고 또 저지하는 것이 극한에 이르렀으므로, 아래로 구삼효를 저지하지 않고 뜻을 합하여 위로 나아가는 것이다.

集說

● 趙氏汝楳曰 : "它卦陰陽應爲得, 此則爲畜, 它卦陰陽敵爲不胥與, 此則爲合."[4)]

조여매(趙汝楳)[5)]가 말했다. "다른 괘는 음양이 서로 호응하여 얻는

4) 조여매(趙汝楳), 『주역집문(周易輯聞)』 권3.

5) 조여매(趙汝楳) : 조여매(趙汝楳)는 남송(南宋) 시대 학자로서 상왕원분(商王元份) 7세손이고 자정전대학사(資政殿大學士) 선상(善湘)의 아들이다. 이종(理宗) 대에는 호부시랑(戶部侍郞)까지 올랐다. 『주역집문(周

데 이 괘는 축적하고, 다른 괘는 음양이 적대하여 함께 하지 않는 데 이 괘는 합한다."

易輯聞)』 6권이 있다. 『송사(宋史)』「조선상전(趙善湘傳)」에 따르면 조선상이 『역』에 대해 말한 책에는 『약설(約說)』 8권, 『혹문(或問)』 4권, 『지요(指要)』 4권, 『속문(續問)』 8권 등이 있는데 이 『역』을 연구한 것이 가장 오래되었다고 하니, 조여매는 가학(家學)을 이어서 이 『주역집문』을 지었을 것이다.

六四元吉, 有喜也.

육사효의 크게 길함은 기쁨이 있는 것이다.

程傳

天下之惡已盛而止之, 則上勞於禁制, 而下傷於刑誅, 故畜止於微小之前, 則大善而吉, 不勞而無傷, 故可喜也. 四之畜初是也, 上畜亦然.

세상의 악이 성대해졌을 때 그치게 하려면 윗사람은 금지하여 제지하는 데 힘쓰고 아랫사람은 형벌과 살육으로 손상을 당하므로, 그것이 미약하고 세력이 자라나기 전에 제지하여 그치게 하면 크게 선하고 길하여 힘을 들이지도 않고 손상을 당하지 않으므로, 기뻐할 수 있다. 육사효가 초구효를 제지하는 것이 이러하니 위를 제지하는 것 또한 이러하다.

六五之吉, 有慶也.

육오효의 길함은 기쁜 일이 있다.

程傳

在上者不知止惡之方, 嚴刑以敵民欲, 則其傷甚而無功. 若知其本, 制之有道, 則不勞無傷而俗革, 天下之福慶也.

위에 있는 자가 악행을 제지하는 방도를 알지 못하고 형벌을 엄격하게 하여 백성의 욕심을 대적하려고 하면 그 손상은 매우 심하면서도 공은 없게 된다. 근본을 알고 제지하는 데 방도가 있다면 힘을 들이지 않고 손상을 입히지 않으면서 풍속이 개혁될 것이니 세상의 복된 경사이다.

集說

● 呂氏大臨曰 : "六四六五, 皆以柔畜剛, 止健者也. 牛之剛健在角, 豕之剛健在牙. 初九居健之始, 其健未著, 若童牛然. 禁於未發, 以牿閑之, 及其長也, 無所用其健, 豈特不暴而已. 安於馴柔, 可駕而服, 故有喜也. 九二居健之中, 其健已具, 若豕之牙, 漸不可制. 六五居尊守中, 能以柔道殺其剛暴之氣, 若豶豕然. 其牙雖剛, 莫之能暴, 可以養畜而無虞, 故有慶也."

여대림(呂大臨)이 말했다. "육사효와 육오효는 모두 부드러움으로 굳셈을 제지하는 것이니 강건함을 그치는 것이다. 소의 강건함은 뿔에 있고 돼지의 강건함은 이빨에 있다. 초구효는 강건함의 처음에 자리하여 그 강건함이 아직 드러나지 않아 마치 어린 소와 같아 아직 드러나지 않았을 때 금지하여 우리로 막고 그것이 성장하여 강건함을 쓸 바가 없으니 어찌 폭력적이지 않을 뿐이겠는가? 길들여 부드러워짐에 편안해 하여 멍에를 씌워 복종하게 살 수 있으므로 기쁨이 있다. 구이효는 강건함의 중간에 자리하여 강건함을 이미 갖추어 마치 돼지의 이빨과 같아 점차로 제어할 수가 없다. 육오효는 존귀한 자리에 있고 중도를 지켜 부드러운 도로 그 강폭한 기운을 죽이니, 마치 거세된 돼지와 같아 그 이빨이 비록 강하지만 폭력적일 수가 없게 되어 양육하고 길러 근심이 없으므로 경사가 있다."

● 項氏安世曰 : "喜者據己言之, 慶則其喜及人. 五居君位, 故及人也. 若論止物之道, 則制之於初乃爲大善, 故四爲元吉, 五獨得吉而已."[6]

항안세(項安世)가 말했다. "기쁨은 자신을 근거로 말했고 경사는 그 기쁨이 사람에게 미치는 것이다. 오효는 군주의 지위에 자리했으므로 사람에게 미친다. 사물을 제지하는 도를 논했다면 초효에서 제지하는 것이 곧 가장 좋으므로 사효는 크게 길하고 오효만이 길함을 얻을 뿐이다."

● 蔡氏清曰 : "五不如四所處之易者, 時不同也, 四不如五所濟

6) 항안세(項安世), 『주역완사(周易玩辭)』 권6.

之廣者，位不同也."

채청(蔡清)이 말했다. "오효가 사효에서 처신하는 쉬움보다 못한 것은 때가 다르기 때문이고, 사효가 오효에서 다스리는 광대함보다 못한 것은 지위가 다르기 때문이다."

何天之衢, 道大行也.

어찌 하늘의 길이라고 하는가? 길이 크게 통행할 수 있기 때문이다.

程傳

何以謂之天衢? 以其無止礙, 道路大通行也. 以天衢非常語, 故「象」特設問曰"何謂天之衢? 以道路大通行", 取空豁之狀也, 以「象」有'何'字, 故爻下亦誤加之.

어째서 하늘의 길이라고 했는가? 제지와 장애가 없어 도로가 크게 뚫려 통행할 수 있기 때문이다. 하늘의 길은 일상적인 말은 아니므로 「상전」에서는 특별히 가정적인 질문처럼 "어찌하여 하늘의 길이라고 했는가? 길이 크게 통행할 수 있기 때문이다"라고 했으니 광활한 모양을 취한 것이다. 「상전」에서 '하(何)'라는 글자가 있으므로 효사에서 또한 잘못해서 '하(何)'를 덧붙인 것이다.

集說

● 遊氏酢曰: "畜道之成, 賢路自我而四達矣, 故曰何天之衢亨. 「象」曰剛上而尚賢, 則大畜之義, 主於上九也. 崇俊良以列庶位, 推轂賢路, 使天下無家食之賢者, 上九之任也. 天下至於無家食之賢, 則道之大行, 孰盛於此."[7]

유초(遊酢)[8]가 말했다. "제지하는 도의 완성이니 현자가 출사하는 길이 나로부터 사방으로 도달하므로 하늘의 길이 형통하다고 했다. 「단전」에서 굳셈이 위에 있고 현자를 숭상한다고 했으니 대축의 뜻은 상구효에 주로 있다. 빼어난 사람을 숭상하여 지위에 배열하고 현자가 출사하는 길을 열어 천하에 집에서 밥먹는 현자가 없게 하는 것이 상구효의 소임이다. 천하에 집에서 놀면서 밥먹는 현자가 없게 하면 도가 크게 행하여 어떤 일이 이보다 성대하겠는가?"

● 沈氏該曰 : "何天之衢, 尙賢也. 大畜之時, 已獨居上, 五以柔尙之, 畜盛德而處上, 止衆賢而聚王庭, 以天衢之亨, 爲己之任, 畜道至此, 賢路不塞, 其道盛矣, 故曰道大行也."[9]

---

7) 유초(游酢), 『유치산집(游廌山集)』 권2.

8) 유초(游酢, 1053~1123) : 자는 정부(定夫)·자통(子通)이고, 호는 치산(廌山)·광평(廣平)이며, 시호는 문숙(文肅)이다. 건양(建陽 : 현 복건성 건영) 사람이다. 북송 때 경학가이다. 1083년에 진사가 되어 태학박사(太學博士), 감찰어사(監察御使) 등을 지냈다. 형 유순(游醇)과 함께 학문과 행실로 알려져서 당시 지부구현(知扶溝縣)으로 있던 정호(程顥)의 부름을 받아 학사(學事)를 맡게 되었고, 그때부터 정호 형제를 사사하였다. 사량좌(謝良佐), 양시(楊時), 여대림(呂大臨)과 함께 '정문사선생(程門四先生)'으로 일컬어졌다. 도를 천지 만물 속에 있는 보편적 존재로 인식하여 자연의 도가 바로 인륜의 이치라고 주장하였다. 또 『주역』을 중시하여 그 책 속에 우주 만물의 이치가 포함되어 있다고 보았다. 만년에 선(禪)에 몰입하여 유가가 불가를 배척할 것이 아니라 서로 보완적인 관계가 되어야 한다고 주장하여, 후대 학자인 호굉(胡宏)으로부터 '정자 문하의 죄인'이라고 혹평을 받기도 하였다. 저술로 『역설(易說)』, 『중용의(中庸義)』, 『논어맹자잡해(論語孟子雜解)』, 『시이남의(詩二南義)』 등이 있었지만 모두 잃어버렸고, 남은 글을 모아 후세 사람이 엮은 『유치산집(游廌山集)』이 남아 있다.

9) 심해(沈該), 『역소전(易小傳)』 권3상.

심해(沈該)[10]가 말했다. "하늘의 길이란 현자를 숭상하는 것이다. 대축의 때에 이미 홀로 위에 자리하고 오효는 부드러움으로 그를 숭상하니 덕을 성대하게 길러 위에 자리하고 여러 현자를 모아 왕의 뜰에 모이게 하여 하늘의 길이 형통한 것을 가지의 소임으로 삼는다. 기르는 도가 여기에 이르면 현자가 출사하는 길이 막히지 않고 그 도가 성대하므로 도가 크게 행한다고 했다."

● 呂氏祖謙曰:"畜極則散, 如伊尹樂堯舜之道, 居畎畝之中, 其畜可謂大矣, 必佐湯以發其所蘊. 是得時如天之衢也, 故曰道行, 得時行道之謂也."

여조겸(呂祖謙)이 말했다. "기름이 극에 이르면 흩어지니 이윤(伊尹)이 요순의 도를 즐거워하며 밭도랑에서 자리했으니 그 기름이 크다고 할 수 있지만 반드시 탕왕을 보좌하여 그 온축한 것을 발산했다. 이것이 때를 얻어 하늘의 길과 같으므로 도가 행해졌다고 한 것이니 때를 얻어 도를 행했다는 말이다."

● 何氏揩曰:"備於身之謂德, 達於世之謂道. 道可大行, 其亨

10) 심해(沈該): 남송 호주(湖州) 귀안(歸安) 사람으로 자는 수약(守約)이고, 심시승(沈時升)의 아들이다. 고종(高宗) 소흥(紹興) 8년(1138) 금나라 사람이 회사(淮泗)에서 사신을 보내 화친을 청하자 글을 올렸는데, 바로 불려갔다. 16년(1146) 양절전운판관(兩浙轉運判官)으로 임안(臨安)을 다스렸다. 다음 해 권예부시랑(權禮部侍郎)이 되고, 외직으로 나가 기주지주(夔州知州)가 되었다. 불려 참지정사(參知政事)에 오르고 좌복야(左僕射)에 오른 뒤 나이가 들어 퇴직을 청했다. 『주역』에 정통했다. 저서에 문집과 『역소전(易小傳)』, 『중흥성어(中興聖語)』가 있다.

可知,「象」所謂不家食吉而利涉大川者此也."[11]

하해(何揩)가 말했다. "몸에 갖춘 것이 덕이고 세상에 도달한 것이 도이다. 도가 크게 행해질 수 있으니 그 형통함을 알 수 있다.「단전」에서 말하는 집에서 놀며 밥먹지 않으니 길하고 큰 강을 건너는 것이 이롭다는 말이 이것이다."

11) 하해(何楷),『고주역정고(古周易訂詁)』권3.

27. 이頤䷚괘

山下有雷, 頤. 君子以愼言語, 節飮食.

산 아래에 우레가 있는 것이 이괘의 모습이니, 군자는 이를 본받아 말을 신중하게 하고 먹고 마시는 일을 절제한다.

本義

二者養德養身之切務.

두 가지는 덕(德)을 기르고 몸을 기르는 데 절실한 일이다.

程傳

以二體言之, 山下有雷, 雷震於山下, 山之生物, 皆動其根荄, 發其萌芽, 爲養之象. 以上下之義言之, 艮止而震動, 上止下動, 頤頷之象. 以卦形言之, 上下二陽, 中含四陰, 外實中虛, 頤口之象. 口所以養身也, 故君子觀其象以養其身, 愼言語以養其德, 節飮食以養其體. 不唯就口取養義, 事之至近而所系至大者, 莫過於言語飮食也. 在身爲言語, 於天下則凡命令政敎, 出於身者皆是, 愼之則必當而無失. 在身爲飮食, 於天下則凡貨資財用, 養於人者皆是, 節之則適宜而無傷. 推養之道, 養德養天下, 莫不然也.

괘의 두 본체로 말하면 산 아래 우레가 있으니 우레가 산 아래에서 진동하여 산 속의 생물들이 모두 그 뿌리가 동요하고 그 싹이 돋아나와 배양하는 모습이다.
위와 아래 괘의 뜻을 가지고 말하면 간(艮☶)괘는 멈춤이고 진(震☳)괘는 움직임이니 위는 멈추고 아래는 움직여 턱의 모습이다. 괘의 형체로 말하면 맨 위와 맨 아래에 있는 두 양효가 네 음효를 머금고 있으며, 밖은 꽉 찼는데 가운데는 텅 비어 턱과 입의 모습이다.
입은 몸을 기르는 것이므로 군자는 이 모습을 관찰하여 그 몸을 수양하니 말을 신중하게 하여 덕을 기르고 음식을 조절하여 자신의 몸을 양육한다. 단지 입을 가지고 기르는 뜻을 취한 것이 아니라 일들에서 가장 비근하고 관계된 큰 일들 가운데 말과 음식만한 것이 없기 때문이다.
자신에게서는 말이지만 세상에서는 모든 명령과 정치 및 가르침으로 몸에서 나오는 것이니 신중하면 반드시 합당하여 실수가 없다. 자신에게서는 음식이지만 세상에서는 재화와 재용으로 사람을 기르는 것이 모두 이것이니, 절제하면 합당하게 조절되어 손상이 없다. 배양의 도리를 미루면 덕을 기르고 세상을 기르는 데에 그렇지 않는 바가 없다.

集說

● 『朱子語類』或云 : "諺有'禍從口出, 病從口入', 甚好." 曰 : "此語前輩曾用以解頤之象, 愼言語, 節飮食."[1)]

『주자어류』에서, 어떤 이가 물었다. "속담에 '화(禍)는 입을 따라 나오고, 병(病)은 입을 따라 들어온다'는 말이 매우 좋습니다." 대답했다. "이 말은 이전의 사람들이 이(頤)괘의 상을 해석하면서 사용했으니 바로 '말을 삼가 하고 먹고 마시는 일을 절제하라'는 말이다.

● 馮氏椅曰 : "法雷之動, 以愼其所出, 法山之止, 以節其所入."[2)]

풍의(馮椅)[3)]가 말했다. "우레의 움직임을 본받아 그 나오는 것을 삼가고 산의 그침을 본받아 그 들어오는 것을 절제한다."

1) 『주자어류』 71장, 99조목.
2) 풍의(馮椅), 『후재역학(厚齋易學)』 권39.
3) 풍의(馮椅) : 자는 기지(奇之) 또는 의지(儀之)이고, 호는 후재(厚齋)이다. 송(宋)대 남강 도창(南康都昌 : 현 강서성 도창현) 사람이다. 광종(光宗) 소희(紹熙) 4년(1193)에 진사에 급제하여, 강서운사간판공사(江西運司幹辦公事), 상고현령(上高縣令) 등을 역임했다. 주희(朱熹)가 지남강군(知南康軍)으로 있을 때 제자가 되었는데, 주희는 그의 성실함에 감동하여 벗의 예로 대우했다고 한다. 역학(易學)에 정밀했다. 저서에 『후재역학(厚齋易學)』, 『주역집설명해(周易輯說明解)』, 『경설(經說)』, 『서명집설(西銘輯說)』, 『효경장구(孝經章句)』, 『상례소학(喪禮小學)』, 『공자제자전(孔子弟子傳)』, 『속사기(續史記)』, 『시문지록(詩文志錄)』 등이 있다.

● 趙氏汝楳曰:“雷之聲爲言語, 山之養爲飮食, 言語飮食出入乎頤者也.”[4]

조여매(趙汝楳)가 말했다. “우레의 소리는 말이고 산의 기름은 음식이니 말과 음식은 턱에서 나온다.”

● 俞氏琰曰:“頤乃口頰之象, 故取其切於頤者言之. 曰愼言語, 節飮食, 充此言語之類, 則凡號令政教之出於己者, 皆所當愼, 而不可悖出. 充此飮食之類, 則凡貨財賦稅之入於上者, 皆所當節, 而不可悖入.”[5]

유염(俞琰)이 말했다. “턱은 입과 뺨의 모습이므로 턱에 절실한 것을 취해서 말했다. 말을 신중하게 하고 먹고 마시는 것을 절제하라고 했으니, 이 말들의 종류를 확충하면 명령과 정교가 자기에게서 나오는 것이므로 모두 마땅히 신중하게 해서 잘못 나와서는 안 된다. 이 먹고 마시는 종류를 확충하면 재화와 부세(賦稅)가 위에서 들어오는 것이니 모두 마땅히 절제하여 잘못 들어와서는 안 된다.”

4) 조여매(趙汝楳), 『주역집문(周易輯聞)』 권3.
5) 유염(俞琰), 『주역집설(周易集說)』 권12.

觀我朵頤, 亦不足貴也.

나를 보고 턱을 늘어뜨리니 또한 귀하게 여길 만하지 못하다.

程傳

九, 動體. 朵頤, 謂其說陰而志動, 旣爲欲所動, 則雖有剛健明智之才, 終必自失, 故其才亦不足貴也. 人之貴乎剛者, 爲其能立而不屈於欲也, 貴乎明者, 爲其能照而不失於正也. 旣惑所欲而失其正, 何剛明之有? 爲可賤也.

구(九)는 움직임의 본체이다. 턱을 늘어뜨린다는 말은 음(陰)을 기뻐하면서 뜻이 동요한 것이니 욕심에 의해 움직이면 강건하고 현명한 지혜의 재능이 있다 해도 결국 반드시 스스로 실수할 것이므로 그 재능 또한 귀하게 여길만하지 못하다. 사람이 굳셈을 귀하게 여기는 것은 우뚝 서서 욕심에 굴하지 않을 수 있기 때문이고, 현명한 지혜를 귀하게 여기는 것은 두루 비추어 올바름을 잃지 않을 수 있기 때문이다. 욕심에 미혹되어 올바름을 잃었다면 어찌 굳셈과 현명함이 있다고 하겠는가? 천하게 여길 만하다.

集說

● 楊氏簡曰 : "明其本有良貴, 今觀夫朵頤, 則失其所謂貴矣."[6)]

양간(楊簡)이 말했다. "본래 좋은 귀함을 가지고 있음을 밝히고 지금 털을 늘어뜨리니 귀함이라는 것을 잃는다."

● 俞氏琰曰："孟子云'養其大體爲大人, 養其小體爲小人' 又云 '飮食之人, 則人賤之矣,' 今初九陽德之大, 本有可貴之質, 乃內舍其大而外觀其小, 豈不爲人所賤, 故曰亦不足貴也."[7]

유염(俞琰)이 말했다. "맹자가 '그 대체(大體)를 기르면 대인이 되고 소체(小體)를 기르면 소인이 된다'[8]고 했고 또 '음식을 밝히는 사람을 사람들이 천시한다'[9]고 했다. 지금 초구효는 양의 덕을 지

---

6) 양간(楊簡), 『양씨역전(楊氏易傳)』 권10.
7) 유염(俞琰), 『주역집설(周易集說)』 권12.
8) 『맹자』「고자상」: "사람이 자기 몸에 대해 사랑하는 바를 겸하니, 사랑하는 바를 겸하면 기르는 바를 겸한다. 한 자와 한 치의 살을 사랑하지 않음이 없다면 한 자와 한 치의 살을 기르지 않음이 없을 것이니 잘 기르고 잘못 기름을 상고하는 것이 어찌 다른 것이 있겠는가. 자기에게서 취할 뿐이다. 몸에는 귀천(貴賤)이 있으며 소대(小大)가 있으니, 작은 것을 가지고 큰 것을 해치지 말며 천한 것을 가지고 귀한 것을 해치지 말아야 하니 작은 것을 기르는 자는 소인(小人)이 되고, 큰 것을 기르는 자는 대인(大人)이 되는 것이다.[人之於身也, 兼所愛, 兼所愛, 則兼所養也. 無尺寸之膚不愛焉, 則無尺寸之膚不養也, 所以考其善不善者, 豈有他哉? 於己, 取之而已矣. 體有貴賤, 有小大, 無以小害大, 無以賤害貴, 養其小者爲小人, 養其大者爲大人.]"라고 하였다.
9) 『맹자』「고자상」: "지금 정원사가 오동나무를 버리고 가시나무를 기른다면 값어치 없는 정원사가 되는 것이다. 그 한 손가락만을 기르고, 그 어깨와 등을 잃으면서도 모른다면, 이는 낭질(狼疾)의 사람이 되는 것이다. 음식을 밝히는 사람을 사람들이 천히 여기나니, 작은 것을 기르고 큰 것을 잃기 때문이다.[今有場師, 舍其梧檟, 養其樲棘, 則爲賤場師焉. 養其一指, 而失其肩背而不知也, 則爲狼疾人也. 飮食之人, 則人賤之矣,

닌 대인으로 본래 귀한 자질을 가지고 있는데 안으로 그 큰 것을 버리고 밖으로 작은 것을 보니 어찌 사람들에 의해 천시되지 않겠는가? 그러므로 또한 귀하게 여길 만하지 못하다고 했다."

爲其養小以失大也.]"라고 하였다.

六二征凶, 行失類也.

육이효가 가면 흉한 것은 나아가면 같은 부류의 사람을 잃기 때문이다.

本義

初上皆非其類也.

초구효와 상구효는 모두 그 부류가 아니다.

程傳

征而從上則凶者, 非其類故也. 往求而失其類, 得凶宜矣. 行, 往也.

가서 상구효를 따르면 흉한 것은 그 사람이 같은 부류의 사람이 아니기 때문이다. 가서 구하되 같은 부류의 사람을 잃는다면 흉하게 되는 것은 당연하다. '행(行)'이란 나아간다는 말이다.

十年勿用, 道大悖也.

십년 동안 사용하지 못한다는 것은 도리에서 크게 벗어났기 때문이다.

程傳

所以戒終不可用, 以其所由之道, 大悖義理也.

결국에는 사용할 수 없다고 경계한 것은 그것을 따르는 방도가 크게 의리(義理)에서 벗어났기 때문이다.

集說

● 項氏安世曰 : "拂頤貞三字當連讀. 頤之卦辭曰頤貞吉. 三之爻辭曰拂頤貞凶. 卦中唯此一爻, 與卦義相反, 故曰道大悖也."[10]

항안세(項安世)가 말했다. "불이정(拂頤貞) 세 글자는 당연히 연속해서 읽어야 한다. 이(頤)괘의 괘사는 이정길(頤貞吉)이라 했다. 삼효의 효사는 불이정흉(拂頤貞凶)이라 했다. 괘에서 오직 이 효만이 괘의 뜻과 서로 반대이므로 크게 도에서 벗어났다고 했다."

10) 항안세(項安世), 『주역완사(周易玩辭)』 권6.

顚頤之吉, 上施光也.

뒤집혀져 기르는 일이 길함은 윗사람의 베풂이 빛나기 때문이다.

程傳

顚倒求養而所以吉者, 蓋得剛陽之應以濟其事, 致己居上之德施, 光明被於天下, 吉孰大焉.

뒤집혀져 기름을 구하지만 길한 이유는 굳센 양의 호응을 얻어 그 일을 해결하고 윗자리에 있는 자신의 덕을 시행하게 하여 세상에 그 빛을 밝게 비추게 하니 이보다 더 큰 길함이 어디 있는가?

集說

● 谷氏家杰曰 : "養逮於下, 則上施光, 是養賢及民也."

곡가걸(谷家杰)이 말했다. "기르는 일이 아래에까지 미치면 위의 베풂이 빛나니 이것이 현자와 백성을 기르는 일이다."

居貞之吉, 順以從上也.

올바름에 자리함이 길한 것은 상구효에 순종하기 때문이다.

程傳

居貞之吉者, 謂能堅固順從於上九之賢, 以養天下也.

올바름에 자리함이 길한 것은 견고하게 자신을 지키면서 상구효의 현자에게 순종하여 세상을 기르는 일을 말한다.

集說

● 張氏淸子曰 : "五能柔順以從上九之賢, 賴之以養天下, 眞聖人養賢以及萬民之事也."

장청자(張淸子)가 말했다. "오효는 유순하여 상구효의 현자를 따르고 그에게 의지하여 천하를 기를 수 있으니 진실로 성인이 현자를 길러 모든 백성에게 미치는 일이다."

由頤厲吉, 大有慶也.

자신으로부터 길러나가니 위태롭게 여기면 길한 것은 큰 경사가 있기 때문이다.

程傳

若上九之當大任如是, 能兢畏如是, 天下被其德澤, 是大有福慶也.

상구효가 이렇게 큰 책임을 맡았고 신중하고 두려워할 수 있어 천하가 그 덕택을 입는다면 이는 크게 경사가 있는 것이다.

集說

● 王氏宗傳曰 : "豫之九四, 天下由之以豫. 故曰大有得. 頤之上九, 天下由之以頤, 故曰大有慶."[11]

왕종전(王宗傳)이 말했다. "예(豫)괘의 구사효는 천하가 그로부터 기뻐하므로 크게 얻음이 있다고 했다.[12] 이(頤)괘의 상구효는 천하

---

11) 왕종전(王宗傳), 『동계역전(童溪易傳)』 권13.

12) 『주역』「예(豫)괘」: "구사효는 그로부터 기쁨을 일으키므로 크게 얻음이 있으니, 의심받지 않게 하면, 친구들이 모인다.[九四, 由豫, 大有得, 勿疑, 朋盍簪.]"라고 하였다.

가 그로부터 길러지므로 크게 경사가 있다고 했다."

● 項氏安世曰 : "六五上九二爻, 皆當以小象解之. 六五之居貞, 非自守也, 貞於從上也, 故曰'居貞之吉, 順以從上也.' 上九之厲吉, 非能自吉也, 得六五之委任而吉也, 故曰由頤厲吉, 大有慶也."[13]

항안세(項安世)가 말했다. "육요효와 상구효 두 효는 모두 마땅히 「소상전」으로 해석해야 한다. 육오효가 올바름에 자리하나 스스로 지키는 것이 아니고 상구효를 따르는 것이 올바르므로 '올바름에 자리하는 것이 길한 것은 상구효에게 순종하기 때문이다'라고 했다. 상구효의 위태롭게 여기면 길하지만 스스로 길할 수 있는 것이 아니라 육오효의 위임을 얻어 길한 것이므로 '자신으로부터 배양이 이루어지니 위태롭게 여기면 길한 것은 큰 경사가 있기 때문이다' 라고 했다."

13) 항안세(項安世), 『주역완사(周易玩辭)』 권6.

28. 대과大過䷛괘

澤滅木, 大過. 君子以獨立不懼, 遯世無悶.

연못이 나무를 멸하는 것이 대과괘의 모습이니 군자는 이것을 본받아 세상에서 홀로 우뚝 서서 두려움이 없고 세상에서 벗어나 은둔하여도 근심이 없다.

本義

澤滅於木, 大過之象也. 不懼無悶, 大過之行也.

연못이 나무를 멸하는 것이 대과(大過)괘의 모습이다. 두려워하지 않고 근심함이 없음은 대과(大過)의 행실이다.

程傳

澤, 潤養於木者也, 乃至滅沒於木, 則過甚矣, 故爲大過. 君子觀大過之象, 以立其大過人之行. 君子所以大過人者, 以其能獨立不懼, 遯世无悶也. 天下非之而不顧, 獨立不懼也. 擧世不見知而不悔, 遯世无悶也. 如此, 然後能自守, 所以爲大過人也.

연못이란 나무를 윤택하게 기르는 것인데 나무를 침몰시키는 데까지 이르렀으니 지나침이 심하므로, 대과(大過)이다. 군자는 이 대과괘의 모습을 관찰하여 보통 사람보다 크게 비범하게 행동할 자세를 세운다. 군자가 보통 사람보다 크게 비범한 것은 세상에 홀로 서서 두려워하지 않고 세상에서 벗어나 은둔하여도 근심이 없기 때문이다. 천하가 비난하지만 개의치 않고 홀로 서서 두려워하지 않는다. 온 세상이 인정해주지 않아도 후회하지 않고 세상에서 벗어나 은둔하여도 근심이 없다. 이러한 뒤에야 스스로 지킬 수 있으니, 보통 사람보다 비범하게 되는 까닭이다.

集說

● 劉氏牧曰 : "用之則獨立不懼, 舍之則遯世無悶."

유목(劉牧)[1]이 말했다. "등용되면 홀로 우뚝 서서 두려워하지 않고

1) 유목(劉牧, 1011~1064年) : 자는 선지(先之) 혹은 목지(牧之)이고 호는 장민(長民)이다. 원래는 항주(杭州) 임안(臨安) 사람이었는데, 조부의 공적으로 인해 서안(西安 : 현 절강성 구현〈衢縣〉) 사람이 되었다. 범중엄(範仲淹)을 스승으로 모시고, 손복(孫複)에게서 『춘추』를 배웠으며, 석개(石介)와도 친분이 두터웠다. 역학방면으로는 범악창(範諤昌)의 역학을 이어받아 진단(陳搏)의 「하도」·「낙서」 상수학을 전승하였다. 벼슬은 범중엄과 부필(富弼) 등의 추천으로 연주(兗州) 관찰사를 거쳐 태상박사(太常博士)까지 역임하였다. 역학 방면의 저술에는 『괘덕통론(卦德通論)』, 『신주주역(新注周易)』, 『주역선유유론구사(周易先儒遺論九

버려지면 세상에서 은둔하여 근심이 없다."

● 趙氏汝楳曰："獨立如巽木, 無悶如兌說."[2]

조여매(趙汝楳)가 말했다. "홀로 우뚝 서는 것은 손(巽☴)괘의 나무와 같고 근심이 없는 것은 태(兌☱)괘의 기쁨과 같다."

● 李氏簡曰："君子進則大有爲, 獨立不懼可也. 或退而窮居, 則堅貞不移, 遯世無悶可也, 皆大過之事."[3]

이간(李簡)이 말했다. 군자는 나아가면 크게 일을 행하고 홀로 우뚝 서서 두려워하지 않아야 옳다. 간혹 물러나 궁핍한 곳에 자리하면 올바름을 굳게 지키고 바뀌지 않고 세상에서 은둔하여 근심이 없어야 옳다. 모두 대과(大過)의 일이다.

事)』, 『역수구은도(易數鉤隱圖)』 등이 있다.
2) 조여매(趙汝楳), 『주역집문(周易輯聞)』 권3.
3) 이간(李簡), 『학역기(學易記)』 권3.

藉用白茅, 柔在下也.
흰 띠 깔개를 사용하는 것은 부드러움이 아래에 있기 때문이다.

程傳

以陰柔處卑下之道, 唯當過於敬愼而已. 以柔在下, 爲以茅藉物之象, 敬愼之道也.

음의 부드러움으로 낮은 자리에 처신하는 방도는 오직 과도하게 공경하고 신중할 뿐이다. 부드러움으로 아래에 있으니 물건을 띠 깔개로 까는 모습이므로 공경함과 신중함의 도리이다.

集說

● 錢氏志立曰 : “以卦象論之, 初與四應而在下, 初者四之本也. 本弱而藉茅, 則敬愼之至以善處者, 故四之棟不至於傾也.”

전지립(錢志立)이 말했다. “괘의 상으로 논하여 초효는 사효와 호응하면서 아래에 있으므로 초효가 사효의 근본이다. 본래 약하지만 깔개를 사용하면 공경과 신중함의 지극함이 되어 잘 처신하는 자이므로 사효의 동량이 기울어지는 데 이르지 않는다.”

案

高以下爲基, 剛以柔爲本, 柔在下, 對剛在上.

높음은 낮음을 기초로 하고 굳셈은 부드러움을 근본으로 하니, 부드러움이 아래에 있으면 상대하여 굳셈이 위에 있다.

老夫女妻, 過以相與也.

늙은 남자와 젊은 여자는 지나침으로 서로 함께 하는 것이다

程傳

老夫之說少女, 少女之順老夫, 其相與過於常分, 謂九二初六陰陽相與之和, 過於常也.

늙은 남자가 젊은 여자를 좋아하고 젊은 여자가 늙은 남자에게 순종함은 서로 함께 하는 것이 상도(常道)에 지나친 일이니, 구이효와 초육효라는 음과 양이 서로 함께 하는 화합이 상도(常道)를 넘어 지나친 것이다.

集說

● 王氏申子曰 : "老夫而女妻, 雖過乎常, 然陰陽相與, 以成生育之功, 則無不利也."[4]

왕신자(王申子)[5]가 말했다. "늙은 남자와 젊은 여자가 만나는 일은

4) 왕신자(王申子), 『대역집설(大易緝說)』 권5.

5) 왕신자(王申子) : 자는 손경(巽卿)이다. 원나라 공주(邛州, 사천성 공래〈邛崍〉) 사람이다. 인종(仁宗) 황경(皇慶) 연간(1311~1320)에 무창로(武昌路) 남양서원(南陽書院)의 산장(山長)을 지냈다. 나중에 30여 년 동안 자리주(慈利州) 천문산(天門山)에 은거했다. 저서에 『춘추류전(春

일상에서 보면 과도하지만, 음과 양이 서로 함께 하여 생육(生育)의 공을 이루면 이롭지 않음이 없다."

秋類傳)』, 『대역집설(大易集說)』, 『주례정의(周禮正義)』 등이 있다.

棟橈之凶, 不可以有輔也.
대들보 기둥이 휘어지는 흉함은 도움을 주는 이가 없기 때문이다.

程傳

剛強之過, 則不能取於人, 人亦不能親輔之, 如棟橈折, 不可支輔也. 棟當室之中, 不可加助, 是不可以有輔也.

지나치게 강하면 남으로부터 도움을 취할 수가 없고 사람들도 친밀하게 도와줄 수가 없으니, 대들보 기둥이 부러져 지탱하고 도와줄 수 없다. 대들보 기둥은 집안의 중앙에 해당하여 도움을 줄 수가 없으니, 이것은 도와주는 사람이 없다는 말이다.

集說

● 楊氏時曰 : "棟居中而衆材輔之者也. 九三以剛居剛, 過而不中也, 剛過而不中則不可以有輔, 此棟之所以橈也."

양시(楊時)[6]가 말했다. "대들보 기둥은 중앙에 자리하여 여러 재목

6) 양시(楊時, 1053~1135) : 자는 중립(中立)이고, 호는 구산(龜山)이며, 시호는 문정(文靖)이다. 북송 검남 장락(劍南將樂 : 현 복건성 장락현) 사람이다. 신종(神宗) 희녕(熙寧) 9년(1076)에 진사에 급제하였지만, 관직에 나가지 않고 10년 동안 칩거하다가 형주교수(荊州教授), 우간의대부(右諫議大夫), 국자감좨주(國子監祭酒), 공부시랑(工部侍郎), 용도각직

들이 도와주는 것이다. 구삼효는 굳셈으로 굳셈에 자리하여 지나쳐서 알맞음을 이루지 못했다. 굳셈이 지나쳐 알맞음을 이루지 못하면 도와줄 수가 없으니 이것이 대들보 기둥이 휘어졌다는 것이다."

● 項氏安世曰:"全卦有棟橈之象, 而九三乃獨有之, 全卦有利往之象, 而九二乃獨有之, 蓋九二當剛過之時, 獨能居柔而用中, 在六爻之中, 獨此一爻不過, 故無不利也, 卦體本以中太強而本末弱, 是以爲橈, 九三以剛居剛, 在六爻之中, 獨此一爻爲過, 故棟愈橈而不可輔也."[7]

항안세(項安世)가 말했다. "전체 괘에 대들보 기둥이 휘어진 모습이 있는데 구삼효만 유독 그런 모습이 있고, 전체 괘에는 가는 것이 이로운 모습이 있는데 구이효만 유독 있으니, 구이효는 굳셈이 지나친 때 홀로 부드러움에 자리하여 중도(中道)를 쓸 수 있어 여섯 효 가운데 이 한 효만이 지나치지 않으므로 이롭지 않음이 없고, 괘의 본체가 본래 가운데가 지나치게 강하여 본말(本末)이 약해 휘어지는데 구삼효는 굳셈으로 굳셈에 자리하여 여섯 효 가운데 이 한 효만이 지나치므로 대들보 기둥이 더욱 휘어져 도움을 줄 수 없다."

학사(龍圖閣直學士) 등을 역임하였다. 정호(程顥)·정이(程頤) 형제에게 사사(師事)했는데, 특히 형 정호의 신임을 받았다. 민학(閩學)의 창시자로서, 유초(游酢), 여대림(呂大臨), 사량좌와 함께 정문사선생(程門四先生)으로 불렸다. 그의 학문 계통에서 주희·장식(張栻)·여조겸(呂祖謙) 등 뛰어난 학자가 많이 배출되었다. 저서에 『구산집(龜山集)』, 『구산어록(龜山語錄)』, 『이정수언(二程粹言)』 등이 있다.

7) 항안세(項安世), 『주역완사(周易玩辭)』 권6.

棟隆之吉，不橈乎下也.

대들보 기둥이 높아져 길한 것은 아래에서 휘어지지 않기 때문이다.

程傳

棟隆起則吉，不橈曲以就下也，謂不下系於初也.

대들보 기둥이 높아지면 길한 것은 굽히면서 아랫사람을 취하지 않기 때문이니, 이것이 아래로 초육효에 얽매이지 않는다는 말이다.

枯楊生華, 何可久也! 老婦士夫, 亦可醜也.

늙은 버드나무가 꽃을 피운 것이 어떻게 오래 지속되겠는가! 늙은 부인은 젊은 남자를 얻는 것 또한 추하게 여길 만하다.

程傳

枯楊不生根而生華, 旋復枯矣, 安能久乎? 老婦而得士夫, 豈能成生育之功? 亦爲可醜也.

마른 버드나무에 뿌리가 생기지 않고 꽃을 피우는 것은 곧바로 다시 마르게 되니, 어떻게 오래 지속될 수 있겠는가? 늙은 부인이 젊은 남자를 얻는데 어떻게 낳고 양육하는 공을 이룰 수 있겠는가? 또한 추하게 여길 만하다.

集說

● 蘇氏軾曰: "稊者, 顚而復蘖, 反其始也. 華者, 盈而畢發, 速其終也."[8]

소식(蘇軾)이 말했다. "제(稊)는 뒤집어져 다시 움트는 것이니 그 시작으로 돌아간다. 화(華)는 가득 차서 꽃 피는 것이니 그 끝이 빠르다."

8) 소식(蘇軾), 『동파역전(東坡易傳)』 권3.

● 項氏安世曰 : “二五皆無正應, 而過以與陰者也. 二所與者初, 初, 本也, 故爲稊. 稊者, 木根新生之芽也, 過而復芽, 故有往亨之理. 五所與者上, 上, 末也, 故爲華. 木已過而生華, 故無久生之理也.”[9]

항안세(項安世)가 말했다. “구이효와 구오효는 모두 올바르게 호응함이 아니라 지나치게 음과 함께 하는 것이다. 구이효가 함께 하는 것은 초육효이니 초(初)는 뿌리이므로 새로운 뿌리이다. 제(稊)는 나무의 뿌리에서 새롭게 나는 싹이니 지나치게 다시 싹이 나므로 가서 형통할 이치가 있다. 구오효가 함께 하는 것은 상육효이니 상(上)은 끝이므로 꽃이다. 나무가 지나치게 꽃이 피므로 오래 살 수 있는 이치는 없다.”

● 王氏申子曰 : “木枯而華, 是速其枯, 老婦士夫, 是過乎常, 而爲柔邪所惑.”[10]

왕신자(王申子)가 말했다. “나무가 마르고 꽃이 피면 그 마름이 빨라지니 늙은 부인과 젊은 남자는 일상의 도리에서 볼 때 지나쳐 부드러움이 사특함에 의해 미혹된 것이다.”

● 何氏楷曰 : “盛極將枯而又生華以自耗竭, 不能久矣. 二以剛居柔, 初以柔居剛, 此未甚過者也. 又在卦初, 故過以相與, 可成生育之功. 五以剛居剛, 上以柔居柔, 皆過者也. 又在卦終, 故陰陽相比, 只以爲醜, 其相反如此.”[11]

9) 항안세(項安世), 『주역완사(周易玩辭)』 권6.
10) 왕신자(王申子), 『대역집설(大易緝說)』 권5.

하해(何楷)가 말했다. "성대함이 극한에 이르러 마르려 하고 또 꽃을 피워 스스로 고갈되어 오래 갈 수가 없다. 구이효는 굳셈으로 부드러움에 자리하고 초육효는 부드러움으로 굳셈에 자리하였으니 이는 아주 지나친 것은 아니다. 또 괘의 시작에 있으므로 지나쳐 서로 함께 했지만 생육(生育)의 공을 이룰 수 있다. 구오효는 굳셈으로 굳셈에 자리하고 상육효는 부드러움으로 부드러움에 자리하여 모두 지나친 자들이다. 또 괘의 끝에 있으므로 음과 양이 함께 나란히 하여 단지 추할뿐이니 서로 반대됨이 이와 같다."

11) 하해(何楷), 『고주역정고(古周易訂詁)』 권3.

過涉之凶, 不可咎也.
지나치게 건너다가 흉하게 되는 것은 아무도 탓할 수 없다.

程傳

過涉至溺, 乃自爲之, 不可以有咎也, 言無所怨咎.

지나치게 건너다가 물에 빠지게 된 것은 스스로 자초한 일이라 누구를 허물할 수도 없으므로 원망하고 탓할 곳이 없다고 한 것이다.

集說

● 蘇氏軾曰 : "過涉至於滅頂, 將有所救也, 勢不可救, 而徒犯其害, 故凶. 然其義則不可咎也."[12]

소식(蘇軾)이 말했다. "지나치게 건너다가 이마까지 빠지는 지경에 이르니 구해야 하는데 형세가 구할 수가 없고 도리어 그 해로움을 범하므로 흉하다. 그러나 의리상 허물할 곳이 없다."

12) 소식(蘇軾), 『동파역전(東坡易傳)』 권3.

29. 감坎☵괘

水洊至, 習坎, 君子以常德行, 習教事.

물이 거듭하여 이르는 것이 습감(習坎)의 모습이니, 군자는 이것을 본받아 덕행을 일정하게 하고, 가르치는 일을 반복해서 익힌다.

本義

治己治人, 皆必重習, 然後熟而安之.

자신을 다스리고 남을 다스림을 모두 반드시 거듭한 뒤에야 익숙하여 편안하게 된다.

程傳

坎爲水, 水流仍洊而至. 兩坎相習, 水流仍洊之象也. 水自涓滴, 至於尋丈, 至於江海, 洊習而不驟者也. 其因勢就下, 信而有常, 故君子觀坎水之象, 取其有常, 則常久其德行. 人之德行不常, 則僞也, 故當如水之有常. 取其洊習相受, 則以習

熟其教令之事. 夫發政行教, 必使民熟於聞聽, 然後能從, 故三令五申之, 若驟告未喻, 譴責其從, 雖嚴刑以驅之, 不能也, 故當如水之洊習.

감(坎)은 물이니 물이 흘러 계속 잇달아 이른다. 두 개의 감(坎)이 서로 중첩된 것은 물이 흘러 계속 잇달아 흐르는 모습이다. 물은 한 방울 한 방울로부터 흐르기 시작하여 수십 미터의 개울에 이르고 강과 바다에 이르러 계속 거듭 흐르지 급작스럽게 이르지는 않는다. 그것은 지세(地勢)에 따라 아래로 내려가는데 믿음직스럽게 일정하므로, 군자는 물이 흘러가는 모습을 관찰하여 그것이 항상됨을 취하니 덕행을 오래도록 지속한다. 사람의 덕행은 항상되지 못하면 거짓이므로 마땅히 물이 일정하게 지속하는 것처럼 해야 한다. 또 물이 계속 거듭해서 서로 이어지는 모습을 취했으니 그것을 본받아 가르침과 명령의 일들을 반복해서 익힌다. 정치를 시행하고 화를 실행할 때 반드시 백성이 먼저 익숙하게 들어 알게 한 뒤에 그것을 따를 수 있으므로 세 번 명령하고 다섯 번 거듭해야 하니, 만약 급작스럽게 고하고 백성들이 깨닫지 못했다고 해서 복종하기를 문책한다면 아무리 엄한 형벌로 재촉하더라도 해낼 수 없으므로 마땅히 물이 계속 거듭하듯이 반복해야 한다.

集說

● 司馬氏光曰 : "水之流也, 習而不已, 以成大川, 人之學也, 習而不止, 以成大賢, 故君子以常德行, 習教事."[1]

1) 사마광(司馬光), 『역설(易說)』 권2.

사마광(司馬光)[2]이 말했다. "물의 흐름이 반복하고 그치지 않아야 큰 냇물을 이룬다. 사람의 배움은 반복해서 멈추지 않아야 큰 현자를 이루므로 군자는 덕행을 일정하게 유지하고 가르치는 일을 반복한다."

● 蘇氏軾曰 : "事之待教而後能者, 教事也. 君子平居, 常其德行, 故遇險而不變, 習其教事, 故遇險而能應."[3]

소식(蘇軾)이 말했다. "가르친 뒤에 능숙할 수 있는 것은 가르치는 일이다. 군자는 평상시에 덕행을 항상 유지하므로 험한 일을 당해도 변하지 않고, 가르치는 일을 연습하므로 험한 일을 당해도 대응할 수 있다."

● 陸氏佃曰 : "離言明兩作, 坎言水洊至, 起而上者作也, 趨而下者至也."

육전(陸佃)[4]이 말했다. "이(離☲)괘는 '밝음이 이어져 둘이다'[5]라

2) 사마광(司馬光, 1019~1086) : 자는 군실(君實)이고, 호는 우부(迂夫), 우수(迂叟)이며, 시호는 문정(文正)이다. 세칭 사마태사(司馬太師)·온국공(溫國公)·속수선생(涑水先生)이라 한다. 송대 하현 속수향(夏縣 涑水鄕 : 현 산서성 하현〈夏縣〉) 사람으로 한림시독(翰林侍讀)·권어사중승(權御使中丞)·문하시랑(門下侍郞) 등을 역임하였다. 왕안석의 신법에 반대하여 퇴출되었다가 재상으로 복직하여 신법을 폐지하였다. 저서는 『문집』과 『자치통감(資治通鑑)』·『계고록(稽古錄)』·『역설(易說)』·『잠허(潛虛)』 등이 있다.

3) 소식(蘇軾), 『동파역전(東坡易傳)』 권3.

4) 육전(陸鈺) : 육전은 명나라 사람으로 자는 선지(選之)이다. 은현(鄞縣)

하고 감(坎☵)괘는 '물이 거듭하여 이른다'[6]고 하니, 일어나 올라가는 것이 작(作)이고 달려 내려가는 것이 지(至)이다."

● 王氏宗傳曰 : "坎者水之科也, 故以水洊至爲習坎之象. 上坎旣盈, 至於下坎, 此孟子所謂盈科而後進也. 盈科而後進, 不舍其晝夜之功也, 君子德行貴其有常, 而教事貴於習熟. 此不舍晝夜之功也."[7]

왕종전(王宗傳)이 말했다. "감(坎)은 물의 웅덩이이므로 물이 거듭해서 이르면 거듭 위험한 모습이다. 위의 웅덩이가 가득차서 아래 웅덩이에 이르니 이것이 맹자가 말한 '웅덩이가 넘친 뒤에 나아간다'[8]는 말이다. 웅덩이가 가득 찬 뒤에 나아가 밤낮을 가리지 않는

사람이다. 생졸연대는 분명하지 않다. 명나라 세종(世宗) 가정(嘉靖) 14년 전후 사람이다. 가정 2년(1523)에 진사가 되어 형부주사(刑部主事)에 제수받았다. 동생과 『과쟁대례(戈爭大禮)』를 편찬했다가 옥고를 치렀다. 후에 광서안찰사(廣西按察使)가 되었다.

5) 『주역』「이(離)괘」: "「상전」에서 말했다. 밝음이 이어져 둘인 것이 이괘의 모습이니, 대인이 이를 본받아 밝음을 계승하여 온 세상에 비춘다.[象曰, 明兩作離, 大人以繼明, 照于四方.]"라고 하였다.

6) 『주역』「감(坎)괘」: "「상전」에서 말했다. 물이 거듭해서 이르는 것이 습감의 모습이니, 군자는 이것을 본받아 덕행을 일정하게 지속하고, 가르치는 일을 반복해서 익힌다.[象曰, 水洊至, 習坎, 君子以常德行, 習教事.]"라고 하였다.

7) 왕종전(王宗傳), 『동계역전(童溪易傳)』 권13.

8) 『맹자』「이루하(離婁下)」: "근원이 있는 물은 콸콸 솟아나와 밤낮을 가리지 않고 흘러서 웅덩이가 넘친 뒤에 나아가니 사해로 흐른다.[源泉混混, 不舍晝夜, 盈科而後進, 放乎四海.]"라고 하였는데, 조기(趙岐)는 "과(科)는 웅덩이이다.[科, 坎.]"라고 주석하였다.

공이니, 군자의 덕행은 그 항상성이 있음을 귀하게 여기고, 가르치는 일은 연습된 숙련을 귀하게 여긴다. 이것이 밤과 낮을 가리지 않는 공이다."

● 俞氏琰曰:"常德行, 謂德行有常而不改, 習教事, 謂教事練習而不輟."

유염(俞琰)이 말했다. "덕행을 늘 유지 한다는 것은 덕행에 항상성이 있어 고치지 않는다는 말이고, 가르치는 일을 연습한다는 것은 가르치는 일을 연습하여 그치지 않는다는 말이다."

習坎入坎, 失道凶也.

잇달은 웅덩이에서 더 깊은 웅덩이로 들어감은 길을 잃은 것으로 흉하다.

程傳

由習坎而更入坎窞, 失道也. 是以凶. 能出於險, 乃不失道也.

잇달은 웅덩이로부터 다시 더 깊은 웅덩이로 들어가니, 길을 잃은 것이다. 그래서 흉하다. 위험에서 나올 수 있어야 길을 잃지 않는다.

集說

● 朱氏震曰 : "君子處險, 當以正道, 乃可出險. 初六不正, 不能出險, 失道而凶也."[9]

주진(朱震)[10]이 말했다. "군자가 험난함에 대처함은 마땅히 정도로 해야 험난함에서 벗어날 수 있다. 초육효는 올바르지 않아 험난함

9) 주진(朱震), 『한상역전(漢上易傳)』 권3.

10) 주진(朱震, 1072~1138) : 자는 자발(子發)이고, 당시 한상선생(漢上先生)이라 불리었다. 송대 형문군(荊門軍 : 현 호북성 소속) 사람으로 한림학사(翰林學士)를 여러 번 역임하였다. 저서는 『한상역전(漢上易傳)』이 있다.

에서 벗어날 수 없으니 도를 잃어 흉하다."

● 錢氏志立曰:"行險而不失其信, 此是出險之道, 若小人行險以僥幸, 則爲初六上六, 失道之凶也."

전지립(錢志立)이 말했다. "험난함을 행하면서 그 믿음을 잃지 않으니 이것이 험난함을 벗어나는 도이다. 만약 소인이라면 험난함을 행하면서 요행을 바라니 초육효와 상육효로서 도를 잃은 흉함이다."

求小得, 未出中也.

구하는 데 조금이나마 얻은 것은 아직 위험 속에서 나오지 못했기 때문이다.

程傳

方爲二陰所陷, 在險之地, 以剛中之才, 不至陷於深險, 是所求小得, 然未能出坎中之險也.

두 음효 사이에 빠져 위험한 곳에 있지만, 굳세면서 알맞은 재능으로 더 깊은 위험에 빠지는 지경에까지 이르지 않으니, 이는 구하는 바를 조금이나마 얻었지만 아직 구덩이 속의 위험에서 빠져나올 수 있는 것은 아니다.

集說

● 郭氏雍曰 : "一離乎中, 則失之矣, 故「象」言'未出中也'."[11]

곽옹(郭雍)이 말했다. "하나의 양이 가운데 빠졌으니 잃은 것이므로 「상전」에서 '속에서 나오지 못했다'고 했다."

11) 곽옹(郭雍), 『곽씨전가역설(郭氏傳家易說)』 권3.

● 許氏聞至曰 : “君子不爲險困者, 非能遽出於險之外也, 但能心安於險之中而已. 人在險中, 思旦夕出於險者, 求其大得, 君子第從其小者而求之, 所謂有孚心亨者以此.”

허문지(許聞至)가 말했다. “군자는 곤란하지 않으니 험난함에서 빨리 빠져나올 수 없는 것이 아니라, 험난함 속에서 마음을 안정시킬 수 있을 뿐이다. 사람이 험난함 속에 있으면 아침 저녁으로 험난함에서 나오기를 생각하여 크게 얻을 것을 구하지만 군자는 작은 것을 차례대로 따라서 구하니 믿음이 있어 마음이 형통하다는 말이 이것이다.”

來之坎坎, 終無功也.

오고 가는 데 빠지고 빠지는 것은 끝내 공이 없다.

程傳

進退皆險, 處又不安, 若用此道, 當益入於險, 終豈能有功乎! 以陰柔處不中正, 雖平易之地, 尙致悔咎, 況處險乎? 險者人之所欲出也, 必得其道, 乃能去之. 求去而失其道, 益困窮耳. 故聖人戒如三所處, 不可用也.

나아가고 물러나는 일이 모두 험하고 처신하는 것 또한 불안하니 만약 이런 도리로 행하면 당연히 위험에 더욱 빠질 것인데 어떻게 끝내 공이 있을 수 있겠는가? 음의 부드러움으로 처신하는 바가 중정(中正)을 이루지 못했으니 평이한 곳에 있더라도 후회와 잘못에 이를 것인데 위험한 곳에서는 어찌하겠는가? 험난함은 사람들이 벗어나려는 곳이지만 반드시 정도(正道)를 얻어야 벗어날 수 있다. 벗어나기를 바라면서 정도를 잃는다면 더욱 곤궁해질 뿐이다. 그러므로 성인이 육삼효처럼 처신하는 것을 쓸 수가 없다고 경계하였다.

樽酒簋貳, 剛柔際也.

한 동이의 술과 두 그릇의 밥은 굳셈과 부드러움이 교류하기 때문이다.

本義

晁氏曰陸氏釋文本無貳字, 今從之.

조씨(晁氏)가 말하기를 "육씨(陸氏 : 陸德明)의 석문본(釋文本)에 이(貳)자가 없으니 지금 이를 따른다"고 했다.

程傳

象只擧首句, 如此比多矣, 樽酒簋貳, 質實之至, 剛柔相際接之道能如此, 則可終保無咎. 君臣之交, 能固而常者, 在誠實而已. 剛柔, 指四與五, 謂君臣之交際也.

「상전」에서는 단지 첫 구절만 언급했으니 이와 같은 것이 비교적 많다. '한 동이의 술과 두 그릇의 밥'은 질박한 성실함이 지극한 것이니, 굳셈과 부드러움이 서로 교류하는 방도가 이와 같다면, 결국에는 허물이 없음을 유지할 수 있다. 군주와 신하의 교류가 견고하면서도 오래 할 수 있는 것은 오직 성실(誠實)에 있을 뿐이다. 굳셈과 부드러움은 육사효와 구오효를 가리키므로 군주와 신하가 교류하는 것이다.

集說

● 王氏弼曰 : "剛柔相比而相親焉, 際之謂也."

왕필(王弼)이 말했다. "굳셈과 부드러움이 서로 나란히 하여 서로 친한 것이 교제함을 말한다."

● 姜氏寶曰 : "觀孔子於小象, 以樽酒簋貳爲句, 則晁氏之說以貳用缶爲句者非矣."

강보(姜寶)가 말했다. "공자가 「소상전」에서 준주궤이(樽酒簋貳)를 한 구절로 여긴 것을 보면, 조씨(晁氏)의 말에서 이용부(貳用缶)를 한구절로 여긴 것은 잘못이다."

坎不盈, 中未大也.

웅덩이가 가득차지 않음은 가운데가 크게 빛나지 못한 것이다.

本義

有中德而未大.

가운데 덕은 있지만 크지 못하였다.

程傳

九五剛中之才, 而得尊位, 當濟天下之險難, 而坎尙不盈, 乃未能平乎險難, 是其剛中之道, 未光大也. 險難之時, 非君臣協力, 其能濟乎! 五之道未大, 以無臣也. 人君之道, 不能濟天下之險難, 則爲未大, 不稱其位也.

구오효는 굳세면서 알맞은 재능으로 존귀한 지위를 얻어 천하의 험난함을 해결해야 하는 때 웅덩이가 아직 차지 않아 여전히 험난함을 평정할 수 없는 상황인데, 이것이 그 굳세면서 알맞은 도가 아직 크게 빛나지 못한 것이다. 험난할 때 군주와 신하가 협력하지 않는다면 어떻게 해결할 수 있겠는가? 구오효의 도가 아직 크게 빛나지 못한 것은 신하가 없기 때문이다. 군주의 도가 천하의 험난함을 해결할 수 없다면 크게 빛나지 못하니, 그 군주의 지위에 걸맞지 않은 것이다.

集說

● 『朱子語類』云 : "水之爲物, 其在坎只能平, 自不能盈, 故曰不盈. 盈者高之義, 中未大者. 平則是得中, 不盈是未大也."[12]

『주자어류』에서, 말했다. "물은 웅덩이에 있으면 평평할 수 있지만 저절로 가득 찰 수 없으므로 가득 차지 않는다고 했다. 가득 찬 것은 높다는 뜻이고 가운데가 아직 크게 빛나지 못한 것이다. 평평하면 알맞음을 얻었고 가득 차지 않음은 크게 빛나지 못한 것이다."

● 項氏安世曰 : "水流而不盈, 謂不止也. 坎不盈, 謂不滿也, 不止故有孚, 不滿故中未大. 凡物盈則止, 水盈則愈行, 故坎有時而盈, 水無時而盈也."[13]

항안세(項安世)가 말했다. "물이 흘러 가득차지 않음은 그치지 않는 것을 말한다. 웅덩이가 가득 하지 않음은 꽉 차지 않은 것이다. 그치지 않으므로 믿음이 있고 꽉 차지 않았으므로 가운데가 크게 빛나지 않았다. 사물은 가득하면 그치고 물은 가득 차면 더욱 나아가므로 웅덩이는 때때로 가득하지만 물은 가득 찬 때가 없다."

● 陸氏振奇曰 : "知二之得小, 則知五之未大矣."

육진기(陸振奇)[14]가 말했다. "이효가 조금 얻었다는 것을 알면 오

12) 『주자어류』 71권, 120조목.

13) 항안세(項安世), 『주역완사(周易玩辭)』 권6.

14) 육진기(陸振奇) : 자는 용성(庸成)이고 명(明)대 전당(錢塘 : 현 절강성 항주〈杭州〉) 사람이다. 만력(萬曆) 34년(1606)에 거인(擧人)이 되었다.

효가 크게 빛나지 못한 것을 안다."

● 陳氏仁錫曰 : "水流不盈, 才盈便橫流泛溢. 五爻曰不盈, 「象」曰未大, 以五有中德, 故不侈然自大. 未大, 明其所以不盈."

진인석(陳仁錫)이 말했다. "물이 흘러 가득 차지 않았으니 가득차면 곧 제멋대로 흘러 범람한다. 오효는 가득 차지 않았다고 했고 「상전」에서 크게 빛나지 못했다고 했으니, 오효는 알맞은 덕이 있으므로 거만하지 않지만 저절로 크게 된다. 아직 크게 빛나지 못했다고 했으니 가득 차지 않았다는 점을 밝힌 것이다.

저서에 『역개(易芥)』가 있다.

上六失道凶, 三歲也.

상육이 도를 잃었는데 흉한 것은 삼년에 이른다.

程傳

以陰柔而自處極險之地, 是其失道也, 故其凶至於三歲也. 三歲之久而不得免焉, 終凶之辭也. 言久有曰十, 有曰三, 隨其事也. 陷於獄, 至於三歲, 久之極也. 它卦以年數言者, 亦各以其事也, 如三歲不興, 十年乃字是也.

음의 부드러움으로 매우 험난한 곳에 자처했으니, 이것이 도를 잃은 상황이므로 그 흉함이 3년에까지 이른다. 3년이라는 오랜 세월이 지나도록 면하지 못했으니 끝내 흉하다는 말이다. 오래 된다는 것을 말할 때 10이라 하는 경우도 있고 3이라 하는 경우도 있으니, 그 일에 따라 다르다. 감옥에 갇혀 3년이나 되니 매우 오래 되는 것이다. 다른 괘에서도 연수(年數)로 말한 것이 있는데 또한 각각 그 일에 따라 다른 것이니, 예를 들어 동인(同人)괘의 "3년이 되어도 일어나지 못한다" 혹은 준(屯)괘의 "10년 만에 아이를 잉태한다"는 말이 이것이다.

集說

● 朱氏震曰 : "上六無出險之才, 處險極之時, 如人陷於狴犴之中, 坐而省過, 雖上罪也, 不過三歲得出矣, 妄動求出, 則陷之愈深, 雖三歲豈得出哉."[15]

주진(朱震)이 말했다. "상육효는 험난함에서 벗어날 재주가 없는데 험난함의 극한에 처한 경우로, 마치 사람이 감옥에 들어가 앉아서 잘못을 반성하면 큰 죄목이더라도 3년이면 나오는데, 망령되이 빠져나가려고 해서 더욱더 깊이 빠지는 것과 같으니, 3년이 지나더라도 어찌 나올 수 있겠는가?"

15) 주진(朱震), 『한상역전(漢上易傳)』 권3.

30. 이離☲괘

明兩作, 離, 大人以繼明照於四方.

밝음이 이어져 둘인 것이 이괘의 모습이니, 대인이 이를 본받아 밝음을 계승하여 온 세상에 비춘다.

本義

作, 起也.

작(作)은 일어남이다.

程傳

若云'兩明', 則是二明, 不見繼明之義, 故云'明兩', 明而重兩, 謂相繼也. '作離', 明兩而爲離, 繼明之義也. 震巽之類, 亦取洊隨之義, 然離之義尤重也. 大人, 以德言則聖人, 以位言則王者, 大人觀離明相繼之象, 以世繼其明德, 照臨於四方. 大凡以明相繼, 皆繼明也. 擧其大者, 故以世襲繼照言之.

만약 '양명(兩明)'이라고 했다면 이것은 두 개의 밝음이라는 뜻으로 밝음을 잇는다는 뜻을 드러낼 수가 없으므로, '명양(明兩)'이라고 말했으니 밝고 중복되어 둘이라는 것은 서로 그 밝음을 계승한다는 말이다. '작리(作離)'는 밝음이 이어져 둘이 되어 이(離☲)괘가 되니, 밝음을 계승한다는 뜻이다. 진(震)괘나 손(巽)괘의 경우도 거듭해서 따른다는 뜻을 취하지만, 이괘의 뜻이 더욱 중요하다. 대인(大人)이란 덕으로 말하면 성인이고, 지위로 말하면 왕이다. 대인이 이 괘가 밝음을 서로 계승하는 모습을 관찰하여 대대로 그 명덕(明德)을 이어 온 세상에 비추어 임한다. 밝음으로 서로 잇는다는 것은 모두 밝음을 계승한다는 말이다. 그 큰 것을 들었으므로 군주의 지위를 세습하고 계승하여 세상을 비춘다는 것으로 말했다.

集說

● 王氏弼曰: "繼謂不絕也, 明照相繼, 不絕曠也."

왕필(王弼)이 말했다. "계승한다는 것은 끊이지 않는다는 뜻이니 밝게 비추고 서로 계승하여 밝음을 끊지 않는다."

● 孔氏穎達曰: "繼續其明, 乃照於四方, 若明不繼續, 則不得久爲照臨."[1]

공영달(孔穎達)이 말했다. "그 밝음을 계승하여 사방을 비추니 만약 밝음을 계승하지 못하면 오래도록 비추어 임할 수 없다."

1) 공영달(孔穎達), 『주역주소(周易注疏)』 권5.

● 『朱子語類』云 : “明兩作, 猶言水洊至, 今日明, 來日又明. 明字便是指日而言, 只是一個明, 兩番作.”[2]

『주자어류』에서 말했다. “밝음이 이어져 둘인 것은 물이 흘러와 이른다고 말하는 것과 같으니 오늘 밝고 내일 또 밝다. 밝다는 것은 해를 가리켜 말했으니 단지 하나의 밝음이지만 두 번 일어난다.”

● 徐氏在漢曰 : “繼明者, 無時不明也, 照於四方者, 無處不照也. 唯其無時不明, 所以無處不照, 是之謂明明德於天下也.”

서재한(徐在漢)이 말했다. “계속해서 밝은 것은 밝지 않은 때가 없다는 뜻이고 사방에 비춘다는 것은 비추지 않는 곳이 없다는 말이다. 오직 밝지 않은 때가 없기 때문에 비추지 않는 곳이 없으니, 이것이 명덕(明德)을 천하에 밝힌다[3]는 뜻이다.”

2) 『주자어류』 71장, 129조목.
3) 『대학』「경1장」: “明明德, 親民, 至於止善.”

履錯之敬, 以辟咎也.

발자국이 어지러워서 신중함은 허물을 피하려는 것이다.

程傳

履錯然欲動, 而知敬愼不敢進, 所以求辟免過咎也. 居明而剛, 故知而能辟, 不剛明則妄動矣.

발자국이 어지러이 움직이려 하지만 공경함과 신중함을 알고 함부로 나아가지 않으니 과실과 허물을 피하려는 것이다. 밝음에 자리하고 굳셈으로 알아서 피할 수 있지만 굳세어 밝지 못하다면 망령되게 움직일 수 있다.

集說

● 徐氏在漢曰 : "敬以直內, 坤之德也. 履錯之敬, 是體坤之德, 所謂畜牝牛吉者也, 咎不期遠而自遠, 故曰以辟咎也."

서재한(徐在漢)이 말했다. "경(敬)으로 안을 곧게 하는 것은 곤(坤)의 덕이다. 발자국이 혼란스러워 공경하는 것은 곤의 덕을 체득한 것이니 암소를 기르듯이 하면 길하다[4]는 뜻이다. 허물을 멀리하려고 기대하지 않으면서 저절로 멀어지므로 허물을 피한다고 했다."

4) 『주역』「이(離)괘」: "붙어 의지하는 데는 올바름을 굳게 지키는 것이 이롭고 형통하니, 암소를 기르듯이 하면, 길하다.[離, 利貞, 亨. 畜牝牛, 吉.]"라고 하였다.

黃離元吉, 得中道也.

황색에 붙는 것이 크게 길한 것은 중도(中道)를 얻었기 때문이다.

程傳

所以元吉者, 以其得中道也. 不云正者, 離以中爲重, 所以成文明由中也. 正在其中矣.

크게 길할 수 있는 것은 중도를 얻었기 때문이다. 정도(正道)라고 하지 않은 것은 붙어 의지하는 사물은 중도가 더 중요하기 때문이니 문명(文明)한 덕을 이룬 것은 중도를 통해서이다. 정도(正道)는 그 가운데 있다.

集說

● 郭氏忠孝曰: "離之所以亨, 柔麗乎中正, 故亨也. 黃離之所以元吉, 文明而用中, 故元吉也. 故盡一卦之美, 其唯六二乎."

곽충효(郭忠孝)[5]이 말했다. "붙음이 형통한 것은 부드러움이 중정

5) 곽충효(郭忠孝, ?~1128) : 자는 입지(立之)이고, 호는 겸산(兼山)이다. 북송대 낙양(현 하남성 낙양시) 사람으로 곽규(郭逵)의 아들이고 곽옹(郭雍)의 아버지이다. 정이(程頤)에게 『역(易)』과 『중용(中庸)』을 배웠다. 부친의 음사(蔭仕)로 우반전직(右班殿直)에 올랐다가 진사가 된 뒤 벼슬은 하동로제거(河東路提擧), 군기소감(軍器少監)을 역임했다. 금나

(中正)에 붙어 의지하므로 형통하다. 황색에 붙는 것이 크게 길한 것은 문명(文明)하고 중도를 쓰므로 크게 길하다. 그러므로 한 괘의 아름다움을 다한 것은 오직 육이효이다!"

라가 영흥(永興)을 침공할 때 수성(守城)하다가 성이 함락되자 전사했다. 그의 역학사상은 순희(淳熙) 연간에 편찬된 『대역수언(大易粹言)』에 정호(程顥)와 정이(程頤), 장재(張載), 양시(楊時), 유초(游酢), 곽옹(郭雍) 등의 학설과 함께 실려 있다. 저서에 『중용설(中庸說)』, 『겸산역해(兼山易解)』, 『역서(易書)』, 『사학연원론(四學淵源論)』 등이 있다.

日昃之離, 何可久也.

기운 해가 걸려 있는 것이 어찌 오래갈 수 있겠는가!

程傳

日旣傾昃, 明能久乎! 明者知其然也, 故求人以繼其事, 退處以休其身, 安常處順, 何足以爲凶也.

해가 기울어졌으니 밝음이 오래 갈 수 있겠는가? 현명한 자는 그러한 이치를 알기 때문에 사람을 구하여 그 일을 잇게 하고, 자신은 물러나 몸을 쉬게 하여[6] 상도(常道)에 마음을 안정시키며, 처신하는 바가 모두 이치에 순종하게 하니, 어떻게 흉할 수 있겠는가?

案

日昃, 喩心德之昏也, 心德明則常繼, 昏則不能以久.

6) 자신은 물러나 몸을 쉬게 하여 : 『서경』「대우모(大禹謨)」, "순임금이 말했다. '그대 우(禹)에게 고합니다. 내가 임금 자리에 있은지 30년이 지났고, 나이도 벌써 90을 지나 100살이 되어 가고, 일에도 싫증이 나니, 그대는 게을리 하지 말고 나의 백성들을 다스려 주시오.'[帝曰, 格汝禹, 朕宅帝位, 三十有三載, 耄期, 倦于勤, 汝惟不怠, 總朕師.]"라고 했는데, 여기에 '모기(耄期)'라는 말은 90살과 100살이 된 늙은이를 말한다. 구삼효에 나온 '질(耋)'도 80살의 늙은이를 말한다.

해가 기울었다는 것은 마음의 덕이 어두워졌음을 비유했다. 마음의 덕이 밝으면 항상 이어지지만 어두워졌다면 오래갈 수 없다.

突如其來如, 无所容也.

갑작스럽게 오는 것은 받아들일 곳이 없다.

本義

無所容, 言焚死棄也.

용납할 곳이 없다는 것은 불타며 죽고 버림받음을 말한다.

程傳

上陵其君, 不順所承, 人惡衆棄, 天下所不容也.

위로 군주를 능멸하여 계승하는 바에 순종하지 못하니, 사람들이 싫어하고 버려 세상이 받아들이지 않는다.

案

突如其來如, 書所謂昏暴者是也. 非人不容之, 自若無所容爾.

갑작스럽게 온다는 것은 『서경』에서 말하는 어둡고 포악한 자[7]가

7) 『서경』「중훼지고(仲虺之誥)」: "아! 그 끝을 삼가려면 시작을 잘해야 하니, 예(禮)가 있는 자를 봉(封)해주며 어둡고 포악한 자를 전복시켜, 천

그에 해당한다. 사람이 받아들이지 않는다는 뜻이 아니라 스스로 받아들이는 바가 없게 할 뿐이다.

도(天道)를 공경하고 높이셔야 천명(天命)을 영원히 보존할 것입니다. [嗚呼, 愼厥終, 惟其始, 殖有禮, 覆昏暴, 欽崇天道, 永保天命.]"라고 하였다.

六五之吉, 離王公也.

육오효가 길함은 왕공의 자리에 붙어 있기 때문이다.

程傳

六五之吉者, 所麗得王公之正位也. 據在上之勢, 而明察事理, 畏懼憂虞以持之, 所以能吉也. 不然, 豈能安乎?

육오효가 길함은 붙어 있는 곳이 왕공의 올바른 지위이기 때문이다. 위의 세력을 차지하면서 사리(事理)를 분명하게 살피고, 두려워하고 근심하면서 유지하므로 길할 수 있다. 그렇지 않다면 어떻게 안정을 이룰 수 있겠는가?

集說

● 趙氏彦肅曰: "明極故憂深, 憂深故禍弭, 又麗於尊位, 故致吉也."[8]

조언숙(趙彦肅)[9]이 말했다. "밝음이 극한에 이르렀으므로 우환이

---

8) 조언숙(趙彦肅), 『부재역설(復齋易說)』 권2.

9) 조언숙(趙彦肅): 자는 자흠(子欽)이고 호는 복재(復齋)이다. 송(宋) 태조의 후예이고 일찍이 진사(進士)로 천거되었다. 저작으로는 『광잡학변(廣雜學辨)』, 『사관례혼례괘식도(士冠禮婚禮饋食圖)』 등이 있는데 주

깊어지고 우환이 깊어지므로 재앙이 그치고, 또 존귀한 지위에 붙었으므로 길함이 이른다.”

● 蔡氏清曰 : “味離王公也之詞, 則知諸卦之五, 所謂尊位者, 不必皆謂天王, 凡諸侯之各君其國者, 亦足當五也.”[10]

채청(蔡清)이 말했다. “왕공의 자리에 붙어 있다는 말을 음미해 보면, 여러 괘의 오효가 존귀한 지위를 말하지만 반드시 모두 천왕(天王)을 말할 필요는 없고, 여러 제후가 각각 그 나라를 통치하는 일 또한 오효에 해당할 수 있음을 알 수 있다.”

희가 높이 평가했다. 오직 『역』을 논하는데 주희와 합치하지 않아서 『주자어류』에서는 그 학설이 정미하다고 말하여 의미를 취한 것이 많다. 조언숙이 말하는 『역』은 상수(象數)에서 의리(義理)를 구하는 것이라서 6획을 중시한다. 『복재역설(復齋易說)』이 있다.

10) 채청(蔡清), 『역경몽인(易經蒙引)』 권4.

王用出征, 以正邦也.

왕이 정벌을 나가는 데 쓰임이라는 말은 나라를 바로 잡는 일이다.

程傳

王者用此上九之德, 明照而剛斷, 以察除天下之惡, 所以正治其邦國, 剛明, 居上之道也.

왕은 이 상구효의 덕을 사용하여 밝게 비추며 굳세게 결단하여 천하의 악행들을 살펴 제거하니, 그 나라를 올바르게 다스리는 일은 굳세게 밝음이 위에 자리하는 것이 도리이다.

| 역주자 소개 |

신창호申昌鎬

현 고려대학교 교수
고려대학교 박사(Ph. D, 동양철학/교육철학 전공)
권우(卷宇) 홍찬유(洪贊裕), 일평(一平) 조남권(趙南勸), 중관(中觀) 최권흥(崔權興), 위재(威齋) 김중렬(金重烈), 수강(修岡) 유명종(劉明鍾) 선생 등으로부터 한학 및 동양학 사사
한국교육철학학회 회장(역임)
「중용(中庸) 교육사상의 현대적 조명」(박사논문) 외 『관자』, 「주역 계사전」, 『유교의 교육학 체계』, 한글사서(『논어』, 『맹자』, 『대학』, 『중용』) 등 100여 편의 논저가 있음

김학목金學睦

현 고려대학교 연구교수
건국대학교 박사(Ph. D, 한국철학 전공)
해송학당 원장(사주명리 · 동양학 강의)
「박세당의 『신주도덕경』 연구」(박사논문)를 비롯하여 『왕필의 노자주』, 『하상공의 노자』, 『한국주역대전』 등 50여 편의 논저가 있음

심의용沈義用

현 숭실대학교 H.K 연구교수
숭실대학교 박사(Ph. D, 주역철학 전공)
「정이천의 『역전』 연구」(박사논문)를 비롯하여 『주역』, 『성리대전』, 『인역』, 『주역과 운명』, 『세상과 소통하는 힘』 『시적 상상력으로 주역을 읽다』 등 30여 편의 논저가 있음.

윤원현尹元鉉

전 고려대학교 연구교수
臺灣 文化大學校 박사(Ph. D, 주자철학 전공)
한중철학회 회장(역임)
「從朱子思想中之天人架構闡論其義理脈絡」(박사논문)를 비롯하여 『성리대전』, 『태극해의』, 『역학계몽』, 『율려신서』 등 10여 편의 논저가 있음.

한 국 연 구 재 단
학술명저번역총서
[동 양 편] 620

주역절중周易折中 7

초판 인쇄 2018년 11월 1일
초판 발행 2018년 11월 15일

편 찬 | 이광지
책임역주 | 신창호
공동역주 | 김학목·심의용·윤원현
펴 낸 이 | 하운근
펴 낸 곳 | 學古房

주 소 | 경기도 고양시 덕양구 통일로 140 삼송테크노밸리 A동 B224
전 화 | (02)353-9908 편집부(02)356-9903
팩 스 | (02)6959-8234
홈페이지 | www.hakgobang.co.kr
전자우편 | hakgobang@naver.com, hakgobang@chol.com
등록번호 | 제311-1994-000001호

ISBN 978-89-6071-797-8 94140
978-89-6071-287-4 (세트)

값: 40,000원

이 책은 2015년도 정부재원(교육부)으로 한국연구재단의 지원을 받아 연구되었음
(NRF-2015S1A5A7018113).
This work was supported by National Research Foundation of Korea Grant funded by the Korean Government(NRF-2015S1A5A7018113).

이 도서의 국립중앙도서관 출판예정도서목록(CIP)은 서지정보유통지원시스템 홈페이지 (http://seoji.nl.go.kr)와 국가자료종합목록시스템(http://www.nl.go.kr/kolisnet)에서 이용하실 수 있습니다. (CIP제어번호 : CIP2018032007)